grafit

Chemnitzer Str. 31, D-44139 Dortmund
Internet: http://www.grafit.de
E-Mail: info@grafit.de

Umschlagillustration: Peter Bucker
Druck und Bindearbeiten: Clausen & Bosse, Leck
ISBN 3-89425-295-2
1. 2. 3. 4. 5. / 2006 2005 2004

Jacques Berndorf

Eifel-Träume

Kriminalroman

DER AUTOR

Jacques Berndorf – Pseudonym des Journalisten **Michael Preute** – wurde 1936 in Duisburg geboren und lebt heute in der Eifel. Er war viele Jahre als Journalist tätig, arbeitete unter anderem für den *stern* und den *Spiegel,* bis er sich ganz dem Krimischreiben widmete.

Seine Siggi-Baumeister-Geschichten haben Kultstatus, erschienen sind bisher: *Eifel-Blues* (1989), *Eifel-Gold* (1993), *Eifel-Filz* (1995), *Eifel-Schnee* (1996), *Eifel-Feuer* (1997), *Eifel-Rallye* (1997), *Eifel-Jagd* (1998), *Eifel-Sturm* (1999), *Eifel-Müll* (2000), *Eifel-Wasser* (2001) und *Eifel-Liebe* (2002).

Mit *Die Raffkes* (2003) legte Berndorf einen fulminanten Politthriller vor, in dem der junge Staatsanwalt Jochen Mann mit einem der größten Skandale, die es je in der Geschichte der Bundesrepublik gegeben hat, konfrontiert wird.

Eifel-Filz war 1996 für den ›Friedrich-Glauser-Preis‹, den Autorenpreis deutschsprachiger Kriminalschriftsteller, nominiert. Ebenfalls 1996 erhielt Michael Preute für sein Gesamtwerk den Eifel-Literaturpreis und 2003 den ›Ehrenglauser‹ für seine Verdienste um die deutschsprachige Kriminalliteratur.

Leider können wir nicht mehr so werden wie die Kinder; stattdessen müssen wir mit ansehen, dass die Kinder so werden wie wir.

Erich Kästner

Für meine Frau Geli

ERSTES KAPITEL

Das Leben floss langsam und ganz unaufgeregt dahin.

Ich hockte auf der Terrasse und blätterte in einem Magazin, was in diesem Sommer wahrlich kein Genuss war. Chaos und Ängste um die Terrorismusbekämpfung, das Unheil von Madrid, Brutalität in Fernost, Hinrichtungen im Nahen Osten, mein schönes Deutschland im Reformstau. Die Opposition hierzulande behauptete, der Kanzler sei ein Banause, während der Kanzler behauptete, die Opposition sei ein breitflächiger Brei aus Durchschnittlichen. Dieser Kanzler hat, so denke ich, einen miesen Job: Macht er etwas falsch, schreit die Kritik, macht er etwas richtig, kreischt die Kritik. Stolpe, dieser Maut-Mann, berief zum zehnten Mal eine ultimative Konferenz mit der Industrie ein und rechnete ganz ernsthaft damit, ernst genommen zu werden. Ein Industriemanager fühlte sich von den Medien übel verfolgt, weil er für das bloße Ausräumen seines Schreibtisches die ungefähre Summe von dreißig Millionen Euro eingestrichen hatte. Und er war der festen Überzeugung, er habe das durchaus verdient, und eigentlich sei es sogar zu wenig gewesen. Deutschland – die Lachnummer.

Gott sei Dank kam mein Satchmo vorbei und jaulte herzzerreißend, weil er wie üblich dicht vorm Hungerkollaps stand. Also marschierte ich in die Küche und klatschte etwas Katzenpampe auf einen Teller. Aber er fraß nicht. Stattdessen stellte er sich auf einen Brocken Vulkangestein und röhrte seinen Schmerz hinaus in die stille, sonnige Landschaft.

Es war jetzt ein Vierteljahr her und er trauerte immer noch. Wenn ich ihm eine Schüssel mit seinem geliebten Industriefutter hinstellte, tapste er heran, schnupperte, wandte sich um und begann, nach Paul zu rufen. Er verhielt sich nach dem Motto: Komm endlich her, hier ist was zu fressen! Doch Paul kam nicht, Paul konnte gar nicht kommen. Irgendein unbekannter Autofahrer hatte ihn genau vor meiner Haustür erwischt. Paul hatte sich wohl noch mit letzter Kraft in die Rosen geflüchtet, die die Gemeinde unter die jungen Ahornstämme gepflanzt hat, und dort sein Leben ausgehaucht. Ich hatte mich schuldig gefühlt, wie wir uns immer schuldig fühlen, wenn uns Anvertraute plötzlich und scheinbar so grundlos gehen müssen. Neben dem Forsythienbusch hinter dem Haus hatte ich ihn begraben. Satchmo war nun allein und hatte wochenlang den ganzen Tag über nach dem Freund gerufen. Zuweilen war er wie ein Blitz quer über die Straße zu Rudi Latten gerast, als hätte er dort Pauls Schwanzspitze entdeckt. Es war ein richtiges Katzenelend und Satchmo beruhigte sich nur langsam, ging immer noch mindestens dreimal pro Tag durch das hohe Gras zur Gartenmauer, weil er von dort aus einen guten Überblick hatte. Kein Paul mehr, nirgendwo.

»Suche nicht nach Paul«, sagte ich zum tausendsten Mal. »Das Leben war eine Sekunde lang gegen ihn.« Und zum tausendsten Mal sah er mich prüfend an und schien zu denken, dass die blöden Menschen von den größeren Zusammenhängen nicht die geringste Ahnung haben.

Beachtlich und würdevoll fand ich, dass mein Hund Cisco sich über Satchmos Geheul nicht aufregte, sondern ganz still dalag und ihn beobachtete. Vielleicht, um zu verstehen, was sich in Satchmos Seele abspielte. Na ja, dämlicherweise suchen wir Menschen bei allen Tieren nach menschlichen Verhaltensmustern.

Cisco ruhte weit entfernt unter dem großen roten Ginsterbusch und blinzelte träge. Nun entschied er sich, uns Gesellschaft zu leisten. Er trottete heran, legte seinen Kopf zwischen die Vorderpfoten und sah Satchmo beim Fressen zu. Er rührt Katzenfutter nicht an. Das ist unter seiner Würde.

Am Teichrand stand eine prächtige violette Distel, sicherlich achtzig Zentimeter hoch und mit mehr als dreißig Blüten bestückt. Um sie herum tanzte ein Pärchen Kaisermantel, eine kleine, wunderschöne Orgie in hellem Orange mit schwarzen Flecken. In der Namensgebung waren die Leute vergangener Generationen besser gewesen als wir und ich fragte mich, wie man diesen Schmetterling wohl heute nennen würde. Wahrscheinlich Orange-Plus oder Yellow Brush oder vielleicht auch Believe-in-God, auf jeden Fall fantasielos und streng neudeutsch.

Dann rief Emma an, ihre Stimme war munter und angriffslustig. »Weißt du eigentlich, dass Tante Anni schlecht dran ist?«

»Nein, weiß ich nicht. Was fehlt ihr denn?«

»Sie klingt nicht gut und vor allem: Sie liegt nur noch im Bett und will nicht aufstehen.«

»Hat sie Fieber, einen Infekt oder so was? Soll ich hinfahren?«

»Nicht nötig. Ich fahre hin. Wie geht es dir?«

»Na ja, wie immer. Entschieden zu langsam.«

»An was arbeitest du?«

»Das weiß ich auch nicht so genau.«

Sie lachte und legte auf und ich fühlte mich angesichts ihres positiven Lebensdranges elend.

Günter von nebenan schlurfte hinter dem Haus entlang, sah mich und meinte leicht verlegen: »Du siehst im Moment nicht so aus, als hättest du die Arbeit erfunden.«

Ich erwiderte, er habe Recht, aber er selbst würde auch nicht den Eindruck erwecken, als würde er sich danach drängen. Pingpong.

»Im Moment nicht«, gab er zu. »Aber ich habe eine Gefährtin gefunden. Und da hat man dann Lust auf anderes.«

Das war nun wirklich ein Grund, Freude zu empfinden, und ich sagte begeistert: »Herzlichen Glückwunsch. Wer ist die Arme?«

»Tja«, antwortete er mit der typischen Zurückhaltung der hiesigen Bevölkerung, »die kennst du sowieso nicht.«

Vorläufiges Ende der Unterhaltung.

Er machte ein paar Schritte auf den Teichrand zu, beugte sich vor, starrte ins Wasser, richtete sich wieder auf, drehte sich langsam zu mir und erklärte schließlich doch in dürren Worten: »Ich lag ja im Krankenhaus. Und neben mir lag ein junger Mann, der immer Besuch von seiner Mutter kriegte. Dann war der Junge gesund und verschwand. Nur seine Mutter, die kam weiter. Zu mir.«

Da schimmerte stählerner Lebenswille auf, das war Eifeldramatik pur, da schallte das Jagdhorn. »Und? Wie ist sie?«

»Klasse, würde ich sagen. Sie ist ein paar Jährchen älter, aber was macht das schon?«

»Gar nix!«, stimmte ich zu. »Halt sie fest.«

Er strahlte und nickte: »Das will ich wohl.« Mit der Betulichkeit eines Tanzbären verschwand er um die Hausecke.

»Wisst ihr«, erklärte ich Hund und Kater, »solche erfreulichen Besuche sollten wir öfter verzeichnen. Aber ihr liegt nur rum und guckt angewidert. Das baut nicht auf, das ist kontraproduktiv. Blöde Bande!«

Wie aufs Stichwort kam Rodenstock in seinem neuen Auto angeschossen, einem schwarzen, unscheinbaren Seat mit vier Zylindern und lächerlichen 247,5 PS. Er ließ das Vehikel auf meinen Hof krachen, als sei er vom Himmel gefallen, schlug die Wagentür kanonenschlagartig zu und trabte auf die Terrasse.

Fröhlich tönte er: »Na, du bist ja schon auf. Erstaunlich.«

»Ich warne dich, ich bin schlecht gelaunt.«

»Macht nichts. Hast du einen Kaffee da und eventuell einen Kognak und dann noch ...«

»Ja, ja, ich weiß schon. Nur eine Zigarre habe ich nicht.«

»Aber ich!«, strunzte er und zog einen Glimmstängel aus der Brusttasche seines Hemdes, der durchaus Ähnlichkeit mit einem Ofenrohr hatte. »Monte Christo«, lautete die Verkündigung. »Raucht auch unser Kanzler.«

»Hauptsache, bei dem raucht überhaupt noch was«, kommentierte ich giftig, ging aber in die Küche, goss ihm einen Kaffee ein und einen vierfachen Carlos III in der vagen Hoffnung, es möge nicht zu dick kommen. Natürlich fand ich auch noch zwei, drei Riegel tiefschwarze Herrenschokolade, die so trocken war, dass es staubte, und die seine Verdauung für Tage lahm legen würde.

Ich kannte Rodenstock schon seit Jahren. Wenn er in dieser Stimmung war, nahm er einen langen, hochkonzentrierten Anlauf auf irgendein Thema, das ihn beseelte. Es konnte durchaus geschehen, dass bei dem Gespräch absolut nichts herauskam, weil das Thema eigentlich kein Thema war. Es war allerdings auch möglich, dass er einen Plan ausgeheckt hatte, wie man am schnellsten den Restkommunismus aus China vertreibt oder den Eskimos Eisstangen verkauft. Ein paar Tage zuvor hatte er mit aller Gewalt diskutieren wollen, wie man George W. Bush dazu bringen könnte, einen Crashkurs in Weltgeschichte zu belegen, um anschließend das Buchstabieren von Dritte-Welt-Staaten zu lehren. Er war der beste Freund, den ich im Leben hatte, aber er war zuweilen verdammt anstrengend.

Jetzt saß er in der Sonne und zelebrierte Rodenstock pur. Er brach eine winzige Ecke Schokolade ab und legte sie sich mit verklärtem Gesichtsausdruck auf die Zunge. Er lutschte ein wenig, eigentlich war es nur ein Hauch von Lutschen. Dann trank er einen kleinen Schluck Kaffee, gefolgt von einer Winzigkeit Brandy. Schließlich grinste er wie ein Honigkuchenpferd und sagte: »Wunderbar!« Fehlte nur noch, dass er schnurrte. Er riss ein Streichholz an und hielt es an die Zigarre. Eingehend beobachtete er, was das Streichholz mit der Zigarre machte, und ich gewann den dumpfen Eindruck, er wollte mich in den Wahnsinn treiben. Das zweite Streichholz folgte und noch immer zog Rodenstock nicht an dem gewaltigen Glimmstängel.

Nun strahlte er mich an und seufzte: »Diese Welt ist heute einfach überwältigend schön!« Erst dann kamen ein größeres Stück Schokolade, ein normaler Schluck Kaffee, ein größerer Schluck Brandy und ein gewaltiger Zug aus der Knasterrolle. Er beugte sich sanft zu Cisco und kraulte ihn hinter dem Ohr. »Braves Vieh«, sagte er leutselig. Satchmo kraulte er nie.

»Lass es raus!«, forderte ich.

Er spitzte den Mund, schloss die Augen und intonierte den Satz: »Also, diese Isabell, ich sage dir, diese Isabell ist einfach super, ein Superweib mit sagenhaften Aussichten. Selbst wenn sie jetzt im ersten Anlauf auf die Schnauze fällt, so wird sie letztlich kein Mensch stoppen können. Irgendwann ist sie voll da, und dann muss sich drum herum alles verdammt warm anziehen. Sie ist die geborene Siegerin. Ihre Gegner werden zittern.«

Da nichts folgte, wagte ich zu fragen: »Und wer sind die Gegner?«

Rodenstock teilte mit einem gewaltigen Handkantenschlag die Luft vor seinem Bauch und trompetete: »Gegner eben. Die CDU, die SPD, die Grünen, die Freien Wähler, notfalls auch die FDP. Schlicht alle.«

Er tat mir irgendwie Leid, aber er musste zurechtgestutzt werden.

»Wenn du mir verraten würdest, von wem du redest, könnte ich mich an dem Gespräch beteiligen.«

Ein missbilligender Blick traf mich. »Ich rede von Isabell«, schnaubte er empört.

»Das habe ich schon verstanden. Aber wer, bitte, ist das?«

»Wo lebst du?«

»Zurzeit auf meiner Terrasse.«

»So weit ist es mit dir gekommen! Du bist richtig abgedreht, du weißt nicht mal, wer Isabell ist. Dabei redet die ganze Eifel von Isabell. Seit Wochen. Ach, was sage ich, seit Monaten.« Er wirkte richtig biestig.

»Wenn du mich mit einfachen Worten auf den neuesten Stand bringen könntest, wäre ich dir von Herzen dankbar.«

»In der Verbandsgemeinde Jünkersdorf wird demnächst ein neuer Verbandsgemeindebürgermeister gewählt«, sagte er mit gesenkten Lidern, als könnte er mich nicht neben sich sehen, ohne Ekel zu empfinden. »Natürlich hat die CDU einen Kandidaten aufgestellt, genauso wie die Freie Wählergemeinschaft. Und dann kam Isabell Kreuter, parteilos. Die Frau ist achtunddreißig, hat eine kleine Tochter und einen ordentlichen Ehemann. Und weil die CDU dachte, dass ihr Kandidat sowieso gewinnt, hat sie sich nicht sonderlich angestrengt. Und nun wird es heiter: Die Isabell macht Punkte und der CDU-Kandidat steht fahl und blässlich daneben. Die Ortsbürgermeister verfallen in Panik, weil sie nahezu alle von der CDU sind, in jedem Fall stinkkonservativ.« Er schwieg.

»Wo ist die Sensation?«

Er starrte mich an, als sei ich aus einem Raumschiff gefallen. Mehrere Male machte er »Phh, phh«, schüttelte den Kopf. »Baumeister, du musst krank sein. Ich glaubte, du seiest ein Journalist. Das ist in der Eifel seit 1948 nicht passiert, dass ... Ach, was sage ich? Isabell Kreuter ist nicht von der CDU, hat eine Witterung, die durchaus grün gestreift ist, und sie ist eine Frau. Allein dass sie kandidiert, ist für die Eifel die absolute Sensation. Sag mal, liest du keine Zeitung mehr?«

»Also gut, die Isabell ist eine Eifelsensation. Was weiter?«, sagte ich teilnahmslos.

»Ich bin im falschen Film«, äußerte er und warf ein Stück Bitterschokolade ein, trank seinen Brandy in einem Zug aus. Dann schüttete er Kaffee nach und zog so gewaltig an seinem Lötkolben, dass sein Gesicht in einer Qualmwolke verschwand. »Was ist los mit dir, Junge?«

Satchmo sprang auf meinen Schoß.

»Ich weiß nicht«, gab ich zu. »Ich laufe nicht in der richtigen Spur.«

»Und du weißt den Grund nicht?«

»Nein.«

»Du hängst seit Wochen in deinem Bau herum, grübelst nach, hast keine richtige Aufgabe, findest dich selbst mies und das Leben ist sowieso eine Qual. So was in der Richtung?« Er beugte sich vor und musterte mich besorgt.

»So ungefähr«, nickte ich.

»Würdest du sagen, du leidest an einer Depression?«

»Rodenstock, ich weiß es nicht. Ich habe wirklich keine Ahnung, weshalb ich so beschissen dran bin. Falls ich dir auf den Geist gehe, verschwinde doch einfach wieder.«

»Oh, der Kleine wird auch noch unhöflich.« Er blickte hinüber zur Kirche. »Dir ist nicht zu helfen.«

Satchmo krallte sich auf meinem rechten Oberschenkel fest und durchstieß mühelos den Jeansstoff. Es schmerzte und ich schubste ihn hinunter.

»Ist was passiert, von dem ich nichts weiß?«, forschte Rodenstock weiter.

»Nein«, versicherte ich. »Vielleicht bin ich ja so schlecht dran, weil nichts passiert.«

»Dann heb deinen Arsch, geh in die Wälder oder stell deine Füße in einen Bach und hör dem Leben zu. Emma hat …«

In dem Augenblick meldete sich das Telefon und ich drückte die grüne Taste. Weil ich eigentlich nicht gestört werden wollte, sagte ich heiser: »Bundeskanzleramt, Abteilung Altenhilfe.«

»Baumeister. Wie schön, Ihre Stimme zu hören. Ich liebe Ihre Zynismen. Ich brauche Ihre Hilfe. Nachdem vorhin die Annegret gefunden worden ist, ist ja nun klar, dass es schon wieder einen Fall von Mord an einem Kind gibt. Ich setze voraus, Sie sind wie immer bestens informiert. Nachdem Deutschland diesen wahnwitzigen Fall der beiden getöteten Kinder in Eschweiler durchlitten hat, hatte man eigentlich den Eindruck, es könne nicht schlimmer kommen. Dann dieser Nachfolger von Dutroux, der in Frankreich und Belgien mordete. Und jetzt also die kleine Annegret in Hildenstein …«

»Was sagt die Meldung?«, fragte ich und spürte ein hohles Gefühl im Bauch.

»dpa jagte eben einen Blitz durch. Die Dreizehnjährige ist gegen elf Uhr dreißig ermordet aufgefunden worden. Klar ist wohl, dass ihr Schädel mit einem Stein eingeschlagen wurde. Eine Sexualtat ist laut dpa nicht auszuschließen, zumal das Kind mit nacktem Unterleib gefunden wurde. Interessant fanden wir, dass die Kleine schon seit drei, vier Tagen vermisst und nun relativ nah beim Elternhaus in einem Gestrüpp entdeckt worden ist. Wir fragen uns natürlich, warum sie nicht eher gefunden wurde. War da vielleicht der nette Onkel von nebenan der Täter, dem kein Mensch so eine Sauerei zutrauen würde?«

Mittlerweile hatte ich begriffen, dass es nur Grothmann aus Hamburg sein konnte, mit dem ich sprach. »Was genau wollt ihr?«

»Eine aufmerksame Studie. Nichts Schnelles, nichts Überhastetes, nichts für einen Tag. Wenn es im nächsten Heft erscheinen kann, dann ist das okay. Wenn nicht, dann ist das auch okay, dann machen wir es später. Glauben Sie, dass Sie das auf die Beine bringen können?«

»Was ist mit Bildmaterial?«

»Na ja, wie üblich. Die Eltern haben wir schon, die Schulkameraden auch. Das liegt alles vor. Bilder der Toten vielleicht. Allerdings nur, wenn ein Foto dabei ist, das die anderen nicht haben. Ach – machen Sie sich bildmäßig keine Gedanken! Gut wäre eine sorgfältige Beobachtung der Arbeit der Mordkommission. Noch besser wäre eine gut gemachte Geschichte über die Bevölkerung der kleinen Stadt. Wie reagieren die Leute darauf? Verändert sich nach so einem Ereignis etwas? Ich muss Ihnen das nicht erklären, Sie wissen schon: eine Geschichte, in der die intensive Neugier des Baumeisters deutlich wird. Das ist es, was ich liebe, das will ich haben. Halten Sie Kontakt zu uns, damit wir wissen, wie wir stehen! Ach ja, Sie werden nach den Sätzen des Hauses bezahlt, egal, ob die Geschichte erscheint oder nicht. Machbar?«

»Einverstanden«, sagte ich schnell.

»Brauchen Sie einen Vorschuss?«

»Nein, ich komme klar. Ich melde mich. Und danke für den Anruf.«

»Gerne«, verabschiedete sich Grothmann wie ein Oberkellner.

»Rodenstock«, sagte ich atemlos in die anschließende Stille. »Jetzt bin ich gewissermaßen im Arsch: Ich habe eine Geschichte am Hals, die Annegret heißt, und ich weiß nichts darüber.«

Er stand da wie eine Skulptur. »Als die Kleine spurlos verschwunden ist und du dich nicht gerührt hast – da wussten wir, dass mit dir etwas nicht stimmt. Bist du bereit, wieder am Leben teilzunehmen?«

»Ja, natürlich. Wer ist Annegret?« Ich schloss die Augen und öffnete sie wieder. Ich sah den Garten, den Teich, die Mauer und es schien mir so, als wachte ich aus einem langen Schlaf auf.

Rodenstock setzte sich. »Ich hätte gerne noch einen großen Brandy, die Geschichte ist ziemlich schlimm. Ich nehme an, sie haben das Kind gefunden?«

»Ja. In der Nähe des Elternhauses. Erschlagen. Hast du den Fall verfolgt? Ich hole dir schnell den Brandy. Was ist mit Kaffee?«

Er zerquetschte die Zigarre halb geraucht und ziemlich brutal im Aschenbecher und nickte heftig.

Als ich mit den Getränken zurückkehrte, räusperte er sich. »Also gut, dann fange ich mal an. Die Geschichte begann vor drei Tagen. Das Mädchen besuchte eine Schule in Hildenstein. Es heißt mit vollem Namen Annegret Darscheid, wie der Eifelort Darscheid, keine Geschwister. Sie machte sich nach der Schule gemeinsam mit einem Trupp anderer Schüler auf den Heimweg. Wie immer. Die letzten paar hundert Meter lief Annegret stets allein. Donnerstag kam das Mädchen zu Hause nicht an. Die normale Rückkehrzeit war gegen ein Uhr mittags. Als Annegret gegen siebzehn Uhr immer noch nicht zu Hause war, telefonierten die Eltern in Hildenstein herum. Normale Reaktion. Gegen neunzehn Uhr haben sie dann die Polizei verständigt. Die Wache hat den Vorfall vorschriftsmäßig zur Kriminalpolizei nach Wittlich durchgegeben. Die jagte sofort einen Wagen mit zwei Beamten nach Hildenstein. Die Beamten sondierten die Besonderheiten, wobei es eigentlich keine Besonderheiten gab, außer der Tatsache, dass das Mädchen nicht nach Hause gekommen war. Sehr schnell haben sie die freiwilligen Feuerwehren angefordert, die in einem solchen Fall immer zuerst ins Geschäft kommen, weil die mit großer Schnelligkeit viele Hilfskräfte mobilisieren können. Jupp Leuer aus Kelberg hatte in etwa sechzig Minuten zweihundert Mann nach Hildenstein beordert, die im großen Maßstab die Suche aufnahmen. Sogar zwei Helis, die Wärmebildaufnahmen machen können, waren involviert. Die Leute haben Hildenstein durchpflügt, sie haben das Städtchen buchstäblich auseinander genommen. Kein Schuppen, den sie nicht geöffnet haben, kein Dachboden, der nicht untersucht wurde, kein

Gehölz, das sie nicht Zentimeter für Zentimeter durchforstet haben. Ich weise dich in diesem Zusammenhang auf die Berichterstattung im *Trierischen Volksfreund* hin, die sehr gut und sehr umfassend war.«

»Was ist das für ein Mädchen gewesen, diese Annegret?«

»Ein Sonnenschein, wie eine ihrer Lehrerinnen gesagt hat. Ein umwerfend nettes Mädchen. Verdammt nochmal, Baumeister, du musst doch ihr Foto in der Zeitung gesehen haben!«

»Habe ich nicht. Jedenfalls nicht bewusst. Hast du etwas in dieser Sache unternommen?«

»Nein.« Er schwenkte sein Brandyglas. »Ich habe mich in den Fall nicht eingemischt. Wahrscheinlich deshalb, weil du kein Wort gesagt hast. Und weil Kischkewitz uns vor sechs Tagen in Heyroth besucht hat. Er hat einen neuen Stellvertreter aufs Auge gedrückt bekommen. Auf Anweisung vom Innenministerium. Der Mann war kaum in Wittlich angekommen, da begann er schon offen und unglaublich brutal gegen Kischkewitz zu intrigieren. Mobbing in Reinkultur. Er behauptete sofort, Kischkewitz sei eine Flasche. Erstens habe Kischkewitz einen unklaren Todesfall versaut. Dabei ist da einfach eine Scheißpanne passiert, wie sie immer und überall vorkommt. In Ediger-Eller an der Mosel lag ein Dreißigjähriger tot in seinem Bett. Kischkewitz hatte keinen Todesermittlungsbeamten an der Hand und schickte einen jungen Nachwuchsmann. Der war nicht nur neu, sondern auch noch leichenscheu und hat nicht entdeckt, dass der Tote stranguliert worden ist, denn er hat die Bettdecke nicht weggezogen. Zweites Mobbingdesaster ist eine junge Frau. Es geht das Gerücht, dass sie die Geliebte von Kischkewitz ist. Tatsächlich ist sie die Ehefrau eines Handwerkers aus Bitburg, der sich erhängt hat. Kischkewitz leistet Trauerhilfe. Und der Hammer ist nun die Entdeckung, dass sich plötzlich beide Vorfälle in der Personalakte von Kischkewitz wiederfinden, obwohl sie dem Ministerium kein Mensch offiziell berichtet hat.«

»Wie geht er damit um?«

»Eigentlich gar nicht. Ein solcher Angriff passt absolut nicht zu seinem Charakter. Leute, die mobben, betrachtet er wie Insekten, mit denen er nichts anfangen kann. Hilflos eben.« Rodenstock schnalzte mit den Fingern. »Das würde mir im Übrigen genauso gehen. Also – was machen wir jetzt?«

Ich musste grinsen. »Ich denke, wir steigen ein.«

»Ein erstes Lächeln«, grinste er zurück. »Sieh mal, meine Ehefrau rauscht heran.«

Emma rauschte wie üblich und wie ihr Mann mit viel zu viel Gas auf den Hof und würgte den Volvomotor schlussendlich ab.

Sie kam auf die Terrasse und erklärte mit steinernem Gesicht: »Das mit Anni ist richtig schlimm. Ich habe Detlev Horch zu Hilfe gerufen. Er sagt, wenn alte Leute keine Lust mehr haben weiterzuleben, dann kann er wenig machen. Und bei Anni scheint genau das der Fall zu sein. Was können wir tun?«

»Was meint sie denn selbst?«, fragte Rodenstock.

»Das ist es ja eben«, schimpfte Emma. »Sie sagt nichts, keinen Piepser. Sie liegt einfach rum und spricht kein Wort. Wie ein trotziges Kind.«

»Hat sie unangenehme Post bekommen?«, fragte ich. »Irgendetwas aus Berlin?«

Emma schüttelte den Kopf. »Ich habe nichts gesehen. Und wie geht es dir?« Sie musterte mich misstrauisch.

»Er tritt gerade wieder in eine erdnahe Umlaufbahn ein«, ergriff Rodenstock bissig das Wort. »Er muss den Fall der Annegret machen.«

»Du lieber mein Vater«, seufzte Emma. »Und? Wirst du das schaffen?«

»Ich weiß es nicht«, sagte ich. »Wir werden sehen.«

»Was ist eigentlich mit dir?« Zwischen ihren Augenbrauen stand eine tiefe Falte, und das war kein gutes Zeichen.

»Irgendwas ist schief. Aber ich weiß nicht, was.«

»Neulich war ich hier«, erinnerte sie sanft. »Ich habe dich zum Mittagessen nach Heyroth eingeladen. Punkt zwölf solltest du aufschlagen. Du hast ja, ja gesagt und mich sitzen lassen.«

»Tut mir Leid.«

»Wenn es vorbei ist, dann ist es gut. Aber du solltest vielleicht lernen, dich mitzuteilen. Du verkriechst dich in deinem Haus und die Welt draußen findet nicht mehr statt. Das ist nicht gesund. Es ist auch nicht sehr gesund, wenn ein Mann wie du ohne Frau lebt. Du kommst mir vor wie amputiert.«

»Nicht so dicke!«, warnte Rodenstock.

»Ist doch wahr«, schnaubte seine Frau empört. Aber immerhin setzte sie sich: »Bekommt man hier eigentlich keinen Kaffee?« Dann bemerkte sie Rodenstocks Brandy und fluchte: »Verdammt, es ist noch früh am Tag!«

»Das Abendland geht mal wieder unter«, erwiderte Rodenstock ergeben. »Gehen wir in den Keller!«

Wir mussten alle lachen und der Tag sah freundlicher aus.

»Der Reihe nach«, formulierte ich. »Was machen wir mit Anni?«

»Abwarten, was Horch feststellt«, bestimmte Emma.

»Was machen wir mit Annegret?«, fragte ich weiter.

»Ich werde hören, was Kischkewitz herausgefunden hat. Dann sehen wir weiter«, antwortete Rodenstock. Er war aufgestanden und lehnte sich an den Träger der Terrassenbedachung. Er starrte in den Garten, als sehe er Bilder, die wir nicht sehen konnten. Ich registrierte, dass Emma ihn sehr misstrauisch, angstvoll beinahe, beobachtete. Bei den beiden war irgendetwas nicht in Ordnung.

»Ich mache euch ein Essen«, sagte Emma überbetont laut. »*Spaghetti aglio e olio.* In einer Stunde in Heyroth.«

»Dann dusche ich jetzt den Dreck der Wochen weg und erscheine pünktlich.«

Ich sah noch zu, wie sie meinen Hof verließen, und fühlte mich seltsam erleichtert. Ich konnte wieder wahrnehmen, dass die Sonne schien, hörte die Spatzen tschilpen und erinnerte mich daran, dass sie eine aussterbende Spezies waren. Dabei erschien mir eine Welt ohne Spatzen unmöglich.

Ich stellte mich unter die Dusche, während mein Hund sich davor postierte und wüst zu bellen begann.

Anschließend entdeckte ich, dass ich eine Woche lang dasselbe Hemd getragen hatte – das war das deutlichste Zeichen meiner lang anhaltenden Desorientierung. Wütend dachte ich: Alter Mann, du könntest mir eigentlich einen Fingerzeig geben, an welcher Stelle meines Daseins ich mich zum Idioten mache. Und als schnelle Reaktion auf diese Bitte flüsterte meine wund gescheuerte Seele: Nimm es dir nicht so übel, gelegentlich spinnen wir doch alle.

Allerdings gab es einen Punkt, den ich als unentschuldbar empfand: Da verschwindet in unmittelbarer Nachbarschaft ein kleines Mädchen spurlos – und Baumeister nimmt es nicht einmal wahr.

Gerade als ich das Haus verlassen wollte, schrillte das Telefon. Also trabte ich zurück und sagte brav: »Ja, bitte?«

Ihre Stimme erweckte den Eindruck, als würde sie sich nur noch von hartem Schnaps und filterlosen Zigaretten ernähren. »Kann ich dich mal sprechen?«

»Ja, sicher. Emma sagt, du seiest krank.«

»Ja, etwas«, erwiderte Tante Anni. »Schenkst du mir ein paar Minuten ...?«

»Bin schon unterwegs.« Ich rief Emma an und riet ihr, die Spagetti noch nicht in der Topf zu werfen. Tante Anni ging vor, Tante Anni war Familie.

Sie hatte sich bei Elke und Harry in der kleinen Einliegerwohnung einquartiert. Ihre Zelte in Berlin waren abgebrochen, ihr Haus verkauft, die Erinnerungen sehr frisch und nachhaltig in ihrer Seele aufgehoben. Sie schrieb viel. Keine Briefe, sondern irgendwelche geheimnisvollen Geschichten über ihr Leben. Sie füllte Briefblock um Briefblock und irgendwann hatte sie gescherzt, falls es ein Bestseller werden würde, bekäme ich zwanzig Prozent. Aber sie ließ niemanden etwas lesen und zuweilen warf sie wütend einen voll geschriebenen Block in den Papierkorb und tobte, sie sei nicht einmal mehr fähig, gewisse unangenehme Wahrheiten ihres Lebens schonungslos aufzuschreiben.

»Ich bin eine richtig betuliche, depperte Alte. Dauernd versuche ich, mich selbst übers Ohr zu hauen!« Fluchen konnte sie wie ein Droschkenkutscher.

Sie hatte vor nicht allzu langer Zeit entschieden, ihre alte Heimat Berlin hinter sich zu lassen und in die Eifel zu ziehen. Wir waren zusammen in die Hauptstadt gefahren und hatten vor ihrem Haus gestanden. Sie hatte kein Wort gesagt, nur das Haus angestarrt, in dem sie ein Leben lang mit ihrer Geliebten glücklich gewesen war. Sie hatte still geweint, nach meiner Hand gegriffen und schwer geatmet. Wir blieben noch nicht einmal über Nacht. Tante Anni war mutterseelenallein in ihre Bank spaziert, hatte die notwendigen Aufträge veranlasst und mit versteinertem Gesicht Abschied von der Stadt genommen, in der sie eine Mörderjägerin gewesen war und in der Verwandte versucht hatten, ihr das Haus auf eine Art abzujagen, wie man vor zweihundert Jahren dumme Eingeborene auf anderen Kontinenten zu betrügen versucht hatte.

Die Hauseinrichtung hatte sie dem Verein der Obdachlosen geschenkt. Auf dem Rückweg in die Eifel in Höhe der Raststätte in Garbsen sagte sie resolut: »Ich habe Hunger und ich brauche einen Schnaps.« Es endete damit, dass sie keinen Bissen aß, aber in aller Gemütsruhe sechs doppelstöckige Birnenschnäpse in sich hineinschüttete. Bald darauf war sie eingeschlafen und hatte bis weit hinter Dortmund volltönend geschnarcht. Seither hatte sie über Berlin nicht mehr geredet, nur geschrieben.

Ich sah den Wagen von Detlev Horch vor dem Haus parken. Als ich anhielt, kam er heraus.

Ganz ohne Umschweife, wie das so seine Art ist, sagte er: »Sie gefällt mir nicht, aber sie hat versprochen, ins Krankenhaus zu gehen. Ein paar Tage nur, um festzustellen, was eigentlich los ist. Sie ... Na ja, ich möchte keine Pferde scheu machen. Ich bin wieder hier, wenn der Krankenwagen kommt.«

Ich bedankte mich und ging hinein.

Tante Anni lag in ihrem Bett und hielt sich einen Spiegel vor das Gesicht. Ohne den Blick von dem Spiegel zu nehmen, bemerkte sie: »Ich hätte eigentlich erst zum Friseur gehen sollen. Ob die Bianca mich im Krankenhaus besuchen und herrichten kann?«

»Sicher tut sie das, wenn du sie bittest. Aber eigentlich ist das doch Blödsinn, wenn du nach zwei, drei Tagen wieder hier sein wirst.«

»Das weiß man nie so genau, nicht wahr?« Sie legte den Spiegel auf das Bett: »Setz dich.« Ihr Gesicht war das wunderschöne Gesicht einer alten Frau, die genau weiß, wie das Leben spielt. »Was treibst du zurzeit?«

Ich setzte mich auf einen Hocker, der neben dem Bett stand. »Ich fuhrwerke an ein paar Themen herum, an die ich nicht glaube. Vorhin haben die Hamburger angerufen. Ich soll die Sache der verschwundenen Annegret in Hildenstein recherchieren. Sie ist heute Mittag gefunden worden. Mit eingeschlagenem Schädel und vielleicht missbraucht.«

»Mord an einem Kind ist immer etwas ganz besonders Schreckliches. Es berührt und verstört uns zutiefst. Na ja, das weißt du selbst. Ich habe in der Zeitung von ihr gelesen, ich bin gespannt, was man herausfindet.« Sie richtete ihren

Blick auf mich. »Ich möchte einiges mit dir abklären, damit wir später keine Probleme bekommen.«

»Wieso Probleme? Wieso später?«

»Es könnte ja sein, dass mir etwas geschieht.«

»Du liegst im Bett, hast wahrscheinlich irgendeinen Infekt und willst mit mir über das Sterben reden. Und du willst gut frisiert sterben.«

»So ist es. Natürlich sollte ich ein Testament machen, so richtig beim Notar. Aber das ist mir zu mühselig. Deshalb habe ich einen Brief geschrieben.« Sie reichte mir ein Kuvert. »Du bist jetzt Besitzer meines gesamten Geldes. Du und Emma. Und ich will eingeäschert werden. Ich will keinen Grabstein, ich will nur das kleine Plakat Wiese über mir, sonst nichts.« Sie lächelte. »Du kannst ja einen kleinen Zweig in die Erde bohren, damit du mich wiederfindest, wenn du mit mir reden willst. Sonst redest du nachher auf dem Friedhof noch mit einem wildfremden Menschen. Ich sage das alles nur für den Fall, dass was schief geht.«

»Darf ich eine Frage stellen?«

Als sie nickte, fragte ich: »Du willst wirklich sterben?«

»Das ist bei uns Menschen so ein kleines Problem. Man will es, man will es nicht. Auf jeden Fall ist es so, dass ich es erwarte. Sicherheitshalber.«

»Du bist noch lange keine hundert. Du beziehst eine gute Rente. Das würde ich ausnutzen.«

»Ach Gottchen, Junge, sei doch nicht so melancholisch. Nimm das Kuvert und besuche mich im Krankenhaus. Und jetzt mach dich an die Arbeit.«

Widerspruch war zwecklos. Ich stand auf und ging hinaus. Ich stand neben dem Auto in der Sonne und musste heftig schlucken. Den Brief warf ich ins Handschuhfach, sollte ihn lesen, wer wollte.

Wenige Minuten später zockelte ich gemächlich über den Berg nach Heyroth.

Emma sagte: »Ich wette, sie hat dir ein Testament oder so was in die Hand gedrückt.«

»Gewonnen.«

»Und was steht drin?«

»Ich will es nicht wissen.«

»Dann komm, ich schmeiße die Spagetti ins Wasser. Rodenstock schiebt schon missmutig Kohldampf.«

Kurz darauf beugte sie sich über einen ihrer edlen Töpfe und rührte mit einem Holzlöffel darin herum. »Da ist noch etwas«, murmelte sie gepresst.

»Raus damit, ich habe heute sowieso Sprechstunde.«

»Vera hat angerufen. Sie will herkommen, nicht zu dir. Sie ist voll auf die Nase gefallen in der Pressestelle des LKA.« Emma hob den Kopf und lächelte schnell. »Aber natürlich will sie eigentlich dich sehen und nicht uns.«

»Ich möchte einen feisten Weißwein zum Essen!«, rumpelte Rodenstock scharf von nebenan.

»Kischkewitz kommt heute Abend vorbei«, erklärte Emma seine Aggressivität. »Der steht kurz davor, seinen Job hinzuschmeißen. Denn sein Gegner hat ihm Annegrets Leiche geklaut.«

»Wie bitte?«

»So ist es«, bestätigte Rodenstock hinter mir empört. »Was bin ich froh, dass ich dem Scheißverein nicht mehr angehöre!«

»Was ist denn passiert?«

»Annegrets Leiche ist von einem Spaziergänger entdeckt worden. Der hat natürlich sofort die Polizei alarmiert und dann natürlich jeden, der ihm über den Weg lief, über seinen Fund informiert. Und blitzschnell machte die Botschaft die Runde: Annegret liegt im Amor-Busch. So heißt das winzige Wäldchen. Die Kriminalisten sind losgeschossen und wollten den Fundort sichern. Aber währenddessen kamen schon die Eltern und zahllose andere Hildensteiner über den Acker gelaufen. Und sie ließen sich nur schwer davon abhalten, zu der Toten durchzubrechen. Hysterische Schreierei, völlig hilflose Polizeibeamte, weil entschieden zu wenig. Die Mutter der Kleinen ist unter den Bäumen zusammengebrochen. Es muss schrecklich gewesen sein. Und dann passierte es: Kischkewitz' Stellvertreter entschied in reiner Panik: Wir bringen die Tote weg, sonst läuft das hier aus dem Ruder! Eine Stunde später kam Kischkewitz, wollte die Leiche selbstverständlich in situ belassen, alle Aspekte in Ruhe abklären – und die Leiche war weg.«

»Dafür müsste man den Kerl zwanzig Jahre auf die Galeere schicken. Wie kann man so dämlich sein?«

»Der Mann ist überzeugt, er habe absolut richtig gehandelt. Angeblich hat er sofort mit dem Innenministerium in Mainz telefoniert und sich dessen Segen geholt. Jedenfalls ist die scheußliche Folge des Ganzen, dass es noch nicht einmal mehr möglich ist, festzustellen, ob die Kleine auch dort gestorben ist, wo sie gefunden wurde.«

»Es gibt Essen, Leute«, mahnte Emma.

»Wie heißt dieser Stellvertreter eigentlich?«, wollte ich wissen.

»Klemm«, sagte Rodenstock mit viel Verachtung. »Adolf Klemm.«

»Und was ist jetzt mit dem Auffindungsort?«

»Gesichert durch Absperrung in einem Durchmesser von rund einhundert Metern und ...«

»Spagetti!«, blaffte Emma. Dann grinste sie mich an: »Du hast jetzt ziemlich viel an den Hacken, wie ihr Deutschen so sagt.«

»Was ist mit Vera? Wann kommt sie?«

»Auch heute Abend. Aber du kannst ihr ja ausweichen«, antwortete Rodenstock.

»So ein gewaltiger Stuss«, kommentierte Emma, kochlöffelschwingend. »Setzt euch endlich!«

Anfangs aßen wir schweigend. Als Rodenstock dann fragte, wie ich mich der Geschichte Annegret nähern wollte, wusste ich keine schnelle Antwort.

»Schleich wie immer um den Fundort herum«, sagte Emma. »Geh in Kneipen, rede mit den Leuten.« Sie schnaufte unwillig: »Wieso bringe ich dir eigentlich deinen Job bei?«

»Weil du ein hilfsbereiter Mensch bist«, lächelte Rodenstock. »Die Spagetti sind fantastisch, ich werde Wolken von Knoblauch ausstoßen und für den plötzlichen Tod unendlich vieler Kleinlebewesen und Einzeller verantwortlich sein.«

Plötzlich gab es draußen ein mörderisches Geheul und wir mussten lachen.

Mein Hund Cisco hatte gelernt, die knapp zweitausend Meter bis zu Rodenstocks Haus zu rennen und dann zu heulen wie ein Bärenjunges, dem die Mutter abhanden gekommen ist. Emma ließ ihn rein und er gebärdete sich, als habe er uns seit drei Monaten nicht mehr gesehen. Irgendwie verhakelte er sich mit den Pfoten in der Tischdecke und ich konnte gerade noch die Terrine mit den Spagetti hochnehmen, ehe der gesamte schäbige Rest auf den Fußboden landete. Merke: Leben mit Tieren ist außergewöhnlich lehrreich, aber porzellanfeindlich.

»Das sind ja nur Teller.« Rodenstock machte sich auf den Weg, um einen Besen und eine Kehrschaufel aufzutreiben.

»Was soll ich ihr nun sagen, wenn sie kommt?«, fragte Emma.

»Sag ihr, was du willst, ich bin nicht ihr Gegner.«

Wenig später startete ich in den Fall, von dem ich drei Tage lang keine Notiz genommen hatte. Mir war mulmig zu Mute. Es war ein Gefühl ganz nah bei der Angst. Morde an Kindern kann ich nicht begreifen, will ich nicht begreifen, sind einfach ekelhaft.

Automatisch stellte sich mir die Frage: Was weißt du eigentlich von Hildenstein? Natürlich hatte ich die Geschichtsbücher gelesen: *Hildenstein – Geschichte eines Eifelstädtchens.* Aber was war hängen geblieben?

Fränkische Gräber, keltische Gräber. Eisengewinnung. Augustinerkloster. Adolf Hitler war in seinem Sonderzug durch Hildenstein gefahren, als er den Westwall besuchte. Was noch? Wenig oder nichts, Bruchstücke. Muss man eigentlich etwas wissen?

Ich stoppte den Wagen und rief Rodenstock an. »Verrat mir bitte, wo sich das Haus der Eltern befindet.«

»Es gibt an der Nordecke der Gemeinde eine Siedlung mit ungefähr vierzig neuen Häusern. Die Straße heißt Am Blindert. Das letzte Haus auf der rechten Seite. Dahinter sind Felder, dann kommt dieses Wäldchen, Amor-Busch, in dem das Mädchen gefunden wurde.«

»Danke dir. Glaubst du, dass du Kischkewitz in seiner Mobbingsache helfen kannst?«

»Nein«, erwiderte er. »Wie kommst du darauf! Wir sind Freunde und er fragt mich ab und zu nach meiner Meinung. Aber, verdammt nochmal, ich bin Rentner, ich habe keine Stimme mehr, niemand würde auf mich hören.«

»Ich dachte, man kann etwas über diese Fachzeitschrift *Der Kriminalist* machen. Die veröffentlichen oft Leserbriefe zu aktuellen Themen und Mobbing ist ein aktuelles Thema. Öffentlichkeit kann schaden, aber sie kann auch nutzen.«

»Du fängst ja wieder an mitzudenken«, sagte er langsam. »Dann werde ich mal rumtelefonieren und mich möglichst ekelhaft benehmen. Aber pass auf dich auf, du bist noch in der Erholungsphase.«

»Ja, Papi.«

Ich betrachtete den Bach, der sich rechts von mir bildhübsch und unverdorben durch die Wiesen schlängelte. Forellen tummelten sich darin, Insekten tanzten über dem

Wasser und fünfzig Meter entfernt stand ein Graureiher im Flachwasser und tat harmlos. Cisco auf dem Hintersitz schlief den Schlaf der Gerechten und schnarchte leise.

Wie nähert man sich einer kleinen Stadt, in der ein Mädchen getötet worden ist? Sie hatte keine Chance bekommen, ihr Leben zu leben, jemand hatte den Faden brutal durchtrennt. Ich kannte viele der Umstände, die zu den Morden an den kleinen Geschwistern in Eschweiler geführt hatten. Ich hatte über den Fall Dutroux in Belgien gelesen, der vor Gericht Widerliches aussagte, von Auftraggebern sprach, die ihren Spaß mit kleinen, gequälten, hilflosen Mädchen suchten. Die immer mehr davon haben wollten.

Was, um Gottes willen, ist das für eine Welt? Hatte ich allen Ernstes vor, in diese Welt hineinzukriechen, mich wie ein Leichenfledderer in ihr zu bewegen und meine Träume von diesen menschlichen Abgründen bestimmen zu lassen? Ich dachte etwas panisch: Sei auf der Hut, Baumeister, denn wenn du damit beginnst, kannst du nur schwer umkehren.

Plötzlich bemerkte ich hinter mir eine Bewegung. Cisco stellte die Pfoten auf meine Sitzlehne und leckte hündisch mein rechtes Ohr.

»Hör zu«, sagte ich. »Die Geschichte wird wahrscheinlich mies, spießbürgerlich, unglaubwürdig, ekelhaft blutig und anderes mehr. Aber wir machen sie. Wir haben Tante Anni am Hals, die unbedingt sterben will. Wir erwarten Vera, die ich einmal geliebt habe und die gegangen ist, weil ihr das nicht reichte. Wir haben also genügend zu tun. Lass uns anfangen.«

Er hüpfte auf den Beifahrersitz und von dort auf meinen Schoß. Die Pfoten landeten auf meinem rechten Unterarm, als wollte er sagen: Gib Gas, Alter!

So zockelten wir los und Cisco jaulte vor Vergnügen.

Nun erinnerte ich mich plötzlich an die Geißler in der Geschichte Hildensteins. Katholische Priester, die auf der Kanzel standen und mit mächtigen Worten die kleinen eiflerischen Sündenböcke in Angst und Schrecken trieben. Sie schlugen dabei ohne Unterlass mit schweren Lederpeitschen oder Stricken auf den eigenen Rücken ein, was Blutspritzer auf die Gesichter der Gläubigen wehte. Der Gott dieser Priester war grausam und kannte selbst für die Frömmsten offensichtlich nur Verachtung.

Ich fuhr durch die Straßen Hildensteins, vorbei an den soliden Bürgerhäusern, in denen immer noch erkennbar vor langer Zeit Bauern gehaust hatten: kleiner, ja kleinster Wohnteil, groß und solide die Scheune. Die Gründungssteine waren endlich verschämt aus der Beeteinfassung im Garten gekramt und wieder dorthin gesetzt worden, wo sie ursprünglich stolz eingebunden gewesen waren – in die Torbögen aus Sandstein. Es gab Häuser, die vor 1700 hier gestanden hatten, und die Steine mit dem Baujahr waren heute wieder ein solider Teil des berechtigten Stolzes. Die Eifler, die sich schämten, aus der Eifel zu sein, starben aus.

Ich nahm die Bundesstraße Richtung Norden und bog dann rechts ab in eine schmale Straße, die – wie angesagt – Am Blindert hieß. Die Straße machte einen sanften Linksbogen. Das Erste, was mir auffiel, waren zwei Wagen mit Schüsseln auf den Dächern. Drum herum wuselten aufgeregt eine Menge Leute – Fernsehteams.

»Das ist nicht unser Ding«, teilte ich meinem Hund mit. Ich wendete und fuhr zurück auf die Bundesstraße. Nach etwa sechshundert Metern lenkte ich den Wagen in einen Feldweg, der auf eine Waldung zulief. Das musste das Wäldchen sein, in dem man die Kleine gefunden hatte und das im Volksmund Amor-Busch hieß. Natürlich war ich auch hier nicht allein. Rechts auf einer Wiese standen zwei Streifenwagen und ein Wagen der freiwilligen Feuerwehr.

Ich parkte, ließ meinen Hund im Auto und ging gemächlich los. Es war wie immer, jeder Tatort jagt mir Angst ein, ist oft die Ursache großer Beklemmung.

Ein Uniformierter sagte in aller Gemütsruhe: »Sie dürfen nicht rein in den Busch. Das ist Sperrgebiet.«

»In Ordnung«, nickte ich. »Ich wollte mir nur ansehen, wo es passiert ist. Was ist das Helle da zwischen den Bäumen?«

»Ein Zelt«, erklärte er und schnaufte leicht. »Der Leiter K hat das angefordert, sie haben es eben aufgebaut.«

»Ist Kischkewitz da drin?«

»Ach, jetzt weiß ich, wer Sie sind. Der Pressefritze. Nein, Kischkewitz ist gar nicht hier. Da drin ist nur ein Doktor aus Köln, den Namen kenne ich nicht. Er hat gesagt, dass er in den nächsten achtundvierzig Stunden nicht gestört werden will.«

»Benecke!«, rief ich erstaunt. Ich hatte mal eine Reportage über den Kriminalbiologen geschrieben. »Dr. Mark Benecke. Das ist eine verdammt gute Idee. Hat Kischkewitz gesagt, wann er wiederkommt?«

»Er wollte, glaube ich, Fotos holen. Sie können ja solange warten.«

»Nachdem die Leiche des Mädchens so schnell weggebracht worden ist, werde ich das auch tun.«

Er sah mich von der Seite an, er wusste nicht genau, wie ich einzuordnen war. Bedächtig nickte er. »Ja, da ist ja wohl eine Panne passiert.«

»Das ist keine Panne, das ist eine professionelle Schweinerei«, schimpfte ich.

»Woher wissen Sie überhaupt davon?«, fragte er.

»Ich weiß es eben«, erklärte ich unfreundlich. Dann schlenderte ich zu meinem Auto zurück, ließ Cisco heraus und nahm ihn an die Leine. Ich stopfte mir eine kleine, handliche, gebogene Brebbia und schmauchte einen Moment vor mich hin. Schließlich trollten wir uns wieder in Richtung des Uniformierten.

»Heute Mittag muss hier ja der Teufel los gewesen sein«, plauderte ich versöhnlich.

»Kann man so sagen«, antwortete er vorsichtig, war aber offensichtlich nicht bereit, weitere Erklärungen abzugeben. Er beschloss, missmutig auszusehen und in die Ferne zu blicken.

»War die Kleine blond oder braun?«, erkundigte ich mich.

Sein Kopf ruckte zu mir und er fragte verblüfft: »Seit Donnerstag gab es fünf Pressekonferenzen, jeder konnte ein Foto haben.«

»Ich war verreist«, behauptete ich lahm.

Eine Weile schwiegen wir beide. Schließlich sagte er mit Verachtung: »Wissen Sie, was mir passiert ist? Da steht hier vorhin ein Team von einem Privatsender und der Redakteur, oder wer das war, kommt zu mir und fragt, was ich als Vater empfinden würde? Ich sollte mir mal vorstellen, dass das meine Tochter wäre. Dabei hält er mir einen Fünfhunderteuroschein unter die Nase. Ich dachte, so etwas kann man nicht erfinden. Das ist doch verrückt.«

»Das ist schlimm«, stimmte ich zu. »Aber ich will Sie nicht ausfragen.«

Er sah mich kurz und strafend an. »Das können Sie auch gar nicht. Ich sage nämlich nichts mehr. Ihre Branche ist total kaputt!« Der Mann war ein schlanker, fast hagerer Typ um die vierzig. Wahrscheinlich stammte er aus der Eifel, spät geborener Kelte.

»Bis wohin darf ich denn gehen?«

»Wir haben das Plastikband um den ganzen Busch gelegt, das sehen Sie ja. Sie können rundherum spazieren, aber nicht zwischen die Bäume und Büsche. Und lassen Sie Ihren Hund im Auto!«

Ich nickte.

Ich betrachtete das Elternhaus der kleinen Annegret. Es lag auf einer leicht nach unten geneigten Fläche ungefähr dreihundert Meter entfernt. Noch immer tummelten sich Leute mit Fernsehkameras davor. Zwischen dem Haus und dem Busch befand sich eine breite Wiese, dann folgten ein schon abgeernteter Ackerstreifen und wieder eine Wiese. Links von dem fast kreisrunden kleinen Wald weideten Pferde auf zwei Koppeln, dahinter baute sich der Hildensteiner Stadtforst scharfkantig hoch und abweisend wie eine Mauer auf.

Das Bild vermittelte mir eine einfache, klare Botschaft – aber ich konnte den Gedanken nicht festhalten, er war mir im Bruchteil einer Sekunde wieder entglitten.

Ich brachte den Hund zum Wagen und ging zu dem Uniformierten zurück. »Eine Frage habe ich doch. Wie ist es möglich, dass man sie erst nach drei Tagen gefunden hat?«

»Ganz einfach«, sagte er, nun ein wenig freundlicher. »Sie lag in einer Geländefalte, elf Meter lang und nicht breiter als zwei bis zweieinhalb Meter. Rund einen Meter tief. Und sie war zugedeckt mit altem Laub und Zweigen.«

»Und warum haben die Suchhunde sie nicht gewittert?«

»Das weiß ich nicht. Und jetzt ist es ja auch egal.«

Hinter uns rollte ein schwerer Mercedes heran und parkte neben meinem Auto. Kischkewitz kletterte mühsam aus dem Wagen und lief auf uns zu, stark vornübergebeugt mit einer schmalen Ledertasche unter dem linken Arm.

Er begrüßte mich: »Hallo!«, und setzte schwer atmend hinzu: »Rodenstock hat mich angerufen und erzählt, dass du auftauchen wirst. Und dass du von dem Herumgeeiere hier am Tatort schon weißt. Mehr Informationen als den anderen kann ich dir nicht bieten. Das alles ist zum Kotzen.«

»Kein Problem. Ich habe Zeit, wahrscheinlich bin ich hier der Einzige, der Zeit hat. Ist das Dr. Benecke in dem Zelt da?«

»Ja, aber die Information unterliegt einer strengen Mediensperre. Obwohl es eigentlich schon jeder weiß.« Er lächelte schmal und zynisch.

Der Uniformierte bewegte sich unruhig, sagte aber keinen Ton.

»Mit anderen Worten, der Mann in dem Zelt versucht zu reparieren, was noch zu reparieren ist?«

»Genau das.« Kischkewitz nahm die Ledermappe in beide Hände und zog einen Stapel Schwarz-Weiß-Fotos heraus. Es waren ungefähr zwanzig. »Wenn du dir das hier ansiehst, wirst du das ganze Ausmaß der Schweinerei begreifen, in die wir reingerutscht sind. Bei genauem Hinsehen kannst du feststellen, dass noch nicht einmal ein Maßstab ausgelegt wurde.«

Der Uniformierte bekam Stielaugen und ich erklärte freundlich: »Wir sind Freunde. Das konnten Sie nicht wissen.«

»So in etwa«, bestätigte Kischkewitz. Sein Gesicht war grau und erschöpft. »Ich habe diese Abzüge für Benecke machen lassen. Er muss wissen, wie wir die Tote aufgefunden haben. Schau sie dir an.« Unversehens wurde er rabiat. »Nun los, nimm sie schon.« An den Uniformierten gewandt setzte er hinzu: »Nach wie vor, kein Zutritt zu dem Wäldchen hier. Für niemanden. Und kontrollieren Sie auch unsere Kollegen, notieren Sie Zeitpunkt, Namen und Begründung, weshalb sie unter die Bäume wollen.«

Ich hatte ihn noch nie so bitter sprechen hören, deshalb schwieg ich, nahm die Fotos und ging zu meinem Auto.

Ich setzte mich hinters Steuer und starrte auf etwas, was ich niemals mehr im Leben vergessen werde.

Das Mädchen Annegret in einer Totalen auf einem dicken Kissen aus altem Laub. Es war noch im Tode schön. Die Augen waren weit offen, leblos wie tote Teiche. Die Haare hellblond und lang, der Kopf leicht beiseite gedreht, als weigere Annegret sich, ihren Mörder ansehen zu müssen. Sie trug einen einfachen, dunklen Pulli und ihr Unterleib war schrecklich nackt. Das linke Bein leicht angezogen, das rechte weit abgespreizt. Es wirkte obszön und gleichzeitig war es voll rührender Unschuld.

Die anderen Fotos zeigten das Mädchen aus anderen

Blickwinkeln, dann kam ein Detailfoto von ihrer linken Kopfseite. Der Schädel war eingeschlagen, die Blutkruste sehr dick in das Gesicht verlaufend, und überall gab es kleine weiße Striche.

Ich starrte in den Wald und sah doch nichts. Es war wie das quälende Erleben eines ekelhaften Traums. Du kannst nicht ausweichen, du kannst die Augen schließen oder öffnen, es hilft alles nichts. Und dieses tote Mädchen war jetzt mein Thema, unausweichlich.

Ich nahm die Fotos und brachte sie zurück zu Kischkewitz. »Glaubst du, dass Benecke feststellen kann, ob das hier auch der Tatort ist?«

»Wenn jemand das herausfinden kann, dann er.« Er gestikulierte wild mit beiden Armen. »Wenn etwas schief geht, dann gründlich. Nicht nur, dass die Fundstelle zerstört ist – stell dir vor, wir haben ein Beerdigungsinstitut mit dem Transport der Leiche zum Rechtsmedizinischen Institut nach Mainz beauftragt. Einer der Helfer hat sich gedacht, er müsse das Mädchen sauber machen, bevor er es abliefert. Und dann hat er es sauber gemacht. Er hat es auf einen Metalltisch gelegt und abgeduscht. Damit nicht genug hat er die Kleidungsstücke der Toten auf sie in den Zinksarg geschmissen.«

»Das darf nicht wahr sein!«

»Doch, genau das ist passiert. Ich kann es nicht ändern.«

»Wo lag denn ihre Kleidung, als Annegret entdeckt wurde? Und warum haben eigentlich die Spürhunde das Mädchen nicht sofort gefunden?«

»Ihre Jeans befand sich etwa einen Meter von der Toten entfernt, genauso die Socken und der Slip. Auch davon gibt es jede Menge Fotos, die habe ich aber nicht bei mir. Die Spürhunde sind gar nicht durch diesen Busch geführt worden. Mindestens zehn Mann der freiwilligen Feuerwehr und weitere zehn des Bundesgrenzschutzes beziehungsweise der

Polizei sind den Weg nach oben zum Hildensteiner Stadtforst abgelaufen. Dieser Auffindungsort war dem Elternhaus so unwahrscheinlich nahe, dass sie die Hunde hier nicht eingesetzt haben. Ich sagte ja, wenn etwas schief geht … Reicht dir das?«

»Das reicht mir. Wir sehen uns.«

»Wahrscheinlich bleibe ich über Nacht bei Emma und Rodenstock. Ich hörte, Vera kommt?«

»Ja, das hörte ich auch.«

»Hast du schon mit den Leuten der Bürgerwehr gesprochen?«

»Nein. Haben wir jetzt so was?«

»Ja, wir haben jetzt so was, schon seit dem Tag von Annegrets Verschwinden. Nach dem Motto ›Die Polizei kann unsere Kinder sowieso nicht schützen!‹ laufen sie nachts Streife. Alles Mitglieder einer Thekenmannschaft oder so. Und man denunziert gerne. Uns sind schon vier mögliche Kinderschänder, mit vollem Namen und Adresse, genannt worden. Aber die, von denen die Hinweise auf die vier stammen, wollten lieber anonym bleiben. Ach, und selbstverständlich hat sich eine Frau, eine Wahrsagerin, gemeldet, die behauptet, Annegret sei ein Opfer geworden von Leuten, die hier in der Region schwarze Messen feiern. Mit allem Drum und Dran: Kinderopferungen, Missbrauch und so weiter. Du kannst dir nicht vorstellen, was wir uns seit Donnerstag alles anhören müssen.«

»Doch, leider kann ich das. Ich musste über so etwas schon einmal schreiben. Und ich hatte eigentlich gehofft, ich müsste das nie wieder tun.«

Er nickte wortlos, bückte sich unter der Absperrung durch und lief mit langsamen Schritten zwischen den Bäumen auf die Zeltplanen zu.

Der Uniformierte räusperte sich. »Ich habe nicht gewusst, dass Sie …, also, dass Sie ein Freund sind.«

»Schon gut«, sagte ich.

»Was sieht man denn auf den Fotos?«

»Ein halb nacktes, erschlagenes Kind. Ganz schlimm. Waren Sie dabei, als Herr Klemm die Anweisung gab, die Leiche sofort abzutransportieren?«

»Ja, ich war hier. Das war ein furchtbares Durcheinander, das können Sie mir glauben. Nachdem der Spaziergänger die Leiche entdeckt hatte, kamen die Leute scharenweise angerannt. Jeder kennt schließlich Amor-Busch. Auch die Eltern liefen hierher. Und sie schrien und stießen uns beiseite. Die Mutter brüllte dauernd: Das ist mein Kind! Das ist mein Kind! Es war schrecklich und wir waren nicht genug Leute, um sie alle unter Kontrolle zu bekommen. Ein paar waren ganz raffiniert. Die kamen von oben aus dem Stadtforst. Mit denen hatten wir nicht gerechnet. Und plötzlich standen die vor dem Kind in dem Graben und brachen in Tränen aus.«

»Also war es aus Ihrer Sicht richtig, die Kleine zügig wegzubringen?«

»Ja und nein«, antwortete er nach kurzem Besinnen heftig, als sei er stinksauer auf sich selbst. »Klar war das falsch, das hätte nicht passieren dürfen. Aber das wussten wir erst hinterher. Wir hatten die Lage nach einer Viertelstunde ja auch wieder im Griff. Mein Gott, hat der Kriminalrat getobt, ich dachte: Gleich liegt der mit einem Infarkt in der Wiese. Man konnte beide Entscheidungen treffen.« Er fügte wütend hinzu: »Aber nur eine war richtig.«

»Wo treffe ich wohl die Leute von der Bürgerwehr?«

»Keine Ahnung.« Er lächelte auf eine unbestimmte Art. »Na ja, ich nehme an, in der Nacht dürfte es kein Problem sein. Dazu schweige ich, solche Leute machen mich nur krank.«

»Das ist aber ein schöner Kommentar.« Ich musste grinsen.

»Die schreien rum wie die übelsten Politiker und sind alle irgendwie rechtsaußen, ohne das zu kapieren.« Er warf etwas hilflos die Arme nach vorne. »Da ist letzte Nacht eine Sache passiert ... Kollegen von mir haben einen Pkw-Fahrer beobachtet, der in wüsten Schleifen durch die Stadt juckelte. Sie stoppten ihn, der Kerl war total besoffen. Und als sie ihn pusten lassen, wird der Kerl aufsässig und schreit rum. Wir sind doch alle Polizisten!, hat er gebrüllt. Ich gehöre zur Bürgerwehr, ich tue was für die Sicherheit unserer Kinder!« Der Uniformierte war stinksauer.

Mein Handy dödelte und ich ärgerte mich, dass ich es eingesteckt hatte.

Es war Emma. Sie berichtete knapp: »Also, Anni ist jetzt im Krankenhaus. Soweit der Oberarzt das auf den ersten Blick feststellen kann, fehlt ihr nichts. Aber sie wollen sie ein paar Tage dabehalten, um weitere Untersuchungen anzustellen. Das wäre das Erste. Das Zweite ist, dass Vera eben eingetroffen ist. Sie übernachtet bei uns und lässt dir Grüße ausrichten. Du sollst nicht glauben, dass sie dir auf den Geist gehen ...«

»Emma, das ist doch idiotisch! Sie kann zu mir kommen, wann sie will.«

»Ich sag's ihr.« Sie machte eine kleine Pause, als müsse sie aufatmen. »Übrigens ist mein Rodenstock eben ausgeflippt, mich wundert eigentlich, dass er die Hauseinrichtung nicht zerdeppert hat. Er hat mit irgendwem im Mainzer Innenministerium telefoniert, der Wochenenddienst hat. Und der muss versucht haben abzuwiegeln. Plötzlich höre ich meinen Rodenstock brüllen: Ihr seid doch alle Hohlköpfe! Und dann hat er angekündigt, er werde diesen Adolf Klemm wegen Strafvereitelung im Amt anzeigen. Natürlich eingebettet in ein Dutzend irgendwelcher deutscher Rechtsbegriffe, die kein Mensch genau versteht. Sehr bombastisch das Ganze. Anschließend hat Rodenstock tatsächlich ein Fax losgeschickt und zudem mit Öffentlichkeit gedroht. Nun müssen sie endlich merken, dass sie ein ernstes Problem haben.«

»Das ist aber verdammt mutig«, sagte ich.

»So ist er eben«, schnurrte sie zufrieden. »Kommst du vorbei, bevor du heimfährst?«

»Eher nein.«

»Verkriech dich nicht wieder!«, sagte sie und kappte die Verbindung.

Ich wandte mich erneut an den Uniformierten: »Kann man die Schule des Kindes von hier aus sehen?«

»Ja, da hinten, hinter der zweiten Häuserreihe am Hang. Links ist die Kirche und rechts davon die Schule. Das große Gebäude mit dem Schieferdach, das so blau schimmert.«

»Wie lang musste die Kleine bis dahin laufen?«

»Tausend bis zwölfhundert Meter würde ich schätzen. Quer durch die Altstadt.«

»Ist auf dem Schulweg was passiert? Irgendetwas Ungewöhnliches?«

»Wohl nicht«, er runzelte die Stirn. »Soweit ich weiß, haben die Kinder ausgesagt, alles sei wie immer gewesen.«

»War es denn nun ein Sexualdelikt?«

Er schnaufte, sah über die Felder hinweg. »Schwierig«, murmelte er. »Ich glaube, es wurden Spermaspuren gefunden, ich habe gehört, wie jemand sagte: Sperma, das ist Sperma! Mehr weiß ich nicht. Hoffentlich sind die Spuren erhalten geblieben. Lieber Gott, ist das hier ein Scheißdurcheinander in diesem Busch!«

»Danke für die Auskunft«, sagte ich und schlenderte los, um das kleine Wäldchen zu umrunden.

Die Zeltbahnen in dem Busch erinnerten an einen riesigen Kasten. Sie wirkten fremd und bedrohlich, nur ein spätblühender kleiner Ginster war tröstlich. Trampelpfade führten zwischen die Bäume, es war leicht vorstellbar, dass der kleine Busch den Liebespaaren des Städtchens als Zuflucht diente.

Leise Männerstimmen waren zu hören, Kischkewitz unterhielt sich mit Benecke. Die beiden standen am Rand des

Buschs und Kischkewitz rauchte einen seiner stinkenden Zigarillos.

»Ich will nicht stören«, sagte ich.

»Tust du nicht«, meinte Kischkewitz.

»Hallo, Siggi«, sagte Benecke fröhlich.

»Grüß dich. Hast du schon etwas gefunden?«

»Bis jetzt nichts Endgültiges. Möglich, dass ich zwei, drei Spuren entdeckt habe, aber das werde ich erst wissen, wenn ich sie unter dem Mikroskop habe. Frag mich noch einmal in ein paar Tagen.«

Benecke war ein Fanatiker der Wahrheit und gab niemals auf. Äußerlich wirkte er wie ein großer Junge, schmal und hager, mochte um die vierzig sein und schien ewig gut gelaunt. Er gehörte zu jenen Wissenschaftlern, die keinerlei Beziehung zu den alten Rauschebärten an den Universitäten der Vergangenheit haben. Im Gegenteil war Benecke jemand, der mit Hingabe und Präzision seine Wissenschaft erklärte, der seinen Zuhörern ein Glas mit wimmelnden weißen Maden reichte und grinsend erläuterte: »So etwas, meine Damen und Herren, findet man auf einer Leiche! Ich untersuche diese Tierchen und kann feststellen, seit wann sie leben. Und damit erhalten wir einen Hinweis, wie lange die Leiche schon hier liegt!« Er war ein ›Dipl.-Biol. Dr. rer. medic.‹, legte aber keinen besonderen Wert darauf, mit seinem akademischen Titel angesprochen zu werden. Er hatte im Leichengarten des FBI gelernt, wurde von Kollegen in aller Welt um Rat gebeten und war ganz erstaunlich normal geblieben. In einem Schwurgerichtsprozess hatte er mal einem evangelischen Pfarrer nachgewiesen, seine Frau getötet zu haben – indem er an der Leiche eine Ameisenart entdeckte, die eigentlich nicht dorthin gehörte. Und wenn er etwas herausfand, womit niemand rechnete, konnte er sich freuen wie ein Kind.

»Du wirst wahrscheinlich in dem Zelt schlafen«, lachte ich.

»Eher nein«, grinste er. In seinem Blaumann mit den grünen Gummistiefeln sah er wie jemand aus, der gerade dabei war, eine Wasserleitung zu reparieren.

»Macht es gut, ihr zwei.«

Ich spazierte weiter. Die Luft war ein wenig drückend, und da die Temperaturen hoch lagen, würde es wahrscheinlich ein Gewitter geben. Nach der Umrundung des Buschs hockte ich mich ins Gras und starrte hinunter auf das Elternhaus der Annegret. Die Fernsehleute hatten wohl aufgegeben, niemand war mehr zu sehen.

Wieder hatte ich das Gefühl, als sei etwas Besonderes an diesem Bild. Aber der Gedanke wurde nicht klarer.

Ich setzte mich ins Auto und fuhr heimwärts.

Ich dachte an Vera und verspürte das Bedürfnis, sie zu sehen, vorsichtig zu berühren und ihr zu versichern, sie könne sich bei mir ausruhen, so lange sie wolle. Dann ärgerte ich mich über diese romantische Anwandlung und beschloss, doch in Heyroth vorbeizufahren. Es schien mir wichtig, Vera nicht auszuweichen.

Vor Emmas und Rodenstocks Haus parkte der alte, kleine Opel von Vera, der wahrscheinlich nur noch vom Rost zusammengehalten wurde.

Emma öffnete mir lächelnd die Tür. »Du kannst mit uns essen.«

»Ich habe gar keinen Hunger.«

»Aber es gibt Klopse.«

»Dann habe ich Hunger.«

Vera hockte in der Küche und sah mir entgegen. »Hallo«, sagte sie etwas zittrig.

»Grüß dich. Schön, dich zu sehen.« Ich berührte sie nicht, ich war verlegen.

»Geht rüber zu Rodenstock«, sagte Emma munter. »Hier in der Küche stört ihr nur.«

»Na denn«, murmelte ich und lief vor Vera her ins Wohnzimmer, wo Rodenstock an dem großen Tisch saß und merkwürdigerweise flüsternd telefonierte.

Er beendete das Gespräch und blickte mich an. »Also, irgendwie passt mir das alles ja gar nicht in die Menge Kram, die wir vor uns haben. Gerade hat Rudi Latten angerufen. Da steht eine junge Dame vor deiner Tür in Brück und behauptet, sie sei deine Tochter.«

»Sieh mal einer an!«, rief Vera hinter mir hell.

ZWEITES KAPITEL

Ich weiß nicht mehr, was ich antwortete, ob ich überhaupt irgendetwas sagte. Es scheint mir eher so, als habe ich ausgesehen wie ein Weihnachtskarpfen, überrascht und dümmlich. Ich weiß, dass ich mich umdrehte, an Vera vorbeiging und Rodenstocks Haus verließ. Und ich erinnere mich deutlich an das Gefühl vollkommener Hilflosigkeit.

Was tust du, wenn plötzlich ein Stück deiner Vergangenheit auftaucht, an die du nicht gern zurückdenkst, die du mit aller Kraft verdrängt hast? Du musst es annehmen, du kannst nicht ausweichen. Und damit machst du einer großen Reihe von Träumen Platz, die dein Leben einmal beherrscht haben und von denen du die Gewissheit hast, dass sie eine grandiose Selbsttäuschung waren.

Ich vergaß meinen Hund, stieg ins Auto und bewältigte die zwei Kilometer in einem tranceähnlichen Zustand. Ich legte mir Sätze zurecht wie: »Sieh mal an, das ist aber eine Überraschung!« oder: »Nicht zu fassen!« oder gar das elitär Arrogante: »Hast du dich endlich an mich erinnert?«

Sie stand auf dem Hof neben einer Reisetasche und wirkte sehr verloren.

Ich würgte den Motor ab, stieg aus und murmelte: »Das ist nicht zu fassen.«

Und dann setzte ich einen Satz hinzu, für den ich mich heute noch schäme. Ich sagte tatsächlich: »Wie kommst du denn hierher?« Lieber Himmel, können Väter dämlich sein.

Leise erwiderte sie: »Guten Tag. Mit dem Zug.« Dann sprach sie unvermittelt schnell. »Ich bin in einem Kaff namens Gerolstein ausgestiegen. Das ging nicht anders. Und dann mit dem Taxi hierher. Ich habe die ganze Zeit gebetet, dass du zu Hause bist. Gott sei Dank. Ich muss mal dringend pinkeln.«

»Ja, natürlich. Warte.« Ich schloss die Tür auf. »Flur entlang, dann halb rechts.«

Sie war viel kleiner und schmaler, als ich sie in Erinnerung hatte. Sie trug ein blaues T-Shirt über einem leichten weißen, langärmeligen Pulli, die Hose war khakifarben, dreiviertellang und hatte Strippen und Reißverschlüsse an den unglaublichsten Stellen; diese Art Beinbekleidung erinnert mich immer an ein falsch aufgetakeltes Ein-Mann-Zelt.

»Was möchtest du? Einen Kaffee?«, fragte ich laut.

»Das wäre gut«, rief sie zurück.

Also ließ ich die Maschine laufen und fragte mich, weshalb sie hergekommen war. Und ob das eine Änderung meines Lebens für mich bedeutete. Auf die Idee, dass sie einfach ihren Vater besuchen wollte, kam ich vor lauter Aufregung nicht.

Dann stand sie hinter mir und berührte mich an der Schulter. »Wie geht es dir, Väterchen?«, fragte sie in dem Ton tiefster Selbstverständlichkeit, mit dem Menschen sich in solchen Situationen gern über die Runden retten.

»Eigentlich gut.«

»Was heißt denn ›eigentlich‹?«

»Na ja, im Großen und Ganzen. Wann haben wir uns das letzte Mal gesehen?«

»Das ist zehn Jahre her«, antwortete sie. »Da war ich zwölf. Ich soll dich von Mami grüßen.«

»Danke. Wie geht es ihr?«

»Auch gut. Sie hat einen Freund und der hat gerade ein Haus gekauft. Mami richtet es von morgens bis abends ein. Gehört das Haus hier dir?«

»Ja.«

Sie schwieg.

»Ich gieße uns mal Kaffee ein.« Ich ging in die Küche und goss zwei Becher voll, nahm die Milchkanne, die Zuckerdose und zwei kleine Löffel und kehrte ins Wohnzimmer zurück. »Das finde ich sehr schön, dass du gekommen bist.«

Ihr Gesicht war sehr klar, ihre Augen aufmerksam und von einem lichten Blau. Und sie war hübsch.

»Ich habe lange darüber nachgedacht«, erwiderte sie. »Darf ich hier rauchen?«

»Natürlich. Ich steck mir eine Pfeife ins Gesicht.«

»Bist du verheiratet? Hast du eine Frau?«

»Nein, ich bin nicht verheiratet und ich habe keine Frau. Wie steht es mit den Mackern in deinem Leben?«

»Nichts Spezielles. Man hat mal was, aber mit großen Pausen bitte. Was treibst du so? Ich meine, was arbeitest du?«

»Reportagen, nach wie vor.«

»Hier, vom Arsch der Welt?«

»Vom Arsch der Welt.« Ich hatte mich für eine kleine schwarze, gebogene Vauen entschieden. Sie ließ mich so bescheiden aussehen, wie jemand aus der Bekanntschaft mal süffisant bemerkt hatte. »Wohnst du noch bei deiner Mutter?«

»Nein. Ich habe eine eigene kleine Wohnung in Schwabing.«

»Und du studierst?«

»Ja, auch. Und ich arbeite viel als Freie für den Bayerischen Rundfunk.«

»Du bist Journalistin?«

»Ja, könnte man sagen. Im Moment. Was ich später machen werde, weiß ich noch nicht. Ich studiere Politik und neuere deutsche Geschichte.« Ihr Handy schrillte, sie fummelte es aus einer der vierundzwanzig Taschen ihrer Hose, drückte einen Knopf und sagte: »Ja, bitte?«

Dann stand sie auf und wanderte hinaus in den Flur, wobei sie mit einem leichten Schlenker des linken Arms die Tür hinter sich zufallen ließ. Das sah regelrecht gekonnt aus.

Ich vergaß, meine Pfeife anzuzünden, und dachte an ihre Mutter und daran, welche Fehler wir gemacht hatten. Dass ich geflohen war, um mich selbst wiederzufinden. Dass ich eigentlich immer noch nicht wusste, was damals so elend schief gegangen war. Na ja, meine Sauferei wahrscheinlich und noch wahrscheinlicher meine Angst vor dem Leben.

Sie kam wieder herein. »Entschuldigung, das war Mami. Sie wollte wissen, ob ich gut angekommen bin.«

Sie setzte sich hin und wirkte irgendwie schrecklich brav, vielleicht wie eine höhere Tochter vor fünfzig Jahren, was immer das letztlich bedeuten mochte. Mit kleiner Stimme fuhr sie fort: »Vermutlich störe ich dich. Du brauchst keine Rücksicht auf mich zu nehmen, ich kann mich ganz gut raushalten.«

»Du kannst hier schlafen. Oben auf dem Dachboden. Ein eigenes kleines Reich, so lange du willst. Ich muss allerdings zwischendurch den Mord an einem kleinen Mädchen recherchieren, der hier in der Nähe geschehen ist. Und dann ist eine alte Freundin zurückgekommen. Und eine andere, sehr alte, Freundin will unbedingt sterben. Nein, du störst nicht, ich denke, du würdest nie stören. Sag mal, du hast doch sicher Hunger, oder?«

Sie blickte mich an und ich dachte: Wahrscheinlich sind es die Augen, die ich nie vergessen habe.

»Ja, eigentlich schon.«

Ihr Handy fiepste erneut und wieder griff sie in die Hose. »Ja? – Moment, bitte.« Sie verschwand aus dem Raum.

Als sie dieses Mal zurückkehrte, erklärte sie: »Das war ein Freund, der wollte, dass ich morgen zum Grillen komme.«

»Soll ich uns Spiegeleier machen? Spiegeleier kann ich.«

»Das ist gut«, nickte sie.

»Also, lass uns in die Küche gehen.«

Wir zogen um, ich stellte den Herd an, kramte im Eisschrank, suchte, was nötig war, und fühlte mich elend. Ich fand keinen Draht zu ihr, wusste nichts von ihr. Sie war mir schrecklich fremd.

Nun meldete sich mein Telefon, es war Emma.

»Das ist tatsächlich deine Tochter, nicht wahr?«

»Ja, das ist richtig. Ist Kischkewitz inzwischen eingetroffen?«

»Ja, er und Rodenstock hocken auf der Gartenbank und trinken Genever. Kommst du klar?«

»Na ja, es ist zehn Jahre her, da stottert man dauernd. Aber wir beriechen uns und werden uns wahrscheinlich sympathisch finden. Bis später, ich melde mich.«

Ich schlug die Eier in die Pfanne, deckte Brot und Butter auf, holte Geschirr aus dem Schrank. »Das war eine gute Freundin«, sagte ich.

Jetzt machte ihr Handy wieder Lärm und Clarissa stöhnte: »Und wer ist das?« Erneut stand sie auf und ging in den Flur. Als sie wiederkehrte, waren die Eier fertig und ich schaufelte sie auf die Teller.

»Mein Therapeut«, gab sie Auskunft. »Er wollte wissen, wie es mir geht.«

»Entweder ist der Mann fantastisch oder du bist seine einzige Patientin. Es ist gleich acht Uhr abends.«

»Na ja, er ist auch ein guter Freund.«

»Das behaupten alle mittelmäßigen Therapeuten. Aber lass uns essen, falls wir bei all der Bimmelei überhaupt zum Essen kommen.«

»Er war es, der mich zu dir geschickt hat. Er sagt, ich soll mich mit dir auseinander setzen.« Dabei versuchte sie, meinem Blick auszuweichen.

»Heißt das, dass du nicht aus freien Stücken hierher gekommen bist?«

»Das weiß ich nicht.« Sie sah krampfhaft auf den Tisch hinunter.

»Ich bekam vor fünf Jahren einen Brief von dir. Du hast darin geschrieben …«

Es nahm kein Ende, schon wieder gab ihr Telefon Laute von sich.

Ich blieb allein in der Küche hocken, aß meine Eier und wartete.

Sie kehrte zurück und murmelte: »Ein Freund fragte, ob alles in Ordnung ist.«

»Hör zu, Clarissa. Du bist hergekommen. Ich freue mich darüber. Du willst etwas mit mir abklären. So weit, so gut. Aber wenn du hier eine Handy-Show mit deiner Mami und deinen Freunden abziehen willst, dann bitte ohne mich. Ich stehe für so etwas nicht zur Verfügung. Wenn du das Scheißding nicht endlich abstellst, weigere ich mich, weiter mit dir zu reden. Das ist eine reine Frage der Höflichkeit.«

Sie war plötzlich blass, leise sagte sie: »Ich bin deine Tochter.«

»Das ist vollkommen richtig, das steht auch gar nicht zur Debatte. Vor fünf Jahren hast du mir einen Brief geschrieben. Darin stand, dass du keinen Kontakt mehr zu mir willst. Daran habe ich mich gehalten. Falls du deine Meinung geändert hast, können wir die Frage klären, ob es eigentlich stinknormal ist, dass ich so etwas wie Liebe zu dir empfinde. Wo steht geschrieben, dass ich dich lieben muss? Und wo steht geschrieben, dass ich deinen Therapeuten akzeptieren muss, von dem du behauptest, er habe dich zu mir geschickt?«

»Ich … ich …«

»Ich bin so lange nicht bereit, mit dir zu reden, wie du dieses Scheißding in Betrieb hältst. Du hältst dich daran fest wie eine Schiffbrüchige an einem Ast. Stell es ab. Was hast du eigentlich gemacht, als es noch keine Handys gab?«

»Warum redest du so krass?«

Ich antwortete nicht, ich wusste nichts zu sagen.

Sie stand auf und verließ die Küche. Ich hörte, dass sie ihre Tasche hochnahm und die Treppe hinaufging. Es war mir, als würde sie weinen.

Ich warf mich in einen Sessel im Wohnzimmer und rief Emma an. »Das hier gestaltet sich schwierig. Die junge Dame sagt, ihr Therapeut habe sie geschickt.«

»Ach, du lieber Gott. Du klingst sauer.«

»Ich bin es. Sie sitzt mir gegenüber und telefoniert dauernd. Mit Mami, mit irgendwelchen Freunden, die alle wissen wollen, wie es ihr mit mir geht. Der Vater, das Monster.«

»Sie ist hilflos und ängstlich. Das weißt du doch.«

»Sie ist erwachsen«, widersprach ich.

»Niemand ist erwachsen, wenn es um derartige Dinge geht. Du hast nie von ihr erzählt ... Vera will dich sprechen.«

»Hei«, sagte Vera. »Wie geht es dir?«

»Nicht so besonders. Und selbst?«

»Auch nicht so besonders, das hast du ja gehört. Ich würde dich gern sehen, wenn das geht. Morgen oder so.«

»Komm doch einfach sofort«, sagte ich und war dankbar, als sie antwortete, sie sei schon unterwegs.

Ich überlegte, ob ich zu Clarissa auf den Dachboden gehen sollte, um ein wenig Versöhnung zu versuchen, ließ es aber. Dann glaubte ich, ihr Handy läuten zu hören, und wurde wieder wütend. Tatsächlich sprach sie mit jemandem und ihre Stimme klang hell und klar und nicht im Geringsten nach irgendwelchen Unstimmigkeiten.

Na klar, heute war meine Sprechstunde. Kommet alle her, die ihr mühselig und beladen seid, lasst euch trösten vom großen Tröster.

Als Vera schellte, war ich von Herzen froh.

»Willst du einen Schnaps oder einen Wein?«

»Einen Schnaps, bitte, einen großen.«

»Setzen wir uns in die Küche, ach nein, da ist noch Unordnung. Also ins Wohnzimmer.«

»Hier riecht es wie immer.«

»Und wie riecht es hier?«

»Nach Spiegeleiern und nach dir. Mal abgesehen von deiner Tochter: Was treibst du so?«

»Ich war nicht gut drauf in der letzten Zeit. Jetzt wird es langsam besser.«

»Wo ist sie?«

»Unterm Dach juchhe. Das soll uns aber nicht kratzen.«

»Sie ist wahrscheinlich schrecklich unsicher. Deswegen telefoniert sie auch dauernd. Ein Polizeipsychologe hat mal gesagt, dass junge Menschen sich an ihr Handy klammern können, als sei es ein Rettungsring.«

»Ja, ja, schon gut. Ich werde sie nicht fressen. Du bist hier, das freut mich. Was ist dir passiert?« Ich goss ihr einen großen Williamsbirnenschnaps ein.

»Na ja, das war eine schlimme Zeit in der Pressestelle. Jetzt mache ich Urlaub, um herauszufinden, ob ich dorthin zurückkehren soll.« Sie lächelte mit schmalen Lippen. »Ich will dir aber nicht auf den Geist gehen und Schmerzensarien singen. Ich brauchte einen Tapetenwechsel, da hat Emma gesagt, ich könne kommen.«

»Emma ist ein Schatz«, murmelte ich.

»Was machen die Frauen in deinem Leben?«

»Das kannst du nicht ernsthaft fragen. Wenn eine Frau hier wäre, hätte Emma dir das längst erzählt.«

»Nein, hätte sie nicht. Du bist Familie und über die redet sie nur, wenn sie wütend ist.« Sie sah zur Tür hinaus, die auf die Terrasse führte. »Ich bin hier wie zu Hause. So ein Gefühl hatte ich in Mainz nie.«

»Du hattest eine Bude und wenig Freunde, nehme ich an.

Und irgendjemand wollte dich abschießen, habe ich gehört. Und daraufhin konntest du nicht mehr arbeiten. War das so?«

»Ja.« Ihr Mund wirkte nun wie der eines Clowns, der weinen will. »Ich bin ausgenutzt worden. Du weißt schon, ich hatte die Arbeit und er das Vergnügen.«

Das erinnerte mich an etwas, aber ich hakte nicht nach. Sie würde Zeit genug haben, mir alles zu erzählen, irgendwann. Sie war immer eine schöne Frau gewesen, jetzt hatte sie das Aussehen einer schönen Frau, die Kummer hat. Ihr Gesicht war schmaler geworden, die Wangenknochen traten deutlicher hervor, das Kinn war weiter vorgestreckt.

»Du bist schön«, sagte ich.

Sie starrte mich an und schien verlegen. Sanft schüttelte sie den Kopf. »Ich fühle mich wie eine alte Frau.«

»Und wie fühlt sich eine alte Frau?«

Sie lachte. »Das ist schlecht zu vermitteln.«

»Lass uns auf die Terrasse gehen«, schlug ich vor. »Dann können wir meinen Garten atmen.«

»Und hier drinnen lauschst du immer mit halbem Ohr, was deine Tochter oben macht. Sie telefoniert, falls du das nicht hörst.«

Wir zogen also um und ich goss ihr einen weiteren Birnengeist ein. Ich selbst bekam eine Apfelschorle vom Dreiser Brunnen und fragte: »Was ist, wenn du nicht wieder zurückwillst?«

»Dann muss ich bohren, dass ich dorthin komme, wohin ich will. Das wird aber schwierig. Personalengpass nennt man das.« Sie seufzte. »In Wahrheit geht es mir beschissen. Ich hasse das Apartment in Mainz und noch mehr hasse ich mich selbst. Ich hätte sehen müssen, was kam, ich war blind.«

»Als Kinder sagten wir früher: Selbsterkenntnis ist das erste Loch im Wasserkopf. Ein ziemlich mieser Spruch, aber wahr.«

Die Kröte Friederike unkte am Teich, wahrscheinlich hieß das, dass das Leben herrlich war. Dann kam Satchmo mit hoch erhobenem Schwanz des Weges und suchte Gesellschaft. Die Schwalben schossen waagerecht vor der Terrasse vorbei und brachten das Abendessen für die Kinder. Es war geradezu beängstigend friedlich. Die jungen Amseln oben unter meinem Dach absolvierten die letzte Flugübung des Tages und schnatterten dabei so aufgeregt, dass man meinen konnte, sie stotterten. Die gelben Schwertlilien am Teich schlossen die Blüten und gingen zur Ruh. Peter und Paul, meine neuen Koikarpfen, zogen friedlich letzte Bahnen. Im Grunde war diese romantische Abendszene ganz und gar unwirklich.

Das Scheppern meines Telefons zerstörte dann auch die Stimmung. Unwillig nahm ich ab.

»Hör zu«, sagte Rodenstock eilig. »Der Vater des getöteten Mädchens ist weg, spurlos verschwunden. Er heißt Rainer Darscheid und fährt einen Volvo Kombi V70, dunkelrot. Es besteht die Möglichkeit eines Selbstmordes und ...«

»Moment, Moment, nicht so hastig. Wird er verdächtigt?«

»Nein, nicht im Geringsten. Der Mann kann mit dem Tod seiner Tochter nichts zu tun haben. Kischkewitz und ich fahren jetzt nach Hildenstein, wir wollen uns an der Suche beteiligen. Sechzig Feuerwehrleute sind schon unterwegs.«

»Noch nicht auflegen, noch eine Frage: Was sagt die Ehefrau?«

»Dass sie keine Ahnung hat.«

»Ich muss los«, wandte ich mich an Vera. »Es ist wichtig.«

»Kann ich noch eine Weile bleiben?«, fragte sie.

»So lange du willst. Hake einfach die Terrassentür ein, dann kann nichts passieren. Du kennst das ja.«

Wohin zieht sich ein Vater zurück, dessen einzige Tochter ermordet worden ist?

Wahrscheinlich fegte er wie ein Wahnsinniger über die

Autobahn in Richtung Trier oder Koblenz. Wahrscheinlich war er längst über alle Berge oder tot. Solch einen Menschen zu suchen schien mir so etwas wie eine unlösbare Aufgabe zu sein.

Und ich wusste nicht einmal, seit wann er verschwunden war. Ich wusste nicht, ob er aus Hildenstein stammte oder aus einem anderen kleinen Dorf. Ich wusste gar nichts über ihn.

In Niederehe kam mir die Idee, bei Markus Schröders Landgasthof zu halten. Möglicherweise konnte Markus mir helfen.

Die Kneipe war wie üblich brechend voll. Es gab Leute vom Golfplatz, die hier aßen, und es gab Leute aus dem Dorf, die den Tag bei einem Bier ausklingen ließen. Blaumänner hockten neben berufsmäßigen Krawattenträgern – genau das machte die Faszination der Gaststätte aus.

Ich drängelte mich ans Ende der Theke. »Markus, ich habe es sehr eilig. Du weißt doch von dem Mord. Was weißt du über die Eltern?«

»Du suchst den Vater?«, erwiderte Markus, ohne erstaunt zu sein. Es geht eben nichts über die Schnelligkeit von Buschtrommeln. »Nun, der Darscheid kommt nicht aus Hildenstein, er stammt aus Neroth.«

»Hast du eine Ahnung, mit wem er zusammen war, ehe er seine Frau kennen lernte?«

Er begriff sofort, worauf ich hinauswollte. Er sah mich kurz und eigentlich nichts sagend an. Dann nickte er und holte das Telefon aus der Ecke. Er wählte eine Nummer und legte dann auf Eifler Platt los, dass ich kein einziges Wort verstand. Schließlich verabschiedete er sich mit »Mach et jood!«.

»Also, er war fünf Jahre lang mit einer Agnes zusammen. Sie wollten heiraten, aber irgendwas klappte nicht. Die Agnes war damals, daran kann ich mich gut erinnern, ein wilder Feger. Sie stammt auch aus Neroth. Inzwischen ist sie verheiratet, hat zwei Kinder und wohnt in Birgel, aber ich weiß nicht, wie sie nun heißt.«

»Und wie hieß sie früher?«

»Schmeling, wie der Boxer.«

»Ich liebe dich«, sagte ich und verließ seine Kneipe.

Birgel, warum nicht Birgel? Warum sollte ich nicht nach Birgel düsen, wo ich sowieso für jedes Aspirin zwanzig Kilometer zurücklegte? Das ist der Fluch einer Behausung in der Provinz: Fast nie kannst du was zu Fuß erledigen.

Ich drückte das Gaspedal durch, so weit es vertretbar war. Der Tag verabschiedete sich, die Sonne war rot und golden und über der ersten Gaststätte in Birgel leuchtete schon die Bierreklame. Ich betrat den Schankraum, er war gähnend leer. Nur am Spielautomat stand schwankend ein Mann und glaubte fest an sein Glück.

Der Wirt war eine Wirtin, sie stand klein, kompakt und mächtig in einer Küchenschürze vor ihren Bierhähnen und guckte misstrauisch.

»Bier?«, fragte sie.

»Nein, danke. Ein Wasser.«

Sie bewegte sich rasch und routiniert.

»Eine Agnes Schmeling hat hierhin geheiratet«, begann ich freundlich. »Ich weiß nicht, wie sie heute heißt. Sie ...«

»Aber ich«, unterbrach sie mich. »Et Agnes. Na ja, sie heißt jetzt Born. Wo se wohnt, weiß ich aber nicht.«

»Das weiß ich.« Der Mann am Spielautomat drehte sich um. Er lallte leicht. »Du fährst weiter Richtung Jünkerath. Dann kommt linker Hand eine schmale Straße, da rein. Drittes Haus rechte Seite. Born.«

»Danke«, sagte ich und ließ einen Fünfeuroschein auf der Theke liegen.

Das war typisch Land: Du hast keine Chance, dich irgendwo zu verstecken, wenn irgendwer dich sucht; denn irgendwer weiß immer, wo du steckst.

Das Haus war klein mit einem Vorgarten voller Blumen und einem überraschend großen blauen Wunder: Rittersporn, mehr als anderthalb Meter hoch.

Ich klingelte. *Born, Karl-Heinrich* stand da.

Der Mann, der mir öffnete, war seit vier Tagen unrasiert, was heutzutage wohl normal ist. Aber er roch mächtig nach Knoblauch und irgendeinem undefinierbaren alkoholischen Gemisch. Seine Zähne musste er seit Jahren systematisch vernachlässigt haben, denn sie waren quittegelb.

»Häh?«, machte er.

»Entschuldigung die Störung«, sagte ich schleimend. »Sie sind wahrscheinlich der Ehemann der Agnes. Oder nicht?«

»Ja«, nickte er. »Und, was willste?«

»Ich hätte nur eine Frage«, sagte ich.

»Dann frag mich«, nuschelte er.

»Das geht nicht«, erklärte ich freundlich. »Die Frage gilt Ihrer Frau.«

»Hast du der eine Versicherung verkauft, oder was?«

»Nein. Es geht um einen alten Freund von ihr. Um den Rainer Darscheid, der jetzt in Hildenstein lebt.«

»Ach, das Rainerschätzchen. Hat sie wieder ein Abenteuer mit dem?«

»Nein, bestimmt nicht«, versicherte ich. »Kann ich sie einen Moment allein sprechen?«

Schon der gemeine Provinzler ist stark alkoholisiert nur sehr schwer zu ertragen, aber noch schlimmer wird es, wenn er zusätzlich eifersüchtig ist. Und der vor mir war sehr eifersüchtig.

»Das will ich nicht«, entgegnete er mit schmalen Augen.

»Ich erkläre Ihnen, um was es geht.« Mein Ton wurde schärfer, ich hatte den Eindruck, dass mir die Zeit davonlief.

»Erklär mal«, nickte er.

»Die Tochter vom Rainer ist ermordet worden …«

»Weiß ich«, knurrte er.

»Und Rainer ist seit ein paar Stunden verschwunden. Es ist nicht auszuschließen, dass er sich was antut. Und das muss ja nicht sein, oder?«

Er hatte keine Ahnung, auf was ich hinauswollte, und ich hatte noch weniger Ahnung, wie ich diesen Kerl aus dem Weg bekommen konnte.

»Also hatte Agnes was mit Rainer?« Er wurde giftig.

»Nein, hatte sie absolut nicht. Ich will wissen, ob ... Ich muss wissen, welche Plätze sie früher aufsuchten. Vielleicht ist Rainer jetzt da.«

Überraschenderweise schien der Alkoholnebel vorübergehend gelichtet, denn er sagte: »Ach so. Dann komm mal mit.«

Er ging vor mir her in ein Wohnzimmer, an dessen Längswand ein röhrender Hirsch in Öl hing, glatte zwei Quadratmeter betörendes Deutschtum.

Die Frau in dem Sessel war zweifellos attraktiv. Aber sie hatte ein müdes, beinahe lebloses Gesicht. Und sie wirkte schlunzig, verbraucht. Sie trug einen Trainingsanzug in Dunkelblau und ihr Haar klebte strähnig am Kopf.

Sie stellte den Ton des Fernsehers leiser und fragte: »Ja?«

»Ich bin Siggi Baumeister«, erklärte ich. »Rainer Darscheid ist spurlos verschwunden. Ich weiß, dass Sie mit ihm einmal zusammen waren. Können Sie sich daran erinnern, an welchen Plätzen er sich besonders gern aufhielt?«

Sie wirkte abweisend. »Da kann ich Ihnen nicht helfen. Daran erinnere ich mich nicht.«

»Sagte ich doch«, murmelte ihr Mann.

Ich wusste, dass sie log und dass sie genau begriffen hatte, um was es ging.

»Es wird befürchtet, dass er Selbstmord begehen könnte«, sagte ich schnell.

Sie schloss die Augen, dann musterte sie ihren Mann. »Wir hatten mehrere Lieblingsplätze. Aber welchen er am meisten liebte, weiß ich nicht mehr. Das ist so lange her.«

»Das ist Jahre her, da war sie noch Jungfrau«, ergänzte ihr Mann verächtlich.

Sie lachte, ohne wirklich zu lachen. »Das war ein anderes Leben. Ich kann Ihnen nicht helfen. Und mein Mann will das auch nicht.«

»Also, Kumpel, wie du siehst, weiß meine Frau rein gar nichts. Sie weiß nie was. Sie weiß nie was, wenn ich will, dass sie nichts weiß. Mach dich vom Acker und stör hier nicht länger.« Der Mann war ruppig, aber er hatte etwas Falsches gesagt, etwas, was der Frau absolut nicht gefiel.

Leicht lächelnd und arrogant meinte sie: »So ganz ahnungslos bin ich auch nicht, Kalle. Ich versteh schon, was der Herr wissen will.«

»Aber du sagst es ihm nicht. Du bist brav, ja?« Er wurde immer fieser und immer lauter.

»Das ist die Frage«, meinte sie gedehnt.

Plötzlich beugte er sich leicht breitbeinig über sie und schrie: »Also hast du die Sau doch getroffen!«

»Nein«, antwortete sie fest und sah ihm starr und ohne jede Furcht in die Augen. »Ich habe ihn seit Jahren nicht gesehen, nicht getroffen, nicht mal mit ihm telefoniert.«

»Du lügst!«, widersprach er tonlos. »Du lügst, wie du immer lügst.«

Ich spielte keine Rolle mehr, ich war einfach nicht mehr da.

»Warum sollte ich dich anlügen?«

»Wann hast du den Rainer getroffen?«, fragte er.

»Hat sie doch gar nicht«, mischte ich mich ein.

»Halt die Schnauze!«, befahl er scharf. »Ich kenne sie, sie ist meine Frau und ich habe hier zu bestimmen.«

»Nicht schon wieder diese Tour«, stöhnte sie matt. Sie war dieses höllische Spiel leid, und das zeigte sie ohne Hemmung. »Hör auf zu saufen! Und weck die Kinder nicht auf mit dieser irren Schreierei.«

Da schlug er zu. Das heißt, er wollte zuschlagen. Aber sie hatte die Beine schnell hochgezogen und ihm mit voller Kraft in den Unterleib getreten.

Der Mann wurde gegen eine Vitrine geschleudert, in der Gläser standen. Born landete mit dem Hintern auf dem Möbel und begrub es unter sich. Eine Menge Glas splitterte in einem unangenehm hohen Ton.

Born wimmerte matt, hielt beide Hände vor seine Männlichkeit. Es musste höllisch schmerzen. Er drehte sich auf die Seite, zog sich zusammen wie ein Fötus, war leichenblass und atmete keuchend. Für Sekunden sah es so aus, als würde er ohnmächtig.

Agnes stand auf. »Geh in den Garten und reg dich ab.« Ihre Stimme war die reine Verachtung. Dann wandte sie sich zu mir und murmelte: »Ist besser, wenn Sie gehen. Ich bringe Sie zur Tür.«

Sie lief voran und öffnete die Haustür. Kühl und sachlich bemerkte sie: »Fahren Sie zum Nerother Kopf. Richtung Burgruine. Vorher biegt ein Weg nach rechts in den Wald ab. Da am Waldrand, links hoch, das war unsere Stelle. Vielleicht ist er da. Und wenn Sie ihn finden, sagen Sie mir Bescheid. Manchmal will man ja wissen, wie es einem geht.«

»Aber Ihr Mann ...«

»Der ist nur ein Schwächling«, sagte sie unendlich müde. »Der macht mir keinen Ärger. Der nicht.«

»Danke«, sagte ich und rannte zu meinem Wagen.

Ich gab Gas und betrachtete sorgenvoll den Himmel. Das Licht des Tages lag in den letzten Zügen, von Westen her zog eine dunkle Wolkenwand heran. Aber jetzt hatte ich einen konkreten Hinweis, wo Rainer Darscheid sein konnte.

In einer Landschaft unendlicher Wälder kann man erfahren, dass sich alle Liebespaare zu Beginn ihrer Liebe irgendwo im Grünen treffen. Ich erinnerte mich an einen Mann, der nach dem Tod seiner Frau erzählt hatte, er gehe nicht gern auf den Friedhof, um dann am Grab zu stehen und nicht zu wissen, was er sagen sollte. »Ich gehe immer dahin, wo wir uns zu Beginn trafen. Da kann ich mit ihr reden, da war es schön.«

Ich versuchte, Rodenstock auf dem Handy zu erreichen, aber nur die Mailbox war am Ruder. Ich erwischte jedoch Emma und teilte ihr mit, dass ich möglicherweise eine heiße Spur hätte. Sie solle Rodenstock das ausrichten, falls er sich meldete.

Nachdem ich die schmale Straße von Neroth aus nach Daun genommen hatte, hätte ich eigentlich besser links des Weges parken und zu Fuß weitergehen sollen. Aber ich bog mit dem Wagen in den Feldweg ein. Ich hatte das Gefühl, mich beeilen zu müssen, auch wenn es gut möglich war, dass ich mich irrte. Der Weg stieg an und erreichte den Wald, und noch immer konnte ich fahren, ohne in einer Rinne aufzusitzen. Doch ich musste die Scheinwerfer einschalten, und das gefiel mir nicht.

Ich war noch nicht weiter als zweihundert Meter gekommen, als ich das Auto entdeckte. Tu ihm einen Gefallen, alter Mann, und lass ihn leben!

Der Wagen stand zwischen zwei hohen Buchen. Ich stellte mein Auto daneben und lief zu Fuß weiter. Schnell erreichte ich die Weggabelung. Rechts ging es hinauf zur Burgruine, links zu jener Stelle, die Agnes' und Darscheids Lieblingsplatz gewesen war.

Dann sah ich ihn im Gras hocken, er wirkte sehr verloren in der beginnenden Nacht. Er wandte nicht einmal den Kopf, als ich mich näherte, er war ganz in sich versunken.

»Sind Sie Rainer Darscheid?«

»Ja«, antwortete er ohne besondere Betonung. Er rauchte eine Zigarette und schien ganz unaufgeregt, einfach nachdenklich.

»Darf ich mich zu Ihnen setzen?«

»Aber sicher. Der Platz gehört mir nicht.«

Ich setzte mich neben ihn und stopfte mir eine Pfeife von Poul Winslow.

»Ich komme von Agnes«, erklärte ich. »Ich soll Sie grüßen. Sie will wissen, wie es Ihnen geht.«

»Es geht mir sehr schlecht«, stellte er fest. »Wer sind Sie?«

»Siggi Baumeister. Ich bin Journalist. Ganz Hildenstein sucht Sie. Und ich habe diese Spur verfolgt.«

»Gute Spur«, sagte er leise.

Er drehte ständig etwas in seinen Händen. Ich beugte mich vor, um zu erkennen, was es war.

Es war ein Kälberstrick, etwas, an dem man sich gut aufhängen konnte.

Er drückte die Zigarette neben seinem linken Oberschenkel aus. Es war mindestens die zehnte Zigarette, die er geraucht hatte. »Wie geht es Agnes denn?«, fragte er, als sei die Frage in seiner Situation vollkommen normal, und zündete sich eine neue Zigarette an.

»Nicht gut, glaube ich. Der Mann trinkt und sie macht den Eindruck, als sei sie längst am Ende der Ehe.«

»Ja, ich weiß«, murmelte er. »Alles geht den Bach runter. Hat sie sich endlich entschlossen abzuhauen?«

»Das weiß ich nicht, wir kennen uns schließlich nicht. Sie machen beide einen kaputten Eindruck. Ich bin froh, Sie gefunden zu haben. Hocken Sie hier schon lange?«

»Ein paar Stunden, ich weiß nicht genau. Aber das ist auch gleichgültig.« Er drehte wieder den Strick in seinen Händen. Dann atmete er sehr schnell, als bekäme er keine Luft. Plötzlich schien er das Bedürfnis zu haben, etwas zu erklären. »Ja, ich habe gedacht, ich mach Schluss. Was soll der ganze Scheiß? Annegret kommt nicht mehr zurück.« Unvermittelt begann er zu weinen.

Er war ein schlanker, fast dünner Mann mit einem ernsthaften, schmalen Gesicht unter dichten schwarzen Haaren.

Es begann zu regnen, aber er rührte sich nicht, weinte leise, wiegte den Kopf hin und her, ließ beide Hände in altem Laub hin und her schleifen. Erneut zündete er sich eine Zigarette an, drückte sie sofort wieder aus.

Dann meinte er: »Jetzt ein Bier. Das wäre gut.«

»Wir könnten in einer Kneipe eins kaufen.«

»In diesem Zustand gehe ich in keine Kneipe.«

»Ich mach das. Oder ich fahr zu einer Tankstelle. Die Aral in Daun.«

»Warum suchen die mich eigentlich? Ich werde doch wohl noch für ein paar Stunden allein sein dürfen.«

»Sie hatten Angst, Sie tun sich was an.«

»O ja, auf einmal haben alle Angst.« Er versuchte zu lachen, aber es misslang.

Er legte sich auf den Rücken, war eine Weile schweigsam und murmelte schließlich: »Der Regen im Gesicht tut gut.«

»Ja«, nickte ich. Das Hemd klebte klatschnass an meinem Körper und ich fühlte mich so wohl wie lange nicht mehr.

»Also zur Tanke«, sagte er, stand auf, wackelte ein wenig hin und her, vergrub die Hände in den Taschen. »Die Annegret hat mich mal zum Zelten überredet. Im Garten. Nicht weil es so warm war, sondern weil es wie aus Eimern schüttete. Wir lagen in dem Iglu und hörten den Regen trommeln. Das war schön.«

»Haben Sie eine Ahnung, was mit Annegret passiert sein könnte?«

»Keine Ahnung.« Er schüttelte den Kopf. »Überhaupt keine Ahnung. Ich verstehe das nicht.« Er ließ die Schuhspitze im Gras kreisen. »Meine Frau kann nicht darüber reden. Kein Wort. Sie sagt nur dauernd: Annegret hatte es doch so gut bei uns! Als ob die Kleine freiwillig weggegangen wäre. Das ist überhaupt das Schlimmste: diese verrückte Theaterspielerei.« Er wischte sich das Regenwasser vom Gesicht. »Es ist zum Kotzen, glaub mir. Unsere Familie war intakt, unsere Familie lebte einen Familientraum. Und unser Kind war einmalig. So eine verdammte Scheiße! Sie war … sie war ein fröhlicher kleiner Mensch, sie lachte gern. Sie war vollkommen normal, sie war so normal, wie ich gern wäre … Aber ich sage dir, sie hat genau gewusst, was bei uns alles schief an der Wand hängt.« Im nächsten Moment starrte er mich an und stöhnte: »Ach, du lieber Gott, du bist ja ein Reporter.«

»Das hier bleibt unter uns«, versicherte ich. »Was hängt denn bei euch schief?«

»Was wohl? – Unsere Ehe. Unsere Ehe ist tot, verstehst du. Seit Jahren. Klar, wir streiten uns nicht, so wie Agnes und der Born. Wir gehen freundlich miteinander um, wie es sich gehört. Und die Annegret wusste das, sie wusste das ganz genau. Sie hat vor Monaten meine Frau mal gefragt, warum sie in die Rüschengardinchen immer babyblaue Schleifchen bindet. Die hat das alles schon durchschaut … Lass uns hier abhauen, ich brauche wirklich ein Bier.«

Wir trabten zu den Autos und ich fuhr voran. In Daun hielten wir bei Aral und ich kaufte zwei Literdosen *Faxe*-Bier. Darscheid öffnete eine Dose und nahm einen langen Schluck.

Ich wählte wieder Rodenstocks Nummer und hatte Glück.

»Wir sitzen im Haus der Eltern«, meinte er ohne Hoffnung. »Uns fällt nichts mehr ein.«

»Ich bringe ihn nach Hause«, erklärte ich. »Es ist alles in Ordnung. Sorg bitte dafür, dass keine Presse vor dem Haus steht.«

»Das erledige ich«, versprach er.

Rainer Darscheid redete nicht mehr, starrte dumpf vor sich hin und leerte den ersten Liter mit unglaublicher Geschwindigkeit. Anschließend rülpste er ausgiebig, kurbelte sein Fenster hoch und startete den Motor. Langsam, beinahe gemächlich, fuhr er vor mir her. In Dockweiler lenkte er den Wagen an den Straßenrand und stoppte.

Ich dachte: Er wird betrunken sein, er ist sowieso vollkommen erschöpft. Ich lief durch den Regen zu ihm hin und setzte mich neben ihn.

Er weinte wieder, sein Kopf lag auf dem Lenkrad. Als er sich ein wenig beruhigt hatte, öffnete er die zweite Dose Bier und trank wie ein Verdurstender.

Der Regen war dicht und schwer geworden und Darscheid stieg aus dem Wagen und hielt sein Gesicht hoch zum Himmel. Ich sah seinen verquälten Mund, der den Eindruck entstehen ließ, als schreie er. Aber bis auf das Trommeln des Regens war es still.

Ein schwerer Truck rauschte heran und eine Sekunde lang war ich erneut voller Panik, weil ich dachte: Wenn er jetzt auf die Fahrbahn springt, ist es aus. Aber Darscheid rührte sich nicht, hielt einfach sein Gesicht in den Regen. Dann trank er wieder aus der Dose, öffnete den Wagenschlag und setzte sich.

»Ich habe keine Lust auf zu Hause«, murmelte er.

»Das verstehe ich. Doch tu es für deine Frau.«

Er schwieg eine Weile und nickte. Er griff in die Tasche seiner Jeansjacke und hielt wieder den Kälberstrick in den Händen.

»Den brauchst du jetzt nicht mehr«, meinte ich hilflos.

»Ich weiß nicht, was wird«, entgegnete er erstaunlich kühl. »Ich weiß nicht, ob ich ohne Annegret in dem Haus leben will. Nein, ich will ohne meine Kleine da nicht leben.«

»Das wirst du herausfinden«, sagte ich.

»Da verlierst du dein Kind, die Welt steht still und dann fragt dich irgendeine Tussi vom Fernsehen: Waren Sie der Kleinen überhaupt ein guter Vater? Ist die Welt nicht bescheuert?«

»Die Welt ist bescheuert«, bestätigte ich. »Ich frage dich

noch einmal, ob du oder deine Frau irgendeinen Verdacht habt. Kein guter Onkel in der Nachbarschaft?«

»Nein. Wir haben keinen Verdacht, nicht den geringsten.«

Wir setzten unseren Weg durch den strömenden Regen fort, rollten endlich nach Hildenstein hinein und hielten vor seinem Haus.

»Wir stellen uns unter die Dusche«, schlug er eifrig vor, wahrscheinlich wollte er die Stille damit töten. »Dann können deine Klamotten trocknen.«

Die Haustür wurde geöffnet und eine Frau stand wie ein Schattenriss im Licht. Mit einer hohen, ein wenig kindlichen Stimme sagte sie: »Ich hatte solche Angst um dich.«

Es war deutlich zu spüren, dass er sie nicht berühren wollte, dass er kämpfte. Aber er nahm sie doch in die Arme und flüsterte etwas.

»Ich möchte nicht duschen«, stellte ich fest. »Ich würde lieber gleich heimfahren.«

Der Flur war hell erleuchtet und auf einer kleinen Kommode saßen drei Puppen, eng aneinander geschmiegt, in der Frauenkleidung des ausgehenden 19. Jahrhunderts.

»Da seid ihr ja«, rief Kischkewitz von irgendwoher.

Rodenstock trat in den Flur und lächelte mir zu.

»Ich möchte heim«, wiederholte ich. »Ich brauche neue Klamotten.«

»Du kannst von mir welche haben«, sagte Rainer Darscheid drängend.

»Junge«, widersprach ich. »Zu Hause bei mir sitzt Besuch.«

»Ach so«, er war sichtlich enttäuscht, wollte wohl nicht allein bleiben mit seiner Frau. »Aber du lässt dich mal sehen?«

»Klar«, nickte ich. »Du kannst dich darauf verlassen.«

»Wir fahren auch«, bestimmte Kischkewitz.

Ich ging wieder hinaus in den Regen und starrte den Hang hinauf, wo in dreihundert Metern Entfernung der Kriminalbiologe Benecke im Schein seiner Xenon-Scheinwerfer immer noch altes Laub untersuchte und Steinchen umdrehte, um herauszufinden, was sich abgespielt hatte. Im Nachtlicht wirkte sein Zelt wie der Landeplatz eines geheimnisvollen Flugkörpers: ein weißlich schimmernder, großer Block, in dem ein Schatten wanderte.

»Der ist ein Verrückter«, murmelte Kischkewitz hinter mir. »Er wird nicht aufgeben, ehe er nicht genau weiß, dass es entweder keine Spuren gibt, oder aber Spuren gefunden hat, die jemanden überführen. Dem ist noch nicht mal wichtig, ob er bezahlt wird. Er sagte zu mir: Ich suche die Wahrheit, nichts anderes.«

»Sind diese Zeltplanen dicht?«, fragte ich.

»Na ja, halbwegs. Wir haben Benecke ein paar Kochtöpfe gegeben, in denen er das Wasser auffängt.«

»Wenn ich früher so einen wie Benecke gehabt hätte«, meldete sich Rodenstock zu Wort, »wären manche Morde nicht so geheimnisvoll gewesen. Wie hast du Rainer Darscheid aufgetrieben, Junge?«

»Alte Liebe, alte Plätze«, antwortete ich und schlenderte zu meinem Auto. »Man sieht sich.« Ich begann zu frieren. Der Fall Annegret schien auf einmal sehr weit entfernt, bedeutend weiter entfernt als meine Tochter und Vera.

Als ich meinen Hof erreichte, hatte der Regen aufgehört und die beiden Wandlampen auf der Terrasse brannten. Vera und Clarissa sprachen leise und sehr vertraut miteinander, von irgendeiner Verstimmung war nichts zu spüren.

»Hallo, Väterchen«, sagte Clarissa munter. »Wie siehst du denn aus?«

»Ich bin nass geworden«, gab ich Auskunft. »Ich komme gleich.«

Ich duschte, zog trockene Sachen an, nieste und ging wieder hinunter.

»Willst du irgendetwas?«, fragte Vera.

»Ich mach mir einen Tee«, sagte ich. »Braucht ihr noch was?«

»Nein, danke«, sagte Vera. Sie hatten sich eine Flasche von dem Rotwein aufgemacht, den ich bei Liz und Stephan Treis an der Mosel geholt hatte.

Ich verließ gerade mit dem Tee die Küche wieder, als Satchmo aus dem Garten ein mörderisches Geheul hören ließ.

»Halali!«, sagte ich. »Das ist eine Erfolgsmeldung. Wahrscheinlich starb eine Maus, möglicherweise auch eine Ratte vom Bach unten.«

Das Geheul wiederholte sich und es kam eindeutig vom dicken Holunder am Teich. Das machte mich etwas misstrauisch und ich ging nachschauen.

Satchmo hockte leicht geduckt vor Friedbert, meinem längsten und dicksten Goldfisch. Er lag mausetot in einem Grasbüschel vor meinem Kater. Oberhalb der Rückenflosse hatte der Stolz meiner Goldfischflotte ein beträchtliches Loch im Körper. Satchmos Augen funkelten, als wollte er sagen: »Habe ich den Sauhund endlich erwischt!«

»Mörder!«, urteilte ich verächtlich, nahm Friedbert am Schwanz und beförderte ihn in die Bioabfalltonne. Es machte keinen Sinn, mit Satchmo derartige Zwischenfälle zu diskutieren, Diskussionen dieser Art hatte er schon immer streng abgelehnt.

»Dieser Friedbert hatte eine unselige Angewohnheit«, erklärte ich den Frauen. »Wenn die Nacht hereinbrach, dümpelte er schlaftrunken im Bereich des Niedrigwassers. Das war eben tödlich.«

Meine Tochter reagierte erstaunlich. Sie pfiff melodiös und richtig *Ich hatt' einen Kameraden …*; ich war mächtig stolz auf sie und ihren eindeutig schwarzen Humor.

»Geht es dir ein bisschen besser?«, fragte ich.

Sie sah mich an und wandte dann den Blick zur Seite. »Ich war ziemlich nervös.«

»Das ist verständlich«, nickte ich.

»Was hast du in der Welt draußen getrieben?«, fragte Vera.

»Ich habe den Vater eines ermordeten Mädchens gesucht und gefunden. Und ihr habt vermutlich Schwänke aus euren Leben ausgetauscht.«

»Clarissa hat mir erzählt, wie das früher in eurer Familie zuging«, erwiderte Vera sanft.

»Und?«

»Das war ziemlich schlimm«, murmelte Clarissa. »Du hast Mami und mich ziemlich gequält.«

»Was habe ich?«

Vera ging schnell dazwischen. »Ich habe schon gesagt, dass sie dich überhaupt nicht kennt. So, wie du jetzt bist.«

»Warum klärt sie das nicht mit mir?«

»Weil sie Angst hat«, stellte Vera fest. »Deshalb ist sie ja hier.«

»Inwiefern habe ich euch gequält?«, fragte ich.

»Na ja, du hast getrunken. Immer getrunken. Bis du dann ins Krankenhaus gekommen bist.« Clarissas Stimme war ganz leise.

»Ja, ich bin ins Krankenhaus gekommen. Aber weshalb? Habt ihr das verstanden?«

»Weil du vergiftet warst oder so.«

»Ich wollte mich töten«, sagte ich hart. »Mein Leben war am Ende.«

»Das könnt ihr heute Nacht nicht mehr klären«, versuchte Vera zu beschwichtigen.

»Wir müssen das klären«, entgegnete ich schroff. »Deshalb ist Clarissa schließlich hier.«

»Mein Therapeut sagt, dass das wichtig für mich ist«, sagte Clarissa.

»Was hast du und der Therapeut denn herausgefunden?«, fragte ich.

»Dass ich nicht bindungsfähig bin.«

»Weil dein Vater an dieser Stelle versagt hat?«

»Ja, genau.«

»Scheiße, ich war krank.«

»Kinder, so geht das nicht.« Vera lächelte angespannt. »Wenn ihr so weitermacht, gibt es Streit.«

»Ich fahre wieder nach Hause«, sagte Clarissa mit seltsam abgeklärter Stimme.

»Tu das. Und erzähl deinen Leuten, dass dein Vater immer noch das alte Charakterschwein ist.«

»Siggi!«, mahnte Vera.

»Ich gehe wohl besser.« Clarissa stand auf und lief ins Haus.

»So eine Scheiße!«, sagte ich wütend. »Ich bin Alkoholiker, ich werde immer einer sein. Ob ich saufe oder nicht!«

»Aber sie hat keine Ahnung, was aus dir geworden ist. Diesen Vater kennt sie überhaupt nicht.«

»Dann sollte sie besser das Maul halten.«

»Ach, Baumeister.«

Eine Weile hockten wir schweigend an dem Tisch. Dann musste ich wieder niesen und Vera lachte leise.

»Du liebst sie doch, oder?«

»Ja.«

»Dann gib ihr Zeit, sich mit dir einzurichten.«

»Lass uns von etwas anderem reden.«

»Baumeister, ich bin hundemüde.«

»Du kannst hier schlafen, wenn du magst.«

»Ich weiß nicht …«

»Oh, keine Bange. Es passiert nichts. Du kannst oben neben mir schlafen. Oder allein und ich packe mich ins Wohnzimmer. Ich bin auch müde. Mein Leben ist so anstrengend.«

»Ich fahre lieber zu Emma«, entschied sie. »Sei vorsichtig mit Clarissa, sie hat einen Vater verdient.« Sie beugte sich vor und küsste mich auf die Stirn. Dann ging sie durch das Gartentor, kletterte in ihr Uraltauto und fuhr vom Hof.

Ich dachte, es wäre verdammt gut gewesen, wenn sie bei mir geblieben wäre. Nur zum Trost, zu sonst nichts.

Im Treppenhaus rief ich: »Schlaf gut. Wir müssen eben noch lernen, miteinander zu reden.«

Aber Clarissa konnte nicht antworten, denn sie telefonierte wieder. Wahrscheinlich gleichzeitig mit Mami, dem Therapeuten und einigen Freunden.

Ich legte mich aufs Bett und konnte nicht schlafen. Ich tigerte durch das Haus und irgendwann fand ich mich im Wohnzimmer wieder, wie ich starr in den Garten hinausblickte und doch nichts sah. Vieles türmte sich plötzlich auf und ich hatte das Gefühl zu ersticken. Meine Seele war atemlos.

Clarissa, die jemand geschickt hatte, um herauszufinden, wie der Vater war und wie der eigene Bauch auf ihn reagieren würde. Eine Erkundungsexpedition zum eigenen Erzeuger. Das war ein Problem, aber eines, das wir lösen konnten. So oder so.

Vera, die aus ihrem Amt geflüchtet war, um überleben zu können. Auch das war ein Problem, aber eines, bei dem ich ihr den Rücken stärken konnte, wie immer das ausgehen mochte.

Tante Anni, die sich scheinbar in den Kopf gesetzt hatte zu sterben. Da waren wir alle hilflos und mussten akzeptieren, wie sie entscheiden würde. Sie war ein Teil meines Lebens geworden und es war wichtig, sie nicht allein zu lassen, ihre Hand zu halten, wenn sie es zuließ.

Dann Annegret, dieses ermordete Mädchen. Tote Kinder sind etwas Entsetzliches, eine Wunde, die die Zeit kaum zu vernarben vermag.

Ich musste auf dem Sofa eingeschlafen sein, denn als ich aufwachte, hatte ich einen steifen Nacken und einen Rücken wie ein Waschbrett. Draußen zog der Tag auf, die Vögel zwitscherten, Satchmo kratzte heftig an der Türscheibe zur

Terrasse. Wo war eigentlich mein Hund Cisco? Wahrscheinlich lag er bei Emma im warmen Flur und schlief.

Es war fünf Uhr morgens. Ich horchte im Flur, ob etwas von Clarissa zu hören war. Aber es war still. Ich warf die Kaffeemaschine an und hatte plötzlich einen wilden Hunger auf Schinken von Otten in Strohn. Nein, nicht einfach nur auf Räucherschinken, sondern auf Räucherschinken mit Spiegeleiern drauf. Ich hörte sämtliche Ärzte der Welt schimpfen und ihre kleinliche Ermahnung, ich solle gefälligst an meinen Cholesterinspiegel denken. Während ich die Köstlichkeiten briet, grinste ich meinen Cholesterinspiegel an die Wand. Dann noch eine CD von Christian Willisohn aus dem *Marians* in Bern und ich konnte konstatieren, was mir am dringendsten fehlte. Die Antwort war einfach und fiel zusammen mit dem *Basin Street Blues.*

Ich hatte keine Vorstellung, was geschehen war, bevor die kleine Annegret getötet worden war. Wann hatten die Kinder die Schule verlassen, um nach Hause zu gehen? Wer von ihnen hatte Annegret zuletzt gesehen? Wie hießen die Kinder, die sie auf dem Schulweg begleitet hatten? Und an welcher Stelle genau riss die Rekonstruktion des Weges von der Schule nach Hause ab? War auf diesem Weg alles normal verlaufen? Wenn nicht, was wich von der Normalität ab?

Das Mädchen musste irgendwie in den Amor-Busch dreihundert Meter oberhalb ihres Elternhauses gelangt sein. War sie freiwillig dorthin gegangen? War sie dorthin gebracht worden? Hatte jemand was beobachtet? Ich brauchte dringend Informationen von der Mordkommission.

Dann fiel mir ein, dass einige Antworten mit Sicherheit im Internet verzeichnet sein würden. Und zwar in den Ausgaben des *Trierischen Volksfreundes* der vergangenen Tage.

Nachdem ich die Strohn'sche Köstlichkeit verschlungen hatte, bewegte ich mich zu meinem Computer und begab mich in die Welt der schnellen Elektronik.

Normalerweise bin ich sehr misstrauisch, was das Internet angeht, weil elektronische Recherchen immer mit dem Makel des Fünfundsiebzigprozentigen verbunden sind. Nichts geht über ein Gespräch. Andererseits konnte ich Seite um Seite aufrufen und gezielt nach dem suchen, was ich wissen wollte.

In der Ausgabe von Samstag hatte die Polizei ganz offiziell um Hilfe bei der Suche nach Annegret gebeten und dabei einen Zeitrahmen skizziert, der offenbarte, was man wusste und was unbekannt war.

Die Lehrerin Doris Groß, einundvierzig Jahre alt, hatte die Klasse am Donnerstag um 12.15 Uhr in die Freiheit entlassen. Die Klassenstärke an diesem Tag lag bei fünfundzwanzig, vierzehn Mädchen und elf Jungen.

Was dann passierte, war vollkommen unspektakulär: Die Klasse stürmte auf den großen Platz vor der Schule. Sechs Schüler wurden von Vater oder Mutter mit dem Auto abgeholt. Der Rest der Klasse verlief sich in Grüppchen, wie jeden Tag. Die Gruppe, zu der Annegret gehörte, umfasste sieben Schüler und Schülerinnen. Geschlossen marschierten diese sieben in das Zentrum von Hildenstein. Auf der Hauptkreuzung teilte sich die Gruppe. Drei gingen in den Süden der Stadt, die restlichen vier, darunter auch Annegret, liefen auf der Bundesstraße Richtung Norden weiter. Schon nach zweihundert Metern trennten sich auch ihre Wege. Annegret bog allein nach rechts in die stille, eng bebaute Seitenstraße Am Blindert ab. Diese Straße führte sie in einem leichten Linksbogen nach Hause. Die drei anderen Kinder wohnten in einem Gebiet links der Bundesstraße.

Alle Schüler sagten aus, es habe sich nichts Besonderes ereignet und sie seien sich sicher, dass sich Annegret wie immer auf den direkten Weg nach Hause begeben hatte. Der Weg, den Annegret allein zu gehen hatte, war exakt vierhundertzwanzig Meter lang.

Irgendwo auf diesen vierhundertzwanzig Metern musste etwas geschehen sein – was, wusste wohl nur der Mörder. Die Polizei hatte in jedem der Häuser vorgesprochen, an denen das Mädchen vorbeigekommen sein musste. Niemand hatte etwas beobachtet, niemand hatte das Mädchen – allein oder in Begleitung – an diesem Donnerstagmittag gesehen. Aber: Jeder Anlieger kannte Annegret. Ein Rentner hatte gesagt: »Ich sehe sie beinahe jeden Tag, wenn ich im Garten arbeite oder die Straße fege. Sie grüßt immer und immer hat sie ein Lachen. Das tut einem alten Mann gut.«

Bei den letzten Schülern, die sich von Annegret trennten, als sie nach rechts in ihre Siedlung abbog, handelte es sich um ihre Klassenkameraden Kevin S. (14), Anke K. (12), mit Annegret eng befreundet, und Bernard P. (13), ebenfalls nicht nur Mitschüler, sondern auch Freund.

Anke K. hatte ausgesagt, sie habe sich mit Annegret verabredet. Gegen siebzehn Uhr wollte sie Annegret in ihrem Elternhaus besuchen. Die beiden Mädchen hatten sich ein Videoband von Britney Spears ausgeliehen, das sie sich ansehen wollten. Als Anke in dem Haus Am Blindert eintraf, wurde Annegret schon vermisst.

Kevin S. und Bernard P. erzählten übereinstimmend, sie hätten sich um sechzehn Uhr am Sportlerheim treffen wollen, um Fußball zu spielen. Das hätten sie auch getan, zusammen mit sieben weiteren Jungen. Die Gruppe traf sich häufig.

Also vierhundertzwanzig Meter bis zum Tod.

Im Treppenhaus gab es ein Geräusch, dann stand Clarissa in der Tür, sagte verschlafen Guten Morgen und: »Warum bist du denn schon auf?«

»Ich habe nicht mehr schlafen können. Wahrscheinlich regt mich der Mord an diesem Mädchen so auf. Wie ich sehe, bist du immer noch eine Frühaufsteherin.«

»Was ist mit Kaffee?«

»Du kannst dir in der Küche einen eingießen.«

Sie verschwand, und als sie wieder auftauchte, fragte sie: »Was ist mit dem Mädchen passiert?«

»Das weiß noch niemand genau. Sie wurde mit einem Stein erschlagen und möglicherweise missbraucht.«

»Und für wen recherchierst du das?«

»Für die Hamburger. Setz dich doch.«

»Ich hätte niemals gedacht, dass so etwas auch am Arsch der Welt passiert.«

»Hier passiert alles. Hast du gut geschlafen?«

»Ich habe blödes Zeug geträumt und bin dauernd wach geworden. Und jedes Mal lief der Film weiter. Da, auf der Terrasse, ist das deine Katze?«

»Ja. Ein kastrierter Kater namens Satchmo. Ein netter Kerl. Dann gibt es noch einen Hund, der Cisco heißt und im Moment im Nachbardorf ist. Bei Freunden.«

»Hast du viele Freunde?«

»Was heißt viele? Zehn vielleicht, vielleicht zwölf. Ich bin hier zu Hause. Weißt du noch, was du geträumt hast?«

»Irgendetwas Wirres.« Sie schwieg eine Weile und setzte dann hinzu: »Sag mal, hast du Mami eigentlich betrogen?« In reiner Verlegenheit wurde sie hektisch. »Das geht mich natürlich eigentlich nichts an, aber ich möchte es gern wissen, weil ...«

»Ja«, sagte ich. »Habe ich.«

Sie war verwirrt und wusste nichts zu erwidern. Sie hielt die Kaffeetasse lange an ihre Lippen, ohne zu trinken.

»Wusste Mami davon?«

»Keine Ahnung. Aber unsere Beziehung war längst kaputt. Meist hat sie Migräne gekriegt und geschwiegen. Sie war damals eine perfekte Verdrängerin.«

Clarissa atmete etwas schneller. »Waren das ... also hattest du eine richtige ... Liebesgeschichte mit einer anderen Frau?«

»Nein. Ich nehme an, ich war einsam … beziehungsweise habe mich einsam gefühlt. Und ich war jemand, der sich bei einer Frau verkroch. Niemand nennt so etwas Liebe.«

»Aber, ich meine … Also, ich meine, Mami muss doch gemerkt haben, dass da was lief.«

»Das ist durchaus möglich, dass sie etwas gemerkt hat. Auf jeden Fall hat sie mit mir nicht darüber geredet.«

»Das ist komisch …«

»Komisch nicht. Tragisch ist das.« Ich dachte: Wir lernen, miteinander zu reden. Das ist ein guter Anfang.

Sie lief mit ihrem Kaffee hinaus auf die Terrasse, stellte die Tasse ab und beugte sich zu Satchmo hinunter, um ihn zu streicheln.

»Wäre es nicht besser gewesen, ihr hättet miteinander gesprochen?«

»Sicher. Aber das passierte eben nicht. Sie suchte eine Wohnung für euch zwei und schrieb mir einen Brief. Einen Satz: *Ich nehme mir mit Clarissa eine kleine Wohnung.* Kein Wort von Scheidung. Aber sie ließ sich scheiden und sie sprach vorher kein Wort mit mir und nachher auch nicht.«

»Das kann doch wohl nicht sein!«, sagte Clarissa heftig und mit sehr viel Wut in der Stimme.

Sie richtete sich auf und lehnte sich an den Türrahmen. »Wenn man euch beiden so zuhört, ist man schnell der Meinung, ihr redet von Menschen, die ich nicht kenne.«

»Ja, das wird es sein. Ich kann verstehen, dass du so denkst. Aber wir sollten an dieser Stelle aufhören, wenn du einverstanden bist.«

»Ja, klar«, nickte sie schnell. »Du musst ja wohl auch arbeiten.«

»Nein, das ist es nicht. Ich will nur vermeiden, dass wir uns anbrüllen.«

»Ja«, sagte sie wieder. Dann marschierte sie mit der Tasse in den Garten und starrte in den Teich.

Ich ging hinauf ins Badezimmer und schaufelte mir kaltes Wasser ins Gesicht. Das tat gut. Ich dachte: Sie wird noch viel schlucken müssen und ich muss versuchen, es zu dosieren. Und: Ich mag sie sehr.

Als ich wieder herunterkam, sprang mir Cisco entgegen und benahm sich, als sei er monatelang weg gewesen. Ich gab ihm etwas zu fressen, obwohl ich mir sicher war, dass er schon von Emma etwas bekommen hatte. Aber was tut man nicht alles für die Familie.

Clarissa konnte ich nicht mehr entdecken, daher schrieb ich auf einen Zettel: *Bin weg. Im Eisschrank ist alles, was du brauchst.*

Ich musste zwei Dinge erledigen. Ich wollte wissen, ob Benecke am Tatort schon etwas entdeckt hatte. Und ich musste Tante Anni im Dauner Krankenhaus besuchen, damit sie nicht auf die Idee kam, sie sei allein.

Ich entschied mich zunächst für den Kriminalbiologen.

Für den Weg ließ ich mir Zeit und fuhr gemächlich. In Heyroth flog ein Milanpärchen in der Luft und im Tal des Ahrbachs auf Niederehe zu hing ein Turmfalke rüttelnd in der Sonne. Ein Graureiher stand im Flachwasser des Baches, ein zweiter kam angesegelt. Die Welt war sehr gelassen und achtete nicht auf die Aufgeregtheit der Menschen.

Ich parkte wieder auf der Wiese vor dem Busch. Ein Streifenwagen stand schon oder immer noch dort, der Polizist war ein anderer.

»Hier gibt es nichts Neues«, sagte er barsch.

»Ja, ja, guten Morgen. Ich will Doktor Benecke etwas fragen.«

»Der Mann darf nicht gestört werden.«

»Ich störe ihn doch gar nicht.«

»Woher wollen Sie das denn wissen?«, fragte er angriffslustig.

»Mark!«, schrie ich. »Bekomme ich zehn Minuten?«

Der Polizist funkelte mich stinksauer an.
»Klar bekommst du die«, sagte der Wissenschaftler gemütlich und trat unter den Bäumen hervor. »Grüß dich, Siggi.«
Ich ging zu ihm hin. »Guten Morgen. Ich will wissen, wie weit du gekommen bist.«
»Du darfst das aber noch nicht verwenden.«
»Das will ich auch gar nicht. So weit bin ich noch lange nicht. Zu viele lose Enden, kein Täter, hundert Leute, die ich noch befragen muss.«
Er sah wie immer stark nach Arbeit aus. Sein Blaumann war vollkommen verdreckt, die Gummistiefel waren verschmiert, in seinem Gesicht Schmutzstreifen und seine hellen Gummihandschuhe sahen so aus, als hätte er damit in einer Güllepfütze herumgemanscht.
»Ich will es nur wissen«, bekräftigte ich. »Sonst stelle ich im Städtchen die falschen Fragen.«
»Okay«, nickte er sachlich. »Ich kann dir schon verraten, dass sie an der Stelle getötet wurde, wo man sie fand. Und ich kann sagen, dass der Täter höchstwahrscheinlich kniete, als er sie mit dem Stein erschlug.«

DRITTES KAPITEL

Ich wusste, dass er immer sehr vorsichtig war, was die Aspekte seiner Arbeit betraf. Und ich wusste auch, dass er nie leichtfertig etwas sagte, nichts, was seinen Fall möglicherweise in ein unklares Licht rückte. Wenn er zu dem Schluss gekommen war, dass der Mörder kniete, als er tötete, konnte man davon ausgehen, dass das stimmte.
»Wieso kniete er? Ich meine, woher weißt du das?«
»Aus der Anordnung und der Art der Blutspritzer«, antwortete er.

»Und wahrscheinlich weißt du auch, wie groß der Mörder ist.« Das sollte spöttisch klingen, aber ich wusste in der gleichen Sekunde, dass ich mir die Frage hätte sparen können.

»Ich vermute, knapp unter eins siebzig.« Ein Grinsen überzog sein vor Erschöpfung bleiches Gesicht. Resolut zerrte er die weißen, dreckbesudelten Gummihandschuhe von seinen Händen und ließ sie achtlos fallen. »Aber im Moment kann ich nur über Spuren sprechen, die in eine bestimmte Richtung deuten. Ob mir später das Gericht folgen wird, ist eine ganz andere Sache.« Sein Tonfall wurde behutsam. »Kanntest du die Tote?«

»Nein.«

»Ihre Familie?«

»Auch nicht.«

»Ich frage, weil ich hier nur die Wahrheit suche und weil ich mir nicht vorstellen will, wie das Mädchen gelitten hat, wie sie voller Angst war, wie sie möglicherweise gefleht hat. Das alles darf mich nicht interessieren. Ich muss als Wissenschaftler psychisch immun sein. Das ist der Idealfall, den ich ständig zu erreichen versuche. Du weißt, was ich meine. Und meine Frage läuft einfach darauf hinaus, ob auch du diese Wahrheiten ertragen kannst.«

»Ich denke, ja«, sagte ich forsch.

Er lächelte leicht skeptisch. »Na ja, dann versuche ich, dir die Sache zu erklären. Aber dazu brauche ich eines der Fotos.« Er verschwand für einige Sekunden unter seinen Zeltplanen und kehrte mit einem der Schwarz-Weiß-Fotos zurück, die Kischkewitz ihm gebracht hatte.

Es war eine Aufnahme, die Annegret in einer Totalen zeigte, wie sie in der Erdfalte gelegen hatte.

Benecke fuhr fort: »Lass uns also sachlich bleiben. Du siehst auf diesem Foto unmittelbar rechts neben ihrem Gesicht einen etwa zwanzig Zentimeter langen dürren Ast. Und links neben ihrem Hals einen größeren Erdklumpen von etwa drei Zentimeter Durchmesser, der an der einen Seite spitz zuläuft. Das sind sozusagen meine Landmarken, denn als ich ankam, hatten sie die Tote ja schon weggeschafft. Du weißt, wie dieses Wegschaffen aussah. Die Beerdigungsunternehmer haben sie in den Metallsarg gelegt und einer der beiden ist auf die Idee gekommen, sie auf einem Stahltisch abzuduschen. Zunächst war es also wichtig, vom kriminalbiologischen Standpunkt aus die Leiche zu sichern. Sie befand sich in der Rechtsmedizin in Mainz. Ich habe meine Assistentin dorthin gejagt. Sie sollte verhindern, dass die Rechtsmediziner die Leiche zu sezieren begannen. Nicht weil ich den Leuten misstraue, sondern weil ich weiß, dass sie dabei möglicherweise Spuren zerstören, die ich brauche, weil ich die gleichen Spuren auch hier in dem Wäldchen finden kann. Also: Es gibt tatsächlich übereinstimmende Spuren. Was sind das für Spuren? Nun, zunächst sind es Eier der Schmeißfliege, in diesem Fall der grün schillernden *Lucilia caesar,* die so genannte Kaiser-Goldfliege. Maden, und zwar lebende Maden, habe ich hier unter Steinchen und Erdbröckchen entdeckt. Sie verkriechen sich, sie mögen kein Licht und sie mögen keine Nässe. Meine Assistentin hat die gleichen Maden im Mund der Toten entdeckt. Es handelt sich also um Leicheninsekten, eben Schmeißfliegenlarven. Das nimmt dich doch mit, nicht wahr?«

»Ich gebe zu, es ist schwierig, so kühl zu bleiben wie du.«

»Ich habe das Alter der Maden bestimmt, und zwar indem ich die Länge gemessen habe. Und diese Länge habe ich mit dem so genannten Isomegalen-Diagramm verglichen. Die Maden hier sind ungefähr zweiundsiebzig Stunden alt gewesen. Das verweist auf Donnerstagmittag und bedeutet, dass das der ungefähre Besiedlungszeitpunkt der Leiche ist. Aber ob das auch der Todeszeitpunkt ist, weiß ich natürlich nicht.« Er grinste leicht. »Die Leiche könnte ja auch zehn Jahre lang eingefroren gewesen sein und ich hätte dann nur die Zeitspanne bestimmt, wie lange die Leiche aufgetaut im Freien gelegen hat. Das macht aber klar, wie schwierig das Ganze ist.«

»Wie lange dauert es denn eigentlich, bis Fliegen bei so einer Leiche auftauchen und ihre Eier ablegen?«

»Die Tote hatte eine ziemlich schwere, blutende Wunde am Kopf. In so einem Fall dauert das bei Tageslicht und warmer Witterung nur Minuten. Die weiblichen schwangeren Schmeißfliegen kommen und legen ihre Eier in Paketen ab, je Paket etwa zweihundert Eier. Solche Pakete, die die Dusche überstanden haben, hat meine Assistentin im Haar der Toten gefunden.«

»Und woher weißt du, dass es diese grün schillernde Goldfliege war? Ich dachte immer, eine Made sieht wie die andere aus.«

»O nein. Die Maden verschiedener Fliegen haben verschiedene Längen. Normalerweise nehme ich die Maden mit zu mir nach Hause und bringe sie in einem alten Gurkenglas zum Schlüpfen. Aber hier hatte ich wegen der Dringlichkeit der Antworten diese Möglichkeit nicht und habe zu einem anderen Hilfsmittel gegriffen. Unter dem Vergrößerungsgerät habe ich mit einer Mikroschere die Mundwerkzeuge einer Made herausgeschnitten. Falls du technische Angaben willst: Das Vergrößerungsgerät heißt Leica MZ 12.5. Das Herausschneiden der Mundwerkzeuge ist eine widerliche Arbeit, aber sie bringt schnell Klarheit, was für eine Fliegenart aus der Made geworden wäre. Übrigens war der Magen dieser Tiere geleert, weil sie sich schon auf die kommende Verpuppung eingestellt hatten. Sie fressen dann nämlich nicht mehr. Auch diese Feststellung hilft dabei zu bestimmen, wie lange die Leiche besiedelt war. Also Länge der Made, Mundwerkzeuge und Zustand des Magens – diese drei Komponenten ergeben ordentliche wissenschaftliche Hinweise.«

»Gut. Du hast also die Bestätigung, dass Donnerstagmittag die Todeszeit ist. Weißt du was über den Tatverlauf?«

Er schüttelte den Kopf. »Ich habe es mit Irritationen zu tun, einige Spuren kann ich nicht einordnen, ich weiß nicht, ob die überhaupt mit der Tat in Zusammenhang stehen. Sicher ist: Dieses kleine Wäldchen ist sozusagen dauernd überbevölkert. Es gibt unglaublich viele Hinweise auf Menschen, und bis jetzt ist es mir unmöglich zu unterscheiden, wann welche Spur entstanden ist.«

»Was sind denn das für Spuren?«

»Nun, es gibt Fahrrad-, Moped- und Motorradspuren, alte Spuren, neue Spuren, überlagerte Spuren, verwischte Spuren, winzige Teilchen von Plastik, von denen ich nicht weiß, woher sie stammen. In diesem Busch muss ein reger Verkehr herrschen. Kischkewitz sagte mir, das Wäldchen wird Amor-Busch genannt – das ist eindeutig schon seit Jahren ein Treffpunkt von Liebespärchen. Das verwirrt und erst langsam kann daraus ein Bild entstehen.«

»Du hast vorhin erzählt, du hast deine Assistentin in die Rechtsmedizin nach Mainz geschickt, um die Leiche vor der Obduktion zu retten, und sie hat die gleichen Fliegeneier wie du gefunden. Hat sie noch etwas entdecken können? Was ist zum Beispiel mit Sperma?«

»Ja, in der Tat hat sie Sperma gefunden. Und zwar auf der Haut des Mädchens. Die Spermien haben den Duschvorgang ebenfalls überlebt. Und da ich deine nächste Frage schon ahne, antworte ich: Das Sperma auf der Haut der Toten ist deckungsgleich mit den Spermien, die ich hier gefunden habe, stammen also von demselben Mann. Das heißt aber nicht, dass dieser Mann der Täter ist.«

»Wie bitte?«, fragte ich verblüfft.

Er wiegte seinen klugen Kopf hin und her. »Ja. Es ist doch auch möglich, dass zwei Menschen hier waren. Von dem einen stammt das Sperma, der andere tötete sie.«

»Lieber Himmel!«, sagte ich andächtig. »Aber das Sperma könnte doch trotzdem helfen, oder nicht? Ist doch möglich, dass in der Zentralregistratur des Bundeskriminalamtes die DNA schon registriert ist. Oder sehe ich das falsch?«

»Das siehst du richtig. Nein, aber der Mann, der hier seinen Samen abgegeben hat, ist beim BKA noch nicht bekannt. Wenn du so willst, dieser Täter ist neu.«

»Nochmal zum Tatverlauf – hast du nicht wenigstens schon eine Idee, ob es eine geplante Tat oder eine Tat im Affekt war? Oder vielleicht sogar ein Unfall?«

»Das zu beantworten ist unmöglich. Vielleicht morgen, vielleicht übermorgen.«

Noch etwas wollte ich wissen: »Ist dieses kleine Mädchen denn penetriert worden? Gab es Geschlechtsverkehr?«

»Die Antwort lautet eindeutig Nein. Der Täter ist nicht in sie eingedrungen. Ich mache dich aber darauf aufmerksam, dass es sich trotzdem um Missbrauch handeln kann. Missbrauch ist auch gegeben, wenn ein Täter sich über das Opfer stellt und seinen Samen auf es entleert. Das verstehen die meisten Menschen nicht – und das ist wahrscheinlich auch gut so.«

»Zwei Fragen habe ich noch. Du hast eben von ›Landmarken‹ gesprochen, als du mir das Schwarz-Weiß-Foto gezeigt hast. Das habe ich nicht verstanden. Was soll das heißen?«

»Ganz einfach. Ich komme an diesen Ort und die Leiche ist dummerweise schon weg. Also muss ich versuchen, mithilfe der Fotos zu rekonstruieren, wo und wie diese Tote genau gelegen hat. Und dort auf dem Bild ist ein längerer dürrer Ast neben dem Gesicht zu sehen, dann ein Erdklumpen auf der anderen Seite und zwischen den Beinen ein Stück alte Baumrinde. Anhand dieser Details kann ich die Lage der Leiche genau umreißen. Und diese Position ist die Basis meiner Arbeit. Wenn ich weiß, zwischen welchen dieser Marken ihr Kopf lag, weiß ich ziemlich genau, wo ich nach Blutspritzern suchen muss. Denn Blut fliegt, wenn ein Schlag mit einem Stein Blut in Bewegung setzt. Das Blut trifft auf kleine Äste, alte Baumblätter, Erdklümpchen und so weiter und es entsteht ein Muster. Das Muster wiederum verrät mir, dass das Blut in einer Höhe von etwa zwanzig Zentimetern über der Erde den Körper verlassen hat. Spritzendes oder fliegendes Blut zieht ganz bestimmte flache, lang gezogene Spuren. Und jemand, der auf einen Schädel einschlägt, der sich in einer Höhe von etwa zwanzig Zentimetern über dem Boden befindet, kann nicht stehen. Er muss knien oder dicht vor dem Opfer in einer etwas unglücklichen Haltung sitzen.«

»Dann die zweite Frage: Wie findest du Spermienspuren, die doch winzig sind, eigentlich nicht erkennbar?«

»Gute Frage. Wir wissen, es hat seit Donnerstag zweimal geregnet. Einmal ein Gewitter, beim zweiten Mal war es ein richtiger Landregen. Ich musste also dort suchen, wo diese massive Feuchtigkeit nicht hinkommen konnte. Zum Beispiel auf der Rückseite von altem Laub. Ich habe wohl fünftausend alte Blätter, Zweige, Erdklumpen umgedreht. Spuren, die auf Sperma hinweisen, sind als Verfärbung, Aufhellung oder leicht glänzend erkennbar. Natürlich sind die Spermien selbst nicht sichtbar. Aber ich streiche mit einem feuchten Wattetupfer über die Spur, also die verdächtige Stelle, und bringe sie dann auf einen Glas-Objektträger. Setze ich dann eine bestimmte Lösung hinzu, erscheinen die Spermienköpfe unter dem Mikroskop als rote Punkte. Du musst wissen, ich trage stets einen speziellen Koffer mit allen möglichen Glasphiolen und Lösungen mit mir rum.« Er lachte. »Und wenn ich fertig bin, sehe ich dann aus wie ein Erdferkel, stinke gewaltig und niemand lässt mich mehr in sein Auto einsteigen. Das heißt, nach der Arbeit erwartet mich die soziale Ausgrenzung.«

»Ich danke dir.«

»Zitiere mich nicht.«

»Bestimmt nicht. Wenn ich das richtig verstanden habe, führt das alles noch nicht zum Mörder.«

»Nein«, nickte er. »Dazu braucht es andere Fachleute, eine andere Sorte feiner Nasen.«

»Mach's gut.« Ich hob leicht die Hand zum Abschied.

Wieder umrundete ich den Amor-Busch, setzte mich auf der anderen Seite ins Gras und starrte hinunter auf Annegrets Elternhaus. Das Bild wirkte sehr friedlich. Dieser scheinbar so logische, so einfache Gedanke, den ich nicht festhalten konnte, nagte erneut in mir.

Ich überlegte, was die Eltern jetzt tun mochten, ob sie miteinander redeten oder einfach nur kummervoll schwiegen und wie Schatten durch das Haus zogen, wortlos und steif vor Trauer und Furcht.

Mein Handy störte meine Gedanken. Es war Anni, der man im Krankenhaus ein Telefon neben das Bett gestellt hatte.

Sie sagte: »Schön, dass ich dich erreiche. Die sagen hier, dass ich überhaupt nicht krank bin. Aber das habe ich ja vorher schon gewusst. Es wäre nett, wenn du mal vorbeikommen würdest.«

»Passt es dir gleich, zur Mittagszeit?«

»Aber ja«, sagte sie und unterbrach die Verbindung.

Ich lief zurück zum Auto und sagte zu dem Polizisten: »Danke für Ihr Verständnis.«

Er guckte nur giftig, wahrscheinlich war er frustriert, weil er auf einer Wiese stand und auf nichts anderes zu achten hatte als darauf, dass sich kein neugieriger Spaziergänger den Bäumen näherte.

Bevor ich den Zündschlüssel umdrehen konnte, rief Rodenstock an. Etwas atemlos berichtete er: »Hier hat sich ein Mann erhängt, dem eine starke sexuelle Neigung zu Kindern nachgesagt wird. Zudem ist er ein Onkel von Annegrets

Mutter. Das muss gar nichts mit dem Fall zu tun haben, kann aber …«

»Wo ist denn das passiert?«, fragte ich.

»In Eulenbach. Das ist in Richtung Jünkersdorf.«

»Lass mich raten: Gehört dieser Mann zu denen, die anonym angezeigt worden sind?«

»Bingo«, antwortete Rodenstock.

»Wo bist du jetzt?«

»In Eulenbach. Kischkewitz ist auch hier. Am Wäldchen Nummer sechs.«

»Dann komme ich dorthin, wenn ich darf.«

»Kischkewitz nickt, kein Problem.«

Ich gab Gas und hoffte, es käme jetzt Bewegung in die Sache.

In Eulenbach brauchte ich nach der Adresse nicht zu fragen, denn rechts der Bundesstraße, an einem steilen Hang, stand vor einem alten Bauernhaus ein Streifenwagen, auf dem das Blaulicht rotierte.

Auf der rechten Seite des alten Hauses war ein Wintergarten aus handelsüblichen weiß lackierten Aluminium-Bauteilen angebaut worden. Eines der großen Doppelglasfenster war eingeschlagen, und noch ehe ich jemand anders fragen konnte, kam Kischkewitz angerannt. »Das ist kein Geheimnis. Das Haus hatte drei Zugänge, alle waren von innen verschlossen. Die Nachbarin sah den Mann hängen und hat dann resolut die Scheibe eingeschlagen. Aber sie kam zu spät. Bemühe also bitte gar nicht erst deine Fantasie.«

»Wer ist der Mann?«

»Ortsbürgermeister dieses Dorfes. Er heißt Toni Burscheid.«

»Und? Kann er mit dem Tod von Annegret in Verbindung gebracht werden?«

»Bei der ersten Überprüfung hat er ein Alibi angegeben. Aber inzwischen wissen wir, dass das Alibi faul ist. Theoretisch käme er also als Täter in Betracht. Er mochte Kinder und Annegrets Mutter hat uns eine Geschichte erzählt, die diesen Onkel belastet. Aber mein Gefühl sagt mir, dass er nichts mit dem Mord zu tun hat. Allerdings: Wen interessieren schon meine Gefühle?«

»Wie geht die Geschichte?«

»Die werde ich dir nicht erzählen, das kann ich nicht verantworten.«

»Gut, ich habe ja gar nicht gefragt.« Ich beobachtete durch das Wintergartenfenster, dass sich zwei stämmige Kriminalbeamte mithilfe einer Aluminiumleiter daranmachten, den Toten von der Decke zu holen.

»Wie ist er denn Ortsbürgermeister geworden?«

»Durch das übliche politische Kleingehackte. Die vorsichtigen Gerüchte, die über ihn kursierten, waren eben sehr vorsichtig. Er stand nur einmal unter einem Verdacht, dem die Kripo nachgehen musste. Und es kam wenig dabei heraus. Seinen Job als Ortsbürgermeister hat er gut bis sehr gut gemacht. Außerdem gab es keinen anderen, der diesen mühseligen Job machen wollte. Besonders beliebt war er bei alten Menschen, weil er die regelmäßig besuchte und sich mit ihnen unterhielt. Und das war kein Getue. Burscheid war im Übrigen der erste Ortsbürgermeister in der Verbandsgemeinde, der Isabell Kreuter ohne Wenn und Aber akzeptiert hat. Und er war der erste Ortsbürgermeister, der diese Kandidatin eingeladen hat und mit ihr durch den Ort gegangen ist. Von anderen dagegen ist die Frau richtig durch den Dreck gezogen worden.«

»Womit Politik im Spiel wäre«, murmelte ich.

»Richtig.« Kischkewitz nickte. »Aber das wird niemanden interessieren, denn die Medien sind schon im Anmarsch.«

Ich spürte deutlich, dass er angeekelt war.

»Als die Nachbarin uns verständigte, sagte sie, dass schon ein Privatsender sie angerufen habe, um ein Interview mit ihr zu machen. Halt, stopp!, habe ich gesagt. Wie können die Medien das schon wissen, wenn Sie den Toten gerade erst gefunden haben, wenn Sie uns gerade erst anrufen? Das weiß ich doch nicht, antwortete sie. Wahr ist wohl: Sie hat Burscheid in seinem Wintergarten hängen sehen und dann als Erstes den Fernsehsender angerufen, erst danach uns. Ich gehe jede Wette ein, dass der Sender ihr einen Tausender versprochen hat.«

»Damit ist der Weg vorgezeichnet«, stellte ich fest.

»Ja. Die Medien werden eine Kette aufzeichnen, die es gar nicht gibt: In Hildenstein wird Annegret missbraucht und ermordet. Die Mutter hat einen Onkel, der eine pädophile Neigung zu haben scheint. Und dieser Onkel – darüber hinaus ein Ortsbürgermeister! – hängt sich auf. So was ist ein Geschenk des Himmels, so was Tolles kann man gar nicht erfinden.«

»Und du hast zusätzliche Arbeit«, setzte ich hinzu.

»Wieder richtig. Ich bin jetzt nämlich gezwungen, den Lebensweg dieses toten Ortsbürgermeisters bis ins letzte Detail zu untersuchen. Mein leitender Oberstaatsanwalt wird sagen: Du musst diesen Selbstmörder unter die Lupe nehmen, bis wir die Farbe seiner Unterhosen zehn Jahre zurück beweisen können.«

»Was ist eigentlich mit diesem Menschen, der gegen dich arbeitet?«

»O Gott, vergiss es. Der ist heute in das Innenministerium nach Mainz bestellt worden. Man wird ihm ein Feuer unter dem Hintern anzünden. Wir werden erleben, wie er darauf reagiert.«

»Was ist denn da nun genau abgelaufen?«

»Lass es«, bat er flüsternd. »Das ist alles unappetitlicher Kram.«

»Okay, okay. Wie geht es jetzt weiter?«

»Wir werden alle männlichen Einwohner der Verbandsgemeinde Hildenstein zu einem DNA-Test bitten. Das müssen wir tun und wir müssen es sofort tun. Und ganz nebenbei müssen wir einen Mörder finden.«

»Und was sagst du zu den Erkenntnissen von Benecke? Kannst du damit schon etwas anfangen?«

»Benecke, das steht fest, war meine bisher beste Idee in diesem Fall. Er hat was Denkwürdiges herausgefunden: Der Stein, mit dem Annegret erschlagen wurde, weist keine Fingerabdrücke auf, also keinerlei Spuren, die darauf hindeuten, dass der Täter den Stein fest umklammert hatte.«

Ich ärgerte mich sekundenlang, dass ich es versäumt hatte, Benecke nach diesem Stein zu fragen. »Willst du damit sagen, der Täter hat Handschuhe getragen? Jetzt im Sommer?«

»Das will ich nicht. Es ist auch etwas anderes denkbar ...«

Rodenstock kam heran. »Dieser Suizid wird die schlimmste Medienkampagne nach sich ziehen, die man sich vorstellen kann.«

»Das sagte ich schon«, murmelte Kischkewitz.

»Was machst du jetzt?«, wandte sich Rodenstock angriffslustig an mich.

»Ich lande gerade auf der Erde«, antwortete ich. »Und ich habe Tante Anni versprochen, sie gleich zu besuchen.«

»Was ist mit dieser jungen Frau? Deiner Tochter? Was sagt die so?« Entweder war er einfach mies gelaunt oder er trieb einen bösen Spaß mit mir.

»Ach, die sagt, dass sie wieder etwas mit mir zu tun haben will. Ganz vorsichtig, versteht sich.«

Er musterte mich eindringlich: »Es ist mir gänzlich unverständlich, dass ich jahrelang neben dir gelebt und keine Ahnung gehabt habe, dass eine Tochter existiert.«

»Das Rätsel Mensch!«, grummelte ich bitter und ging zu meinem Auto.

Ich hatte eindeutig zu viele Probleme, aber ich weigerte mich, sie mit anderen zu teilen, bevor ich selbst sie nicht klar sehen konnte.

Ich schaffte die Strecke nach Daun zum Krankenhaus in kürzester Zeit und erkundigte mich an der Pforte, wo Tante Anni lag. Sie schickten mich drei Etagen hoch, wo ich von einem gewaltigen weiblichen Zerberus aufgehalten wurde, der sich mir in den Weg stellte und das Kinn vorstreckte.

»Ich will zu meiner Tante Anni«, sagte ich brav.

»Sieh mal an! Zu Anni!« Plötzlich strahlte das Gesicht und wurde sehr weich. »Das ist aber lieb.« Ruckartig, im Stil eines Feldwebels deutete sie auf eine Tür: »Da geht es rein!«

Ich kann es nicht anders formulieren: Sie hatten Tante Anni hochgebockt. Sie schwebte über ihrer Matratze auf einer Art weißen Wolke. Zudem hatten sie ihr dermaßen viele Kissen in den Rücken gestopft, dass sie fast aufrecht saß, oder vielmehr thronte. Auf ihrem Bauch hielt sie ein Telefon umklammert und starrte missmutig auf einen kleinen Fernseher, der auf einem Stuhl neben ihrem Bettgebirge stand.

Ich musste grinsen und sagte: »Sieh an, Majestät empfängt!« Dann küsste ich sie standesgemäß auf die Stirn.

»Es ist öde hier!«, schnauzte sie. »Kein Mensch ruft mich an ...«

»... kein Schwein hört dir zu. Ich weiß!«

»Na ja, das ist aber auch trostlos!« Sie schaltete den Fernseher aus: »Was macht die Welt da draußen?«

»Ach, ziemlich viel. Eine alte Freundin, Vera, ist zurückgekommen. Der geht es nicht gut. Dann hat sich eine junge Frau eingefunden, die meine Tochter ist. Außerdem recherchiere ich den Mord an der kleinen Annegret. Und heute Morgen hat sich ein Mann das Leben genommen, der durchaus zum Kreis der möglichen Verdächtigen gezählt werden kann.«

Sie sah mich mit schmalen Augen an. »Und? Geht das mit Vera jetzt von vorne los?« Das klang durchaus nach einer eifersüchtigen Anni.

»Das steht doch gar nicht zur Diskussion.«

»Was machst du mit der Tochter? Will sie bleiben?«

»Nein. Will sie nicht. Wenigstens hat sie nichts davon gesagt.«

»Hah! Mit Verwandtschaft kenne ich mich aus. Miese Mischpoke!«

»Verrat mir erst einmal, wie es dir geht.«

»Gut«, antwortete sie heftig. »Spätestens wenn du hier eingeliefert wirst, hast du keinerlei Beschwerden mehr.«

»Ich weiß, dass das ein sehr gutes Krankenhaus ist.«

Zunächst wollte sie lächeln, verkniff es sich dann aber. »Das Krankenhaus heißt Maria-Hilf. Alles Katholiken hier.«

»Anni, wir sind in der Eifel.«

»Das macht es nicht besser«, schnauzte sie. Nun lächelte sie doch. »Es geht mir gut. Die Leute sind freundlich und hilfsbereit. Und ich habe nichts und könnte eigentlich wieder nach Hause gehen. Aber sie wollen sicherheitshalber noch irgendwelche Laboruntersuchungen machen. Und die Ergebnisse gibt's erst in ein paar Tagen. So lange muss meine Kasse eben zahlen.«

»Im Ernst, geht es dir wirklich besser?«

Sie bewegte sich unruhig. »Ich war ein wenig durcheinander«, murmelte sie, »und habe gedacht: Anni, ab jetzt geht es nur noch bergab! Und ich war müde. Todmüde. Angst hatte ich nicht. Ich wusste nur: Nun ist es so weit, gleich kommt der große Schnitter durch die Tür.«

»Ich wäre stinksauer, wenn du dich einfach so verkrümeln würdest. Gerade jetzt kannst du das nicht bringen.«

»Jede Zeit ist die letzte Zeit«, sagte sie.

»Das mag ja sein. Aber die letzte Zeit hat mir ziemlich viele Probleme beschert. Und da darfst du nicht einfach abhauen.«

Sie verzog den Mund, machte ihn breit und misstrauisch. »Ach, Junge, das Leben ist gegen das Ende hin ziemlich mau. Und eigentlich gehöre ich nicht in die Eifel, hier bin ich nicht zu Hause.«

»Verdammt! Wo ist denn dein Zuhause, wenn nicht bei uns? Willst du zurück nach Berlin und eine Einraumwohnung mieten?«

»In Kreuzberg. Mittendrin. Wäre nicht schlecht.« Man sah ihren Augen an, dass sie sich selbst nicht glaubte.

»Gut. Wenn du dich so entscheidest, helfe ich dir. Aber ich helfe dir nicht, wenn du dann wieder mit deinem verdammten Koffer auf meinem Hof stehst und mich fragst, ob ich einen Schnaps im Hause habe.«

Sie starrte mich an und ihre Augen wurden groß und standen voller Lachen. »Ha! Junge, das hatte ich ganz vergessen. Pass auf!« Sie flüsterte und wandte sich nach links zu dem Beistelltisch. Sie fummelte in der Schublade herum, ächzte, stöhnte, zerrte und förderte schließlich eine Flasche mit glasklarem Inhalt zu Tage.

»Nelches Birne«, sagte sie verträumt. »Besorg mir mal ein Glas.«

Ich liebe es, wenn die Schwierigkeiten dieser Welt mittels eines Birnenschnapses erledigt werden können. Also marschierte ich zum Schwesternzimmer und bat um ein Wasserglas.

»Woher hast du diesen Edelbrand?«, fragte ich Anni, während ich den Korken aus der Flasche zog und ihr einen üppigen Schluck einschenkte.

»Ein junger Mann besucht immer seine Oma im Nebenzimmer. Dem habe ich einen Schein versprochen, wenn er mir das besorgt. Hat er gemacht. Hier laufen übrigens viele Leute mit einer Leichenbittermiene herum. Die täten gut daran, sich auch so eine Flasche zu besorgen.« Sie roch an dem Glas, und wenn sie in dieser Sekunde angefangen hätte, in reiner Verzückung zu schielen, hätte es mich nicht gewundert.

»Du hättest dich mal gestern erleben müssen«, meinte ich.

Sie ging nicht darauf ein. »Erzähl von deiner Tochter. Das interessiert mich. Wieso hast du nie von ihr gesprochen?«

»Das ist immer eine unerledigte Geschichte gewesen. Ich heiratete, ich wurde ein Alkoholiker. Warum genau weiß ich nicht. Wir bekamen eine Tochter. Das mit dem Suff wurde immer schlimmer. Wir fingen an, uns schweigend durch das Leben zu schlagen. Irgendwann hat sie mich verlassen, samt Tochter. Im Prinzip hatte sie Recht.«

»Wie alt ist diese Tochter?«

»Ein wenig über zwanzig. Sie ist noch sehr unsicher und vor lauter Unsicherheit telefoniert sie ständig. Es ist schwierig mit uns, verstehst du. Eigentlich könnte ich dich jetzt gut als Lebenshilfe gebrauchen. Tja, und obendrein ist da noch Vera.«

»Wieso ist die wieder aufgetaucht?« Jetzt wirkten ihre Augen geradezu gierig.

»Wir hatten noch keine Zeit, uns ausführlich zu unterhalten. Aber soweit ich Emma verstanden habe, ist Vera im Landeskriminalamt zwischen sämtliche Mühlsteine geraten. Und jetzt macht sie Pause bei Emma. Ich würde dir im Übrigen nicht raten, diesen sechsfachen Birnengeist zu schnell zu trinken, sonst tanzt du am Ende noch Polka.«

»Ach was, der tut mir nichts. Von dem bisschen macht eine alte Frau doch nicht schlapp!« Sie kicherte. »Also ist da draußen in der Welt ziemlich viel los.«

»Ja, das ist wahr.«

»Dann könnte ich doch die restlichen Untersuchungen schummeln und einfach mit dir nach Hause fahren.«

»Das geht nicht, Anni. Das hast du dir eingebrockt, nun musst du da durch.«

»Gut. Dann gieß mir noch einen ein und drück dann den Korken wieder rein. Das riecht sonst so streng.«

Ich erfüllte ihren Wunsch und sie ließ den Schnaps im Glas kreisen. »Was heißt eigentlich *Nelches Birne*?«

»Ich bin nicht gerade ein Fachmann für Schnaps. Soweit ich weiß, heißt so eine bestimmte Sorte kleiner, höchst saftiger grüner Birnen, die ausschließlich hier in der Eifel vorkommen.«

Sie trank ein wenig davon. »Und wer hat sich erhängt?«

»Das ist eine tragische Geschichte. Ein Ortsbürgermeister namens Toni Burscheid. Er ist ein Onkel der Mutter des ermordeten Mädchens. Und es gibt wohl Gerüchte, dass er auf Kinder stand.«

»Pädophil.«

»Ja. Das Ganze ist natürlich ein gefundenes Fressen für die Medien.«

Ihre Augen wurden weit und ihr Geist verlor sich in alten Bildern, in Bildern, deren Ursprung ich nicht kannte.

Klar und unmissverständlich begann sie zu zitieren. Das kam ohne Überlegen, ohne eine Unsicherheit in der Erinnerung: »Pädophilie bedeutet allgemein eine sexuelle Abweichung vom gesellschaftlich vorgeschriebenen Trieb- beziehungsweise Sexualobjekt. Speziell: Sexuelle Anziehung durch und bevorzugte sexuelle Kontakte mit Kindern des eigenen, und/oder des anderen Geschlechtes.« Ihre Sprache wurde leiser und unverständlich. Dann wieder laut und deutlich. »Die soziale Problematik der Pädophilie besteht in der Strafbarkeit sexueller Kontakte mit Kindern. O ja, ich erinnere mich, ich erinnere mich gut an diese armen Teufel. Ich war bei der Sitte. Und meine männlichen Kollegen schoben zwei Sorten möglicher Täter immer auf mich ab: Schwule und Pädophile. Meine männlichen Kollegen hassten diese Leute auf eine unverständlich harte Art und Weise. Sie begriffen nicht, dass sie selbst Angst hatten, nichts als Angst. Meine Güte, wenn ich mich da erinnere. Wenn sich so einer erhängte, dann hat er sich gehasst. Ich erinnere mich.« Sie nahm einen großen Schluck von dem Schnaps und starrte aus dem Fenster. »Wenn du über diesen Mann schreibst, geh sanft mit ihm um.«

»Ich verspreche es. Kommt Emma noch vorbei?«

In diesem Moment stürzte der nette weibliche Feldwebel in den Raum, als wollte er Annis Bett stürmen. Plötzlich hielt die Frau jäh inne und schnupperte, als wollte sie das ganze Zimmer einatmen.

»Anni!«, sagte sie mit vier Ausrufezeichen. »Wir befinden uns in einem Krankenhaus. Das ist Birnenschnaps und das ist nicht gut für Sie.«

»Wer sagt das?«, fragte Anni aufmüpfig.

»Wollen Sie auch einen? Sie könnten das Zahnputzglas nehmen«, schlug ich vor.

Sie spitzte den Mund, stemmte die Arme in die Seiten und entschied: »Aber nur einen ganz kleinen.«

Rund zehn Minuten später verabschiedete ich mich, weil die zwei Weibsbilder nur noch kicherten und dabei Schilderungen besonders ekelhafter, strohdummer Machos von sich gaben. So etwas mag ich nicht besonders.

Ich begab mich nach Hause und wurde von einem Satchmo empfangen, der sich heulend in den Sand warf, auf dem Rücken herumwälzte und erst Ruhe gab, als ich ihn kraulte. Mein Hund kam dazu, wollte ebenfalls Streicheleinheiten, erhielt sie und trollte sich wieder. Auf dem Tisch auf der Terrasse lag ein Zettel: *Bin bei Vera, Emma und Rodenstock in Heyroth. Gruß Clarissa.*

Das passte mir ausgezeichnet in den Kram, denn ich war hundemüde. Für die Gartenliege war es zu kühl, aber das Sofa im Wohnzimmer schien mir eine geeignete Liegestatt zu sein. Ich musste sehr schnell eingeschlafen sein.

Als das Telefon schrillte, sah ich auf die Uhr. Es war sieben, der Himmel blau, die Sonne lachte noch.

»Ja, Baumeister.«

»Hier ist Rainer Darscheid, der Vater. Kann ich dich mal sprechen?«

»Selbstverständlich. Wann und wo?«

»Ich würde gern zu dir kommen. Hier geht das nicht.«

»Dann mach dich auf den Weg.«

Ich hatte Hunger, wusste aber nicht, auf was. Schließlich schmierte ich mir ein Käsebrot und kochte eine Kanne Kaffee. Nach einer halben Stunde rollte Darscheid auf den Hof.

»Ich möchte noch ein paar Dinge loswerden. Ich habe dir gesagt, dass wir, also meine Frau und ich, nicht den geringsten Verdacht haben. Also, das ist ...«

»Das war gelogen«, sagte ich. »Mittlerweile weiß ich das auch.«

»Warst du da? Sicher warst du da. Sonst wüsstest du nicht von ihm. Klar, wir haben beide sofort gedacht: Um Gottes willen, hoffentlich hat der Toni nichts damit zu tun!«

»Und? Hatte er?«

»Er hat bei der Polizei angegeben, er wäre am Donnerstagmittag am Nürburgring gewesen. Aber das stimmt nicht. Wir wissen, dass er nachmittags dort war, aber vorher gibt es eine Lücke von zwei bis drei Stunden.« Er hob beide Hände. »Mir ist das einfach wichtig, weil ich glaube, dass er nichts mit Annegrets Tod zu tun hatte. Ich meine, Toni Burscheid war ein klasse Kerl. Ich frage mich, warum er sich aufgehängt hat.«

»Möglicherweise kann ich das erklären, obwohl ich dafür keinen Beweis habe. Bei der Polizei sind anonyme Anzeigen eingegangen. Und auch Toni Buscheid ist als potenzieller Kinderschänder denunziert worden. Für den Fall, dass Toni davon wusste, war Selbstmord ein möglicher, verzweifelter Ausweg. Was ist eigentlich vorgefallen mit diesem Onkel deiner Frau? Ich weiß, dass deine Frau dem Leiter der Mordkommission eine Geschichte erzählt hat. Aber die Geschichte kenne ich nicht.«

»Ja, aber wenn ich ehrlich bin, kann ich das nicht verstehen und ich schäme mich für meine Frau. Denn Toni war ein Familienmensch und hielt viel von Verwandtschaft. Warum meine Frau diese alte Geschichte ausgekramt hat, weiß ich nicht. Besser wäre es gewesen, wenn sie den Mund gehalten hätte. Ich erzähl sie mal so, wie ich das erlebt habe. Es war im Sommer vor zwei Jahren. Wir veranstalteten eine Party im Garten. Es waren sicher mehr als fünfzig Leute da. Toni Burscheid natürlich auch. Und sicher mehr als fünfzehn Kinder. Die durften aufbleiben, so lange sie wollten, es waren ja Ferien. So gegen Mitternacht gingen die ersten, um ein Uhr waren die meisten fort. Wir haben hinten im Garten eine Bank, die ganz von Jasminbüschen umrahmt ist, man kann sie vom Haus aus nicht sehen. Und da saß um kurz nach eins der Toni mit der Annegret. Sie saß auf seinem Schoß. Und angeblich hatte der Toni eine Erektion. Das hat meine Frau behauptet, ich habe das nicht gesehen, dabei stand ich neben meiner Frau. Das Komische war: Toni war überhaupt nicht verlegen, als wir dazukamen. Ich weiß auch nicht, ob Annegret etwas von der Erektion gemerkt hat. Ich habe sie später vorsichtig gefragt und hatte den Eindruck, dass ihr nichts aufgefallen ist. Jedenfalls hat meine Frau den Toni nach Hause geschickt. Sie schrie wie verrückt, Toni solle nie mehr zu uns kommen. Wir seien ein anständiges Haus und würden solche Sauereien nicht dulden. Sie wurde immer lauter. Schließlich brüllte sie sogar, Toni sei eine Sau. Annegret hat das voll mitgekriegt. Meine Frau war vollkommen außer sich und Toni leichenblass. Dann ging er und er hielt sich an die Anweisung, er kam nie mehr in unser Haus. Ich wollte mindestens zehnmal zu ihm fahren und die Sache begraben und vergessen. Ich habe es nicht getan.« Darscheid neigte den Kopf, er schwitzte, seine Stirn war nass. Leise zischte er: »Scheiße! Das war ein Fehler.«

»Ich frage mich, warum deine Frau so hysterisch geworden ist. Sie hat eine Erektion gesehen, du nicht. Hättest du sie denn sehen müssen?«

»Ja, ich stand doch daneben. Es gab vorher schon Gerede

wegen einer anderen Sache. Eine Feier auf Tonis Wiese. Meine Frau hat gesagt, Toni sei ein Kinderschänder. Ich wollte wissen, wie sie das nur glauben könnte, aber sie antwortete nicht.«

»Kommen wir auf die Sachebene zurück«, sagte ich. »Du weißt, dass ich Journalist bin. Ich habe dir versprochen, über unsere erste Begegnung zu schweigen. Daran halte ich mich. Aber dieser tote Toni Burscheid wird von den Medien gefrühstückt werden, du kannst dir kaum vorstellen, was meine Kollegen aus diesem Selbstmord machen werden. Nun meine Frage: Warum bist du hier? Was willst du von mir?«

»Ich will einfach mit jemandem reden ... Ob du Journalist bist oder nicht, ist mir egal. Mein Mädchen ist getötet worden, Toni hat sich aufgehängt. Ich erlebe ..., ich erlebe, wie alles kaputtgeht. Da entsteht ein Strudel, Leute sterben, die eigentlich leben sollten. Toni war es nicht, Baumeister. Und ich kann diese ganze ..., dieses ganze Unglück nicht mit ansehen, ohne mit irgendwem darüber zu reden.«

»Du hast auch Angst, nicht wahr?«

»Na, klar habe ich Angst. Da bleibt doch kein Stein auf dem anderen, da wird gelogen, dass sich die Balken biegen, das nimmt doch alles kein Ende. Ich erlebe jeden neuen Tag wie den, als mein Kind verschwand.«

»Willst du ein Bier, einen Wein oder was anderes?«

»Ein Wein wäre gut.«

»Weiß? Rot?«

»Rot, bitte.«

Ich ging in die Küche, öffnete einen trockenen Roten aus Spanien und brachte Darscheid die Flasche und ein Glas auf die Terrasse. »Wie kommst du zu der Behauptung, dass gelogen wird, dass sich die Balken biegen?«

»Na, was die Polizei aus den Aussagen macht, das kann ich nicht beeinflussen. Aber die Kinder, die am Donnerstag zusammen mit Annegret von der Schule nach Hause gingen, sind ja befragt worden. Deren Eltern natürlich auch. Zu den Kindern gehört auch Kevin, Kevin Schmitz. Der Vater besitzt eine Riesenfirma, baut Vulkansand und Asche ab. Richtig viel Kohle. Und die Mutter hat gegenüber der Polizei angegeben, dass ihr Sohn Kevin wie an jedem Donnerstag pünktlich um 12.45 Uhr zu Hause war. Das mag stimmen, aber die Mutter selbst war um diese Zeit gar nicht zu Hause. Die Mutter lag um diese Zeit mit ihrem Liebhaber hinter einer privaten Blockhütte oben im Stadtwald.«

»Woher weißt du das?«

»Ich habe es gesehen.«

»Wie kommst du donnerstagmittags in den Wald?«

»Ich arbeite für eine Baufirma. Wir haben Fichtenstämme bestellt. Die liegen da und mussten vermessen werden.«

»Und woher weißt du, was die Mutter der Polizei gesagt hat?«

»Das habe ich einem Gespräch zweier Kriminalbeamter entnommen, die nicht wussten, dass ich hinter der Ecke stand und zuhören musste, ob ich wollte oder nicht.«

»Was ist denn dieser Kevin für ein Junge?«

»Ein ganz Sanfter, ein Lieber, der dauernd rot wird und verlegen ist. Und der ständig von seinem Vater gemaßregelt wird. Der würde den Jungen am liebsten sofort zur Bundeswehr schicken, damit er mal lernt, wo der Hammer hängt. Das hat er wörtlich so in einer Kneipe gesagt.«

»Noch mehr Lügen?«

»Aber ja. Ein anderer Junge heißt Gerd Salm. Der ist schon fünfzehn und hatte am Donnerstag eine Stunde eher frei als Annegret und ihre Klasse. Aber er wartete, bis Annegret rauskam. Das hat er öfter gemacht, ich nehme an, er war in Annegret verliebt oder so. Er behauptete, er sei am Donnerstag zusammen mit den anderen bis zur Hauptkreuzung in Hildenstein gegangen. Dort habe er sich von der Gruppe getrennt und sei nach Hause marschiert. Und das ist gelogen, obwohl die Mutter Stein und Bein geschworen hat, dass der Junge pünktlich eingetroffen ist. Ist er nicht, konnte er gar nicht. Der Junge hat was mit einer jungen Russin, die mit ihren Eltern aus Kasachstan gekommen ist. Die beiden waren am Uhlenhorst, haben da in der Sonne gelegen. Das war gegen vierzehn Uhr.«

»Und woher, zum Teufel, weißt du das?«

Er hob den Kopf und murmelte: »Das ist schon alles irgendwie merkwürdig ... Während ich nach den Fichten guckte, war ein Kollege in Sachen Buchen unterwegs. Der ist an den beiden vorbeigegangen. Abstand zwei Meter, Irrtum unmöglich. Er hat die beiden freundlich gegrüßt.«

»Na, klasse«, murmelte ich. Mir fiel nichts Kluges ein. »Wäre es nicht besser, damit zur Polizei zu gehen?«

»Ich tue das nicht«, sagte er heftig und drehte sein Gesicht ab.

»Dann gebe ich es weiter«, sagte ich. »Hast du was dagegen?«

»Mach, was du willst.«

»Du hast Angst, dass deine Ehe zerbricht, nicht wahr?«

»Ja, das auch. Nein, das war ja schon vorher der Fall. Da ist nichts mehr zu retten. Meine Frau hat jahrelang eine Idylle gepflegt, eine Fassade aufrechterhalten. Alles war schön und harmonisch. Und wenn mal etwas nicht harmonisch war, dann wurde so lange geredet und gedrechselt, bis die Harmonie wieder stimmte. Mir kommt das schon lange verlogen vor, doch bis jetzt habe ich nichts dagegen unternommen.« Er sah mich an, aber er sah mich nicht. »Ich habe gelernt, diese Idylle zu hassen.«

»Du musst aufpassen, dass du dich nicht selbst vergisst. Das kann verheerende Folgen haben.«

Er nickte, presste die Lippen aufeinander und begann zu weinen. Er konnte sich gar nicht mehr beruhigen und ich ging in die Küche, um mir frischen Kaffee einzugießen.

Er hatte Recht. Das Geschehen um Annegret war wie eine Explosion und sicher waren Leute von Auswirkungen betroffen, an die noch niemand dachte.

Als ich zurück auf die Terrasse ging, blickte er mich mit geröteten Augen an und wollte wissen: »Hat der Täter Annegret eigentlich missbraucht? Richtig? Darüber wird uns Eltern nichts gesagt.«

»Nein, hat er nicht. Aber das darfst du wirklich keinem sagen. Auch nicht deiner Frau. Denn diese Information hält die Polizei noch unter Verschluss.«

»Ich schweige«, versprach er.

»Dann habe ich zum Abschluss noch eine Frage. Wie weit war Annegret? Hatte sie schon ihre Tage?«

»Ja, seit fast einem Jahr. Meine Frau redete nicht darüber, für meine Frau ist das ein ›Frauengeheimnis‹. Wenn Annegret ihre Tage hatte und Bauchschmerzen bekam, wurde so lange um das Frauengeheimnis drum herumgeredet, bis alles wieder stimmte. Dann hatte Annegret zwar immer noch Bauchschmerzen und ich habe ihr heimlich etwas aus der Apotheke besorgt, aber die Harmonie war wieder hergestellt. Annegret wollte diese Scheißharmonie gar nicht und ging selbst ganz offen mit dem Thema um.«

Wenig später verabschiedete er sich und lief mit hängenden Schultern zu seinem Wagen. Ich konnte nichts für ihn tun, er musste seinen Weg allein suchen, und das würde mit Sicherheit schmerzvoll sein.

Ich rief Rodenstock an, um ihn darüber zu informieren, dass Kevin Schmitz' Mutter ebenso die Unwahrheit gesagt hatte wie die Mutter von Gerd Salm.

»Das ist gut zu wissen. Kischkewitz ist ja hier, ich sage ihm Bescheid. Willst du nicht noch für eine Stunde rüberkommen? Deine Tochter ist hier und Vera auch. Das könnte doch recht entspannend werden. Ich finde deine Tochter übrigens großartig.«

»Danke. Ich möchte lieber zu Hause bleiben. Du hast doch noch einen Schlüssel von mir. Gib den bitte Clarissa, dann kann sie kommen und gehen, wie sie will. Noch etwas: Weißt du eigentlich, wie die Frau heißt, die von schwarzen Messen und Kinderopfern und Missbrauch in Hildenstein erzählt hat?«

»Moment, ich frag mal. Aber eins muss dir klar sein: An so etwas ist doch nie was dran, solche Geschichten kommen doch immer in Umlauf, wenn ein Verbrechen nur ein bisschen mysteriös scheint.«

»Das weiß ich. Aber ich will Stimmungen einfangen, deshalb brauche ich den Namen.«

»Ja, Sekunde.« Es waren irgendwelche Geräusche zu vernehmen, dann war Rodenstock wieder da. »Die Frau heißt Gertrud Olschowski. Sie wohnt in dem Weiler Gantesdorf, Hauptstraße 12.« Er nannte mir sogar die Telefonnummer.

»Danke.«

Ich setzte mich wieder auf die Terrasse und sah die Nacht kommen. Nach einer Weile gesellte sich Cisco zu mir in den Garten und streckte sich zu meinen Füßen aus. Wenig später schnarchte er sanft und japste dann und wann leise und aufgeregt. Wahrscheinlich jagte er gerade erfolgreich einen sibirischen Tiger.

Wen konnte ich außer dieser Gertrud Olschowski noch befragen?

Kischkewitz durfte mir aus nahe liegenden Gründen niemals sein gesamtes Wissen zur Verfügung stellen. Journalisten hatten gegenüber Kriminalbeamten gewisse Vorteile, weil sie auf die genaue Einhaltung einiger Rechtsvorschriften keine Rücksicht zu nehmen brauchten. Aber in diesem Fall schien der Vorteil Makulatur, denn ich kannte sonst niemanden, der mir auf direktem Weg weiterhelfen konnte. Ich konnte also mit dem Vorteil der direkten, rücksichtslosen journalistischen Fragen nichts anfangen.

Machte es Sinn, Rainer Darscheids Frau zu befragen? Ja, eindeutig, denn wahrscheinlich war sie der Mensch, der die Freizeitvorlieben ihrer Tochter am besten kannte.

Machte es Sinn, sich an die Kinder heranzumachen, die die tote Annegret auf dem letzten Schulweg nach Hause begleitet hatten? Das konnte sein, aber es widerstrebte mir, Kinder in etwas hineinzuziehen, was sie nicht übersehen konnten und was für ihre Seelen mit Sicherheit nicht gut war.

Machte es Sinn, die Lehrerin der Klasse zu befragen?

Machte es Sinn, sich auf die beiden Mütter zu konzentrieren, die die Kriminalbeamten belogen hatten? Das konnte den Hauch eines Erfolges bringen, aber dann müssten die Mütter bereit sein, mit mir zu sprechen. Und das war höchst fragwürdig, denn immerhin hatten sie es gewagt, eine Mordkommission hinters Licht zu führen. Und diese Mordkommission würde ab sofort etwas strenger mit ihnen reden. Das würde an ihrem Selbstvertrauen nagen. Das würde aber auch Streit in die Familien bringen, wenn die Väter davon erfuhren. Und die würden davon erfahren.

Satchmo schlich heran und klagte ausnahmsweise nicht, sondern sprang strikt auf meinen Schoß und rollte sich zusammen.

Ich sah nichts anderes vor mir als einen Wust von Arbeit. Aber Arbeit ist eben sehr häufig der Weisheit letzter Schluss.

Ich beschloss, ins Bett zu gehen, und entschied mich für ein paar Seiten in Bill Clintons Buch *Mein Leben.* Ich las es nicht, um den Mann kennen zu lernen, sondern weil es Aufschluss über ein Rätsel gab: die Politik vor allem der neuen Rechten, die die Bibel plötzlich zum Handbuch der Alltagspolitik machten, gleichzeitig daran tatsächlich ernsthaft glaubten und sich mit der Arroganz der Mächtigen nicht daran hielten.

Aber Clinton war nicht mein Thema in dieser Nacht, mein Thema lautete Annegret, und Schlaf war unmöglich.

Ich stand auf, lief erneut im Haus herum, setzte mich schließlich wieder auf die Terrasse und hörte dem Regen zu, der inzwischen leise sein Lied sang.

Das Mädchen Daniele fiel mir ein, elf Jahre alt, getötet bei Trier in einem kleinen Vorort: An einem Samstag geht sie zusammen mit ihrem wenige Jahre älteren Bruder spielen. Nach einer Weile hat sie keine Lust mehr und macht sich auf den Heimweg. Dabei geht sie an der Bahnlinie entlang, diesen Weg nehmen die Kinder immer.

Als der ältere Bruder dann Stunden später nach Hause kommt, stellt er erstaunt fest, dass Daniele nicht zu Hause ist. Die Eltern machen sich auf die Suche, vergeblich. Am darauf folgenden Sonntag erstatten sie Vermisstenanzeige. Am Montag wird Daniele dann gefunden. Sie ist nackt und sie ist ermordet, wie jetzt die kleine Annegret erschlagen mit einem Stein.

Die Sonderkommission, die sofort gebildet wird, ist ungewöhnlich groß. Die Fragestellung lautet bald: Kann jemand, ein Triebtäter zum Beispiel, aus einem Zug heraus auf die Kleine aufmerksam geworden sein? Ist er dann ausgestiegen, hat sich des Kindes bemächtigt und es getötet? Ist es möglich, dass dieser Unbekannte anschließend einfach mit dem nächsten Zug weitergefahren ist? Wird sich der Albtraum einer Mordkommission bewahrheiten, haben es die Mörderjäger mit einem reisenden Triebtäter zu tun?

Die Mordkommission setzt sich zur Aufgabe, die Zugreisenden ausfindig zu machen und zu befragen. Eine schier unlösbare Aufgabe. Die Männer auf der Suche nach dem Täter schlafen nicht mehr, denken an die eigenen Kinder. Sie erleben auch Hassgefühle, die sie festhalten wie ein tiefes Moor. Die Wehrlosigkeit von Kindern wird deutlich, auch ihre Arglosigkeit und ihr Unvermögen, eine Gefahr zu begreifen. Hinzu kommt ein unglaublicher Druck der Öffentlichkeit.

Dann meldet sich eine Zeugin: Sie hat einen rothaarigen Mann beobachtet, neben der Bahnstrecke. Daraufhin werden mehr als zweihundert Rothaarige in Trier überprüft. Ohne jedes Ergebnis.

Die Zeugin wird erneut befragt und der vernehmende Kriminalist hat das Gefühl: Irgendetwas mit dieser Frau stimmt nicht. Dann fällt ihm plötzlich auf, dass die Frau ohne Brille so gut wie nichts sehen kann. Hatte sie die Brille auf der Nase, als sie den Rothaarigen beobachtete? Nein, antwortet sie. Wie sie denn dann zu dieser Aussage käme, fragt der Beamte wütend. Man stellt fest, die Frau ist Alkoholikerin, hat weder einen Rothaarigen noch sonst wen gesehen.

Als die Kommission längst erschöpft ist und keine Hoffnung mehr hat, gibt es einen scheinbar wirklich Verdächtigen: Ein etwa Vierzigjähriger fährt ständig mit dem Mofa um den Kinderspielplatz. Dann hält er an, lässt eines der Kinder hinter sich aufsteigen und kutschiert es um den Platz. Das geht über Tage so. Die Kommission überprüft ihn: Der Mann ist schwer geistesgestört, kommt als Mörder nicht infrage.

Wieder nimmt er eines der Kinder mit und fährt zusammen mit dem Kind auf dem Mofa in einen Unterführungstunnel unter der Bahnstrecke. Die anderen Kinder schreien, daraufhin kommt er samt Mofa und Kind aus dem Tunnel.

Kann er es doch gewesen sein? Kaum, denn sein Geist gibt eine klar umrissene Tat nicht her. Ich erinnerte mich an den Ersten Kriminalhauptkommissar Bernd Michels, der warnend und mit Bestimmtheit sagte: »Hätten wir den Mofa-Mann verhaftet und angeklagt, wäre er verurteilt worden!« Immerhin sorgt die Kommission nun dafür, dass der Mann endlich in psychiatrische Hände kommt.

Neuneinhalb Jahre vergehen und der Fall Daniele ist immer noch wie ein Schmerz im Bewusstsein der Bürger des kleinen Dorfes. Da wird im benachbarten Trier ein Mann verhaftet, weil er sich in eindeutiger Weise Kindern genähert hat. Im Verhör sagt dieser Mann plötzlich, bei der Daniele sei das damals genauso gewesen. Die verhörende Kriminalbeamtin hört sämtliche Alarmglocken schrillen, sagt aber klugerweise erst mal nichts, sondern informiert die Mordkommission. Die übernimmt den Täter und geht ganz behutsam an das Thema Daniele heran. Und tatsächlich gelingt es ihnen, von dem Mann ein Geständnis zu bekommen.

Es gibt sehr viele Mordfälle in Deutschland, die aus einer scheinbaren Zufälligkeit heraus gelöst werden. Aber die Zahl der Fälle, die niemals gelöst werden, ist erschreckend viel höher. Der Albtraum der Kripo in Trier, es könnte ein durchreisender Täter gewesen sein, erfüllte sich nicht. Aber der wahre Täter stand auf keiner Liste, in keinem denkbaren Szenario, war einfach aufgetaucht, hatte gemordet und war verschwunden.

Was wird aus dem Fall Annegret, wenn nicht das richtige Szenario gefunden wird? Auch eine endlose, erschöpfende jahrelange Warteschleife?

Irgendwann musste ich eingeschlafen sein, denn ich hörte nicht mehr, wie Clarissa zum Dachboden hochstieg. Um vier Uhr war ich wieder wach. Ich hatte etwas Wirres und Erschreckendes geträumt, konnte mich aber nicht an Einzelheiten erinnern. Ich las, hatte Mühe, mich zu konzentrieren, und stand um sechs Uhr auf.

Während die Kaffeemaschine lief, schaltete ich das Morgenmagazin ein, hörte nebenbei von vielen Toten im Irak, von gezielten Tötungen im Gazastreifen und politischen Streitigkeiten wegen der Atomanlagen im Iran.

Das Wetter schien gutmütig, die Fische zogen aufgeregte Bahnen, weil sie wussten, es würde Fressen regnen. Am Teich hatten sich Iris ausgesät, die leuchtend blau durch die hohen Gräser schimmerten. Der Wasserschachtelhalm war beträchtlich gewachsen, die vielen Vergissmeinnicht bildeten sanft blaue Tupfer in Überfülle. Der Wind hatte einen Busch Wilden Reis umgelegt und über einer weißen Rose segelte ein Zitronenfalter. Cisco trottete zu mir, schien schläfrig, und Satchmo sang seine Trauerarie – oder er hatte tatsächlich Hunger. Die Pfingstrose hatte beschlossen, erst einmal erstaunliche anderthalb Meter hochzuschießen, um dann Blütenknospen in Unmengen auszubilden. Es war wie immer in meiner Eifel – alles passierte fünf Wochen später, aber dann gründlich. Die Feuerlilien hatten in den Knospen eine orangefarbene Andeutung, zwei waren schon aufgegangen und strahlten wie Sieger. Im Steingarten stand der Giersch hoch und stark, es machte immer weniger Sinn, gegen ihn anzukämpfen. Zuweilen kommt es einem vor, dass er neue Triebe nachwachsen lässt, wenn du dich nur fünf Minuten umdrehst. Giersch siegt immer.

Die Koikarpfen sahen mit ihren silbern-schwarz-rot gefärbten Körpern aus wie Eifel-Papageien und sie benahmen sich auch so – eindeutig arrogant. Die aufdringlich leuchtenden ordinären Goldfische konnten gegen sie nicht anstinken und zuweilen erweckte Peter den Eindruck, als bereite es ihm Freude, diese widerlichen, neureich gewordenen Sardinen mit aller Gewalt zu rammen: Proleten unter sich. Meine Kröte, die ich in der Überfülle der Gewächse seit Wochen nicht mehr leibhaftig gesehen hatte, quakte irgendwo. Tage vorher waren Unmengen von Kaulquappen an flachen, warmen Stellen des Wassers aufgetreten, jetzt war keine mehr zu entdecken. Wahrscheinlich ging es meinen Fischen deshalb so gut, weil eine Quappe zum Frühstück eine Delikatesse ist.

Ich gab Satchmo und Cisco etwas zu fressen und machte mir selbst ein Brot. Hunger hatte ich keinen, aber wir Menschen scheinen unter der Vorstellung zu leiden, dass Frühstück sein muss.

Gegen neun Uhr begann ich zu arbeiten, das heißt, ich schlich mich an die Wahrsagerin Gertrud Olschowski heran.

»Ich heiße Siggi Baumeister und bin Journalist. Ich würde Sie gern besuchen und eine Stunde Ihrer Zeit erbitten.«

»Siebzig Euro«, antwortete sie hart.

»Einverstanden. Kann ich sofort kommen?«

»Selbstverständlich.«

Gantesdorf ist ein kleiner Weiler mit nicht mehr als hundert Einwohnern, von denen die meisten Zugezogene sind, die die Stille und die Stimmung des ›Es passiert sowieso nix‹ lieben. In dieser Umgebung war die Frau todsicher das Zentrum der gehobenen Gesellschaft. Und so trat sie auch auf.

Sie war um die fünfzig und ein beachtlicher Brocken mit einem ungeheuren Busen, der wie ein geräumiger Doppelbalkon wirkte. Er war bedeckt von einem schwarzen Pulli, in den aus Silberfäden astrologische Muster eingearbeitet waren. Darüber hing an einer mächtigen Kette eine silberne Mondsichel. Ihre Figur erinnerte an einen umgekehrten Tropfen, sie fiel gewissermaßen nach unten stark ab. Der schwarze Rock war etwas zu kurz, die Beine stämmig, die Schuhe waren hellbraun und von der Art, die nach vorn nicht aufzuhören scheint. Die Vorstellung, diese Füße seien sanft und klein, war unmöglich. Das Gesicht der Frau war grob und rund und vollkommen zugeschminkt. Die Augen dunkel, klein und hart wie Kieselsteine, die Lippen überzogen, grellrot. Das Haar ein schwarzes Gebirge, erhaben und ohne jeden Hauch von Alterssilber. Sie trug an jedem Finger der Hand mindestens einen Ring. Die Frau hatte etwas von einer überfüllten Litfaßsäule.

»Kommen Sie rein«, sagte sie mit einer Stimme, die rau und tief klang.

Sie ging vor mir her in einen vollkommen überladenen Raum. Möbel, deren Sinn sich nicht in jedem Fall erschloss, erinnerten an ein Lager voller Tinnef. Schwere Vorhänge aus tiefrotem Samt vor den Fenstern ließen nur wenig Licht in den Raum. Gertrud Olschowski setzte sich an einen kleinen, zierlichen Schreibtisch, hinter ihrem Kopf hing in einem einfachen Glasrahmen ein Zeitungsausschnitt mit der Überschrift: *Prominente lassen ihre Zukunft vorhersehen.*

»Sagen Sie mir, weshalb Sie kommen«, bestimmte sie. »Nein, halt, sagen Sie es mir nicht. Ich sage Ihnen, dass Sie kommen, weil Sie etwas über Ihr Leben in der Zukunft hören wollen.«

»Das ist absolut richtig«, nickte ich.

»Und Sie sind verunsichert, weil Sie verschiedene Menschen in Ihrer Umgebung nicht einschätzen können.«

»Das ist auch sehr richtig«, wiederholte ich.

»Und Ihr Immunsystem ist stark geschwächt.«

»Das nehme ich an. Jedenfalls geht es mir gesundheitlich nicht gut.«

»Kommt der Mord an Annegret Darscheid hinzu, der Sie berührt.«

»Das ist richtig. Ich muss darüber berichten.«

»Ich kann Ihnen als Fachfrau der Astrologie etwas sagen. Oder ich kann Ihnen aus meinen Karten lesen.«

»Beides, bitte.«

»Das kostet dann einhundert.«

»Das ist mir die Sache wert.«

Sie nahm einen Packen Tarotkarten auf, mischte sie umständlich und gründlich. Dann begann sie die Karten vor sich abzulegen.

»Haben Sie eine spezielle Frage?«

»O ja. Wird der Mord an dem Kind aufgeklärt?«

»Durchaus. Aber es wird sehr lange dauern. Und ich sehe Schatten.«

»Was, bitte, sind Schatten?«

»Schatten sind undeutliche Figuren, Menschen, die sich nicht zu erkennen geben.«

»Was bedeutet das?«

»Der, der mordete, handelte im Auftrag einer teuflischen Macht.« Die Karten glitten ihr sehr schnell durch die Finger, sie war geübt.

»Was könnte das sein?«

»Nun, man sagt, dass Menschen nicht böse und nicht gut sind. Menschen sind immer eine Mischung aus böse und gut. Dabei wird aus Angst nicht erwähnt, dass es tatsächlich böse Menschen gibt, von Grund auf böse Charaktere.«

»Und die wollten den Tod der kleinen Annegret?«

»Ja.«

»Und sie beauftragten einen Mörder?«

»Beauftragen ist in diesem Sinne nicht mit einem wörtlichen Auftrag zu bezeichnen. Es kann sein, dass der Mörder gedanklich beeinflusst wurde. Er stand im Zwang zu gehorchen.«

Sehr geschickt, dachte ich. »Kann es nicht auch eine Frau gewesen sein?«

»Eher unwahrscheinlich. Außerdem ist bekannt, dass Sperma gefunden wurde.«

»Woher wissen Sie denn das?«

»Aus der Zeitung von heute.« Die Frau blieb kühl und sachlich, sie verriet viel Erfahrung mit Menschen.

»Ich weiß, und zwar nicht aus der Zeitung, dass Sie von schwarzen Messen gesprochen haben. Wie kommen Sie darauf?«

»Dachte ich es mir doch, dass Sie nur darauf hinauswollen«, sagte sie zufrieden.

»Nein, nein«, widersprach ich aggressiv. Ich legte einen Hunderteuroschein auf das Tischchen. »Ich will schon mehr wissen. Und auch etwas über mich.«

Sie steckte in der Falle und wusste es.

Ich gab ihr eine Hilfe, ich wollte, dass sie zu reden begann. »Sehen Sie, eine der Mütter, die am Mordtag ihr Kind zu Hause erwartete, hat behauptet, das Kind sei um 12.45 Uhr zu Hause gewesen. Die Mutter hat gelogen.«

Sie nahm ganz nebenbei den Geldschein und legte ihn in eine kleine Schublade eines nachgebauten Art-déco-Schränkchens, das neben ihr stand.

»Hatte ich also Recht«, murmelte sie ruhig. Sie hatte die Karten vor sich vergessen, ihre dicken Finger verschränkten sich ineinander. Sie sah mich ruhig an, schloss dann die Augen und erklärte: »Ich nehme an, dass diese Mutter die Frau ist, die um die Mittagszeit ihren Liebhaber im Stadtwald traf und mit ihm Geschlechtsverkehr hatte.«

»Von wem haben Sie das?«

»Von niemandem. Ich kann mithilfe der Karten menschliche Wege und menschliche Handlungen nachvollziehen. Ich wusste das schon am Freitag.«

Jetzt log sie so sicher wie das Amen in der Kirche, aber es war nicht klug, ihr das vorzuhalten. Aber allein die Tatsache, dass sie es wusste, war erstaunlich.

»Gibt es noch andere Zeugenaussagen, von denen berichtet worden ist, die Ihrer Meinung nach nicht der Wahrheit entsprechen?«

»Ja. Das Kind wohnte am Ende der Straße, die Am Blindert heißt. Das ist eine bogenförmige Straße, die rund vierhundert Meter durch ein reines Wohngebiet führt. In der Zeitung stand, dass niemand das Kind am Donnerstagmittag auf dem Weg nach Hause gesehen hat. Das stimmt so nicht.«

»Es gibt jemanden, der die Kleine gesehen hat?«

»Nein, die Sache verhält sich anders. Das Kind ist am Donnerstag auf dem Rückweg von der Schule überhaupt nicht durch diese Straße gegangen. Keinem Menschen, nicht einmal den sturen Kriminalbeamten, ist das aufgefallen: Ein Kind läuft um die Mittagszeit fast einen halben Kilometer an Häusern vorbei, die dicht an dicht stehen – und niemand will die Kleine gesehen haben. Das ist vollkommen unmöglich. Wenn sie die Straße Am Blindert entlanggelaufen ist, muss sie jemand gesehen haben. Wenn allerdings kein Zeuge dafür zu finden ist, hat sie diese Straße nicht benutzt.«

Gertrud Olschowski war eine gierige Frau und ohne Zweifel war sie hart, aber sie war nicht dumm und an dieser Stelle hatte sie Recht. War Annegrets Mutter eigentlich zu Hause gewesen, als die Kleine aus der Schule hätte kommen sollen?

»Schulkameraden haben ausgesagt, Annegret habe sich von ihnen an der Einmündung der Straße verabschiedet.«

»Das mag ja sein«, erwiderte die Wahrsagerin. »Aber das ändert doch nichts an der Tatsache, dass wir nicht wissen, was anschließend passiert ist, oder?«

»Wie kommen Sie auf schwarze Messen?«

»Das ist nicht schwer«, antwortete sie. »Immer schon haben intelligente Menschen einen Kult aus der Misshandlung, Vergewaltigung und Opferung kleiner Kinder gemacht. Sie wollen ihre persönliche Machtstellung festigen. Es sind die gebildeten Menschen, die auf derartige Perversitäten kommen und sie auch ausleben.«

»Beweise?«

»Meine astrologischen Kenntnisse und die Planetenkonstellation zu Anfang der Woche besagen, dass so etwas zu erwarten war. Die Karten haben mir verraten, dass eine Menschengruppe hinter dem Mord steckt und der Mörder beauftragt wurde. Vermutlich durch so etwas wie eine hochkonzentrierte Beauftragung in Trance. Nennen Sie es meinetwegen Hypnose.«

Ich wurde wütend und wusste gleichzeitig, dass ich nicht wütend werden durfte. Das, was mich aufregte, war der ständige Tanz auf des Messers Schneide, den Wahrsagerinnen vollführten. »Wissen Sie, etwas an Ihren Äußerungen ist wirklich schrecklich. Da arbeitet Ihr kluger Verstand und Sie sagen kluge Sachen. Und Sie müssten wissen, dass die meisten Vorwürfe, die schwarze Messen betreffen, nie bewiesen worden sind, das meiste sind reine Behauptungen. Und jetzt nehmen Sie plötzlich schwarze Messen in Hildenstein als gegeben an. Das passt Ihnen gut in den Kram, nicht wahr? Sie lassen sich diesen Unsinn auch noch bezahlen! Ein Mann hat sich das Leben genommen, wahrscheinlich weil behauptet wurde, er habe Kinder missbraucht – obwohl kein Mensch das beweisen kann. Nun kommen Sie mit Ihren Behauptungen über schwarze Messen. Liefern Sie Beweise und ich werde der Erste sein, der darüber schreibt. Wenn Sie keine haben, dann sind Sie einfach bodenlos leichtfertig! Machen Sie es gut.«

Ich stand auf und ging, ich konnte es in dem Haus nicht mehr aushalten.

Im Auto machte ich mir Vorwürfe, warum ich bisher nicht mit Annegrets Mutter gesprochen hatte, und begab mich sofort auf den Weg zu Annegrets Elternhaus. Natürlich fand ich aber auch so etwas wie eine Entschuldigung für mich: Wann hätte ich ein solches Gespräch führen sollen?

Das Haus wirkte klein und abweisend, im Vorgarten standen büschelweise blühende Blumen, eine Rehmutter mit Kitz fristete ein gipsernes Leben. Neben einem Teich, der nicht größer war als zwei Eimer Wasser, hockte ein Gipsfrosch auf einem Stein und spie einen dünnen Wasserstrahl. Wie hatte der Hausherr gesagt? *Er habe die Idylle hassen gelernt.*

Ich schellte. Jemand öffnete die Tür. Es war die Mutter, sie erkannte mich und sagte gleich: »Sie wollen sicher zu meinem Mann. Ich hole ihn.«

»Nicht unbedingt«, erwiderte ich schnell. »Ich wollte auch mit Ihnen reden.«

»Aber ich kann Ihnen doch gar nichts sagen. Sie ist einfach nicht nach Hause gekommen. Na ja, dann kommen Sie rein.« Ihre Stimme klang wie beharrliches Weinen.

Annegrets Mutter war eine blässliche Frau, die beide Schultern extrem hängen ließ, als habe sie jede Lust zu leben verloren. Sie trug zu ihrem glatten, nach hinten in einem Knoten endenden Haar ein schwarzes T-Shirt und schwarze Hosen.

»Rainer, hier ist der Herr, na, der Herr, den du schon kennst.«

»Ich heiße Baumeister«, sagte ich schnell. »Grüß dich, Rainer.«

Er saß an einem Esstisch und bewegte zwischen den Fingern der rechten Hand einen Kugelschreiber. In einem Aschenbecher qualmte eine Zigarette.

»Schön, dass du vorbeikommst«, sagte er und lächelte gequält. »Setz dich.«

»Ich will nicht lange stören«, murmelte ich.

Die Frau setzte sich rechts von ihrem Mann an den Tisch.

»Ich habe nur eine Frage, die den Donnerstag betrifft. Frau Darscheid, wie war das am Donnerstagmittag, als Sie auf Annegret warteten und sie nicht kam?«

Sie sah mich nicht an, sondern starrte auf die weiße Tischdecke. »Wie soll das gewesen sein? Wie immer.« Sie saß mit dem Rücken zu einem Fenster und ich erinnerte mich, dass Darscheid erzählt hatte, dass Annegret ihre Mutter gefragt habe, wieso sie babyblaue Schleifchen in die Gardinen geschlungen habe. Tatsächlich gab es Schleifchen, sie waren schwarz.

»Ich meine, was herrschte für eine Stimmung?«

Rainer Darscheids Kopf fuhr plötzlich hoch und seine Augen wurden schmal. »Wieso Stimmung? Worauf willst du hinaus?«

»Ich kann das nur schwer erklären«, sagte ich. »War die Stimmung irgendwie bedrückt? Hatte Annegret etwas angestellt, weswegen sie mit Kritik rechnen musste?«

»Nein, bestimmt nicht«, antwortete die Mutter schnell.

»Hör mal, Siggi, da steckt doch irgendeine Idee hinter deiner Fragerei, oder?«

»Ja, dahinter steckt eine Idee«, nickte ich. »Ein Mädchen geht irgendwann zwischen 12.30 Uhr und 12.45 Uhr diese Straße Am Blindert entlang. Rechts und links stehen, sagen wir, vierzig Häuser. Und niemand, wirklich niemand, hat das Kind vorbeilaufen sehen. Vierhundert Meter lang bei strahlendem Wetter. Wahrscheinlich ist doch, dass erstens Leute in den Gärten waren und zweitens die meisten Küchen zur Straße raus liegen. Und da müssen Leute Essen vorbereitet oder schon gesessen und gegessen haben. Die Polizei hat alle Anwohner befragt. Eigentlich kann das nicht sein.«

Darscheid blickte seine Frau an, und das war kein freundlicher Blick. Die Frau duckte sich, als sei sie angegriffen worden.

Ich fuhr schnell und beschwichtigend fort: »Um Gottes willen, ich will mich nicht einmischen. Aber ich bin ein Journalist, für mich sind derartige Fragen normal. Ich weiß, ihr würdet lieber nicht darüber reden, weil das alles quälend ist. Aber dass Annegret nicht gesehen wurde, ist schon bemerkenswert.«

Jetzt hielt Darscheid den Kopf gesenkt. Er sagte gepresst: »Wir haben gerade vorhin darüber gesprochen. Kurz bevor du gekommen bist. Ich hatte dir schon von den beiden anderen Müttern erzählt, die gelogen haben. Und meine Frau, die hat leider auch gelogen. Sie war nämlich gar nicht hier, als Annegret nach Hause kommen sollte.«

VIERTES KAPITEL

»Wo waren Sie denn?«, fragte ich.

»Bei meiner Freundin, bei Else. Die wohnt auf unserer Straßenseite vier Häuser weiter stadteinwärts. Das war öfter so. Man weiß ja nicht immer genau, wann die Kinder nach Hause kommen. Manchmal haben sie auch schon eine Stunde eher frei. Jedenfalls saß ich bei Else am Küchentisch und wartete dort auf Annegret, um dann mit ihr hierher zu gehen. Aber sie kam nicht.«

»Ist es möglich, dass Annegret vorbeilief, als Sie und Ihre Freundin abgelenkt waren?«

»Nein, bestimmt nicht.«

»Frau Darscheid, Sie haben doch sicher darüber nachgedacht, was auf dem Nachhauseweg passiert sein könnte. An dem Punkt, wo sich Annegret von ihren Freunden trennte, um in diese Straße einzubiegen ...«

»Ich weiß es nicht«, erwiderte sie gequält. »Ich weiß es einfach nicht.«

»Hat es zuvor jemals Ausnahmen von der Regel gegeben? Ich meine, ist es vorgekommen, dass Annegret nach Hause kam und niemand war da? Was passierte dann? Wie kam sie dann ins Haus?«

»Sicher ist das vorgekommen. Zum Beispiel wenn ich einkaufen war, am ersten Donnerstag im Monat ist ja großer Markttag. Ich habe ihr morgens Bescheid gesagt, ob sie zu Else kommen sollte, weil ich dort war. Oder ob sie heimgehen und dort auf mich warten sollte. Wir haben einen Schlüssel, der im Vorgarten unter einem Stein neben dem Frosch am Teich liegt. Der liegt da auch für den Fall, dass mal jemand einen Schlüssel vergisst. Den nahm Annegret dann und schloss sich auf.«

»Wo ist der Schlüssel jetzt?«

»Ich gehe ihn holen«, murmelte Rainer Darscheid. Er stand auf und ging hinaus.

»Haben Sie irgendeine Vorstellung, wer das Verbrechen begangen haben könnte?«, fragte ich leise.

Sie schüttelte den Kopf, sah mich an. »Aber Willems Käthe sagt, der Mörder ist tot.«

»Wie bitte?«

In diesem Moment kehrte Rainer Darscheid zurück, tonlos sagte er: »Der Schlüssel ist nicht da.«

»Das kann doch nicht sein!«, meinte seine Frau heftig.

»Es ist so«, nickte er mit einem Gesicht wie aus Stein.

Eine Weile herrschte Schweigen.

»Das heißt, wir müssen annehmen, dass Annegret doch nach Hause kam und die Tür aufschloss. Dann passierte etwas, von dem wir keine Ahnung haben. Jemand holte sie hier ab oder sie ging noch einmal weg, weil sie jemanden treffen wollte. Was ist mit ihrer Schultasche?«

»Das weiß man nicht«, antwortete Rainer Darscheid. »Sie wurde nicht gefunden.«

»Ist es denn absolut sicher, dass die Schultasche nicht hier im Haus ist?«

Rainer Darscheid nickte: »Ich suche das Haus nachher noch einmal ab.«

»Ich rufe Kischkewitz an«, entschied ich. »Das hier muss komplett auf den Tisch.«

Doch Kischkewitz war nicht erreichbar, mit einem seiner Männer mochte ich nicht sprechen, weil unsicher war, ob sie mich und meine Botschaft ernst nehmen würden.

Also verständigte ich Rodenstock und fragte ihn zum Schluss: »Weißt du, ob bei Annegret ein Hausschlüssel gefunden wurde?«

»Nicht mit letzter Sicherheit. Aber ich würde mich daran erinnern, wenn es so wäre.«

Ich wandte mich wieder an die Darscheids.

»Wir sind eben unterbrochen worden. Angeblich hat irgendjemand gesagt, der Mörder sei tot. Wer, bitte, hat das gesagt?«

»Willems Käthe«, sagte die Mutter zögerlich und wirkte etwas verlegen.

»Nicht das noch!«, polterte Rainer Darscheid verärgert.

»Sag mir, wen sie meint«, forderte ich.

»Das soll sie selbst erklären. In meinen Augen ist das lächerlich!« Sein Gesicht war rot geworden.

»Willems Käthe ist eine alte Frau. So um die achtzig. Sie kann Warzen wegbeten und Fieber von den Rindern nehmen. Aber sie kann auch jemandem das Verderben anbeten, also den Tod. Es gibt Leute, die bestätigen, dass das wirklich funktioniert. Jedenfalls hat Willems Käthe zu meiner Freundin Else gesagt, dass der Mörder tot sei. Sie habe ihm den Tod an den Hals gebetet.«

Ich wusste, dass es in vielen Dörfern der Eifel Männer und Frauen gibt, die so etwas angeblich können und praktizieren.

»Und was bedeutet das? Glauben Sie daran?«

»Ich weiß es nicht«, antwortete sie. Sie begann zu weinen und ihr Mann nahm sie in den Arm und machte sanft »Sch, sch, sch«. Ihr ganzer Körper zitterte.

Ich verabschiedete mich von den Darscheids, ich dachte, es ist genug. Sie durchlebten die Hölle und es gab wohl keinen Menschen, der ihnen helfen konnte.

Ich ließ den Wagen stehen und marschierte über den Stoppelacker und die Wiese auf das runde Wäldchen zu. Das Gras war noch nass vom letzten Regen, am Himmel segelten weiße Wolkenschiffe, die Sonne schien freundlich. Ein Sperber glitt flach und sehr tief rechts von mir über das Grasmeer. Er suchte sein Mittagessen.

Nach wie vor war die Waldung gesperrt, nach wie vor wirkten die Zeltplanen wie ein fremdartiger, bedrohlicher Klotz. Aber es gab keinen Streifenwagen und keinen misstrauisch blickenden Polizeibeamten mehr. Ich lief rechts um das Wäldchen herum und fand Kischkewitz und Dr. Mark Benecke in einem gelassenen Gespräch.

»Du siehst zufrieden aus«, sagte ich zu Benecke.

»Na ja, was man so zufrieden nennt. Ich habe einhundertvierzehn Proben für das Labor und das Mikroskop.«

»Und deine Botschaft ist, dass uns mindestens drei Mütter übers Ohr gehauen haben«, sagte Kischkewitz gemütlich. »Rodenstock hat mich eben angerufen. Und ich sage Danke, aber mir wäre es lieber, wir wären selbst auf die mogelnden Mütter gestoßen.«

Sie saßen beide auf mit Segeltuch bespannten Hockern.

»Wie weit seid ihr mit den Speichelproben?«

»Läuft gut und schnell«, sagte Kischkewitz. »Wir lassen die Männer ins Rathaus nach Hildenstein kommen.«

Zwei Handys schrillten und die beiden Experten griffen wie in einem Slapstick in die jeweilige Tasche, zogen das Lieblingsgerät unserer Zeit heraus und sagten beide gedehnt und vollkommen synchron: »Ja?«

Kischkewitz war als Erster fertig und starrte mich an: »Du hattest Recht. Rainer Darscheid hat eben die Schultasche unter Annegrets Bett entdeckt.«

»Das heißt, Annegret war zu Hause und verließ das Haus dann wieder ohne die Schultasche! Was ist mit diesem verdammten Hausschlüssel?«

»Den hat Mark Benecke hier auf dem Waldboden unter altem Laub gefunden. Es gibt darauf einen Fingerabdruck von Annegrets rechtem Zeigefinger, sonst nichts«, sagte Kischkewitz kaum hörbar. »Annegret muss nicht die Straße Am Blindert genommen haben. Sie kann zwischen und hinter den alten Häusern entlanggelaufen sein. Das ist ein verdammt vertracktes Gelände mit Grundstücksgrenzen, Zäunen und Büschen. Alles völlig unübersichtlich. Da habe ich jetzt Klärungsbedarf.« Er stand auf und eilte davon.

Zehn Meter entfernt drehte er sich noch einmal um: »Wir könnten es mit einem zweiten Fall Binningen zu tun haben. Verdammte Kiste.«

Ich wusste nicht, was der Fall Binningen bedeutete, aber ich würde irgendwann Gelegenheit haben, mich schlau zu machen.

Mark Benecke telefonierte noch immer und ich hob zum Abschied die Hand. Ich lief die Runde um den Wald zu Ende und starrte hinunter auf Annegrets Elternhaus. Schon zum dritten Mal versuchte ich nun herauszufinden, was ich mit der Schnelligkeit eines Gedankenblitzes in diese Szenerie hineingelegt hatte. Aber ich scheiterte erneut, ich kam nicht darauf.

An einem Zaunpfahl war eine violette Ackerwinde hochgerankt und hatte ihre Blütenrispen darum gewickelt. Daneben stand Schafgarbe in voller weißer Blüte und eine dunkelviolette Teufelskralle. Seit die Bauern die Wiesen nicht mehr mähten, weil sie das viele Gras nicht mehr brauchten und auch nicht verkaufen konnten, kehrten Pflanzen zurück, von denen man geglaubt hatte, sie seien in der Eifel längst ausgestorben. Es war ein sehr zwiespältiges Gefühl, über eine lange Zeit den Niedergang des Bauernstandes erlebt zu haben und sich jetzt über Wiesen zu freuen, in denen das Gras einem Mann bis an den Bauch reichte. Mit Sicherheit war es ein grandioses Geschenk für viele Touristen: Sommerblüte in der Eifel.

Ich schlenderte zu meinem Auto und fühlte mich so, als sei ich vor eine Wand gefahren. Ich hatte keine vorwärts führende Spur, viel schlimmer noch, ich hatte keinerlei Vorstellung, zu wem ich jetzt noch gehen konnte, um ihn zu befragen.

Eine Kleinigkeit war merkwürdig: Wenn die Familie Darscheid sich darauf geeinigt hatte, dass der Hausschlüssel immer neben dem kleinen Teich lag, warum hatte Annegret ihn dann mitgenommen, statt abzuschließen und den Schlüssel wieder in das Versteck zu legen? War sie in großer Eile gewesen? Oder aufgeregt?

Was war eigentlich mit Toni Burscheid – hatte er so etwas wie einen Abschiedsbrief hinterlassen?

Ich rief Rodenstock an, er meldete sich sofort.

»Hat Toni Burscheid einen Abschiedsbrief oder so was hinterlassen?«

»Hat er. Sogar zwei. Beide Briefe sind nicht beendet.«

»Kann ich sie lesen?«

»Das weiß ich nicht. Ich fürchte aber, das wird nicht gehen.«

»Wer hat sie denn?«

»Kischkewitz natürlich.«

»Dann rufe ich den an.«

»Weshalb legst du Wert auf die Briefe?«

»Ich will einfach jeden Schlüssel benutzen, der im Umfeld des Mordes an Annegret auftaucht. Und sei es auch nur, um festzustellen, dass ein Schlüssel nicht passt.«

Kischkewitz reagierte sofort auf sein Handyklingeln, war aber kurz und abweisend.

»Frage: Darf ich die beiden Briefe lesen, die Toni Burscheid zum Abschied geschrieben hat?«

»Keine Zitate?«

»Keine Zitate. Wenn du willst, kannst du das Manuskript kontrollieren.«

»Okay. Wir haben im Rathaus ein kleines Büro eingerichtet. Lass sie dir vorlegen, ich sage Bescheid.«

»Danke.«

Ich fuhr also zum Rathaus und fragte mich durch zum Zimmer der Mordkommission. Der Mann dort erwartete mich bereits, fragte nicht lange, legte zwei DIN-A4-Blätter vor mich hin und sagte: »Nicht kopieren, nicht fotografieren, nur lesen.«

Der erste Brief lautete:

Ihr Lieben!
Nun ist es so weit, dass ich die Last nicht mehr tragen kann und auch nicht mehr tragen will. Ich scheide freiwillig aus dem Leben, weil ich mit an Sicherheit grenzender

Wahrscheinlichkeit weiß, dass man mich durch den Dreck ziehen wird. Und es wird auch die Familie treffen, niemand wird Rücksicht nehmen auf menschliche Würde und …

Der zweite Brief war schon etwas länger:

Ihr Lieben!
Es fällt mir schwer, aus diesem Leben zu scheiden, aber es muss sein. Als ich vom Verschwinden Annegrets erfuhr, als ich dann hörte, dass sie ermordet worden ist, wusste ich, dass man mich durch den Dreck ziehen wird. Ich habe niemals in meinem Leben Kinder oder Jugendliche missbraucht, aber immer schwebte über mir das Damoklesschwert einer öffentlichen Hinrichtung. Menschen können verdammt grausam sein. Ich sehe keine Hoffnung mehr. Hinzu kommen die Ränkespiele der Politik, in der jeder nur nach seinem Überleben strebt und in der man Freunde nicht kennt. Das will ich nicht mehr aushalten müssen, das ist einfach …

Die Handschrift war schnörkellos, leicht nach rechts geneigt, sie lief schnell und flüssig.

Ich fragte den Kriminalbeamten: »Ist bekannt, wen er mit ›Ihr Lieben‹ meinte?«

»Wir haben keine Ahnung«, antwortete er.

»Weiß man überhaupt von engen Freunden?«

»Nein. Aber wir arbeiten an dieser Spur auch nur auf der C-Basis, das heißt, sie ist nicht wichtig, solange nicht neue Hinweise bekannt werden, die sie wichtig machen. Der Selbstmord ist schließlich nicht anzuzweifeln.«

»Was war Burscheid eigentlich von Beruf?«

»Er war Imker. Ziemlich erfolgreich.«

Ich bedankte mich und ging hinaus.

Ich begab mich zum zweiten Mal an diesem Tag zu Annegrets Elternhaus. Ich schellte und Rainer Darscheid öffnete mir.

»Das ist jetzt schlecht, die Kripo ist hier«, sagte er leicht verlegen.

»Nur eine schnelle Frage: Weißt du, ob Toni Burscheid einen besonders engen Freund hatte?«

»Ja, den Gustav Mauren in Wiesbaum. Warum?«

»Nur so. Mach es gut. Ich melde mich, wenn ich auf etwas Neues stoße.«

Mein nächster Weg führte mich also nach Wiesbaum. Dort fragte ich eine alte Frau in einem Vorgarten, wo Gustav Mauren wohnte, und stand dann vor dem Haus. Es war ein alter Bauernhof, der offensichtlich nicht mehr bewirtschaftet wurde, denn das Betonviereck der Miste war ausgeräumt und leer, die grünen Türen der Stallungen waren zwar erst kürzlich neu lackiert worden, wurden aber offensichtlich nicht mehr benutzt, denn die Schlösser hatten Rost angesetzt. Im Wohnteil des Hauses schienen die Fenster vergrößert worden zu sein. Das Ganze machte einen aufgeräumten, ordentlichen Eindruck, so als habe hier jemand sein lange erträumtes Haus bezogen.

Es gab keine Klingel, also klopfte ich kräftig an die Tür.

Der Mann, der mir öffnete, war gut zwei Meter groß, etwa fünfundvierzig Jahre alt, gekleidet in einen Jeansanzug mit einem grellroten Hemd. In dem Augenblick, als er etwas sagen wollte, schrie im Hintergrund eine weibliche Stimme: »Fährst du mich jetzt nach Köln oder nicht?«

Der Mann drehte den Kopf und röhrte zurück: »Kommt nicht infrage!«, dann wandte er sich zu mir und fragte: »Ja, bitte?«

»Ich würde gern mit Ihnen sprechen.«

»Und worüber?«

»Über Toni Burscheid«, sagte ich.

»Über den Toni, so, so. Haben Sie heute schon Zeitungen gelesen?«

»Nein, habe ich nicht.«

»Und wer sind Sie?«

»Siggi Baumeister heiße ich. Ich bin Journalist.«

»Ich sage kein Wort, aber ich zeige Ihnen die Überschriften. Kommen Sie mal mit.«

Vom Flur führte eine Tür nach rechts in die Küche. Mauren hatte alles an Zeitungen auf dem Tisch liegen, was man in der Eifel kaufen konnte. Er nahm die Zeitungen Stück für Stück hoch. *Der Onkel war ein Pädophiler* konnte ich lesen. *Der Bürgermeister liebte kleine Kinder* und *Wollte Annegret nicht, was Onkel Toni wollte?* Ich mochte nicht mehr hinsehen, das war genau das, was wir alle erwartet hatten: Die Vernichtung eines Toten – und es war eine Bankrotterklärung meines Berufsstands.

»Ich gehöre nicht zu diesen Schreibern«, sagte ich.

»Aha, dann machen Sie sicher Filme, oder?«

»Nein, das auch nicht. Ich arbeite für ein Magazin in Hamburg. Ich habe erfahren, dass Sie ein Freund von Toni Burscheid waren. Das erzählte mir der Vater der Ermordeten. Und ich möchte mich gern mit Ihnen unterhalten, weil ich glaube, dass Burscheid eigentlich hingerichtet worden ist.«

»Toni war ganz allein. Seine Verwandtschaft hat ihn im Stich gelassen. Eine Frau hat ihn als Sau beschimpft, weil ihre Tochter auf Tonis Schoß gesessen hat.«

»Ja, das war die Mutter der Toten, sie ist ausgerastet, sie war hysterisch. Aber das ist zwei Jahre her.«

»Sie hat ihm das Haus verboten!«, sagte er grob. »Ich habe Toni gefragt, ob an der Sache was dran sei. Ob er wirklich eine Erektion gehabt hat. Und Toni antwortete ohne Zögern: Nein.«

Auf eine unbestimmte Art war ich plötzlich erleichtert.

»Das kann sein, das weiß ich nicht. Auf jeden Fall hat er sich das Leben genommen.«

In der offenen Tür zum Flur hin stand plötzlich eine junge Frau und motzte: »Jedes Mal wenn man sich auf dich verlässt, ist man verlassen.« Ihre Kleidung war bunt, sie erinnerte an einen Cocktail.

Gustav Mauren erwiderte gefährlich ruhig: »Ich habe einen Freund verloren. Mit diesem Verlust muss ich fertig werden. Das ist mir wichtiger, als für dich oder deine Mutter Chauffeur zu spielen.«

»Dann trampe ich eben«, sagte sie aufmüpfig. »Aber das wollt ihr ja auch nicht.« Sie war vielleicht zwanzig und grell geschminkt, als wollte sie möglichst schnell ihre Gesichtshaut ruinieren.

»Dann trampe doch«, sagte er gelassen.

»Wenn Mama das erfährt, ist sie stinksauer!«

»Und die Welt geht unter«, erwiderte er scharf. »Störe uns nicht, sei eine liebe Kleine und verschwinde, wohin du willst.«

Sie warf irgendetwas lustvoll auf den Boden, es schepperte.

Gustav Mauren ging zur Tür und machte sie zu. »Nehmen Sie Platz und sagen Sie mir, was Sie wollen.«

»Ich weiß nicht genau, was ich will. Ich möchte mehr über Toni Burscheid erfahren. Ich war dabei, als sie ihn von der Decke des Wintergartens losgeschnitten haben.« Ich setzte mich auf einen der Küchenstühle.

Er ließ sich mir gegenüber nieder.

»Ich kannte Toni seit fünfzehn Jahren. Damals kaufte ich dieses Haus hier. Eines Tages fuhr ich zu ihm, weil man mir gesagt hatte, sein Honig sei der beste.«

»Wie ging das weiter?«

»Der Mann hat mir gefallen, er war ein guter Typ. Ich fuhr immer öfter zu ihm und wir kamen ins Reden. Zuerst harmlos über das, was sich so in der Eifel tut. Dann wurde es persönlicher. Also, wir erzählten uns gegenseitig unsere Leben.«

»Sie haben eine Tochter, die Toni dann ja wohl noch in jungen Jahren erlebt hat. Gab es jemals Anlass, sich zu beklagen, verhielt er sich jemals irritierend?«

»Nie. Meine Tochter ist ein Raubein, schreit gern los, regt sich maßlos auf. Als sie jetzt gehört hat, was von Toni behauptet wird, ist sie ausgeflippt.«

»Aber Sie wussten, dass Toni Burscheid ein Faible für junge Mädchen oder Jungen hatte?«

»Nun ja ... Von allein wäre ich nicht auf die Idee gekommen, weil er nie irgendetwas getan hat, was ... na ja, was Anlass zur Sorge gegeben hätte. Aber irgendwann hat er mir erzählt, dass ihn Kinder anmachten. Und dass er nichts dagegen tun könnte. Aber dass er noch nie im Leben irgendetwas mit denen angestellt hat. Ich weiß noch, wie verblüfft ich war, und ich weiß auch noch, dass ich es nicht glauben wollte. Er lachte und sagte: Ich kann nichts dafür, Gustav, das ist einfach so.« Mauren räusperte sich, suchte offensichtlich nach Worten. »Wenn Sie behaupten würden: Toni hat die Annegret ermordet, würde ich Sie wegen Verleumdung anzeigen. Toni und ein Mord? Vollkommen undenkbar. Der war ..., der war so liebevoll. Was Annegrets Mutter ihm angetan hat, ist nicht wieder gutzumachen. Und die allergrößte Sauerei ist, dass Annegrets Mutter die Geschichte überall herumerzählt hat.« Er war so wütend geworden, dass er mit der rechten Faust auf die Tischplatte schlug; das Gesicht unter den eisgrauen Haaren war hochrot.

»Es gibt zwei Abschiedsbriefe, die er geschrieben hat. In beiden heißt es in der Anrede: ›Ihr Lieben‹. Wer könnte damit gemeint sein?«

Mauren bekam schmale Augen. Unvermittelt stand er auf und verließ die Küche. Er kehrte nach ein paar Minuten zurück und warf einen Brief vor mich auf die Tischplatte. »Toni meinte wahrscheinlich uns. Lesen Sie das.«

Ich nahm den Brief aus dem Kuvert, es war die gleiche

flüssige Schrift. Der erste Satz lautete: *Ihr Lieben, das ist aber schön, dass wir zusammen Weihnachten feiern können …*

»Wir haben sicherlich zwanzig solcher Briefe. Wenn Ihnen das weiterhilft, können Sie die haben.«

»Nein, ich brauche sie nicht. Toni Burscheid hat zwei Abschiedsbriefe angefangen und keinen zu Ende geführt. Ich nehme an, dass er daran scheiterte, dass er nicht wusste, was er schreiben sollte. In dem zweiten Abschiedsbrief spricht er davon, dass die Politik ihn tief enttäuscht hat, dass jeder in der Politik nur nach dem eigenen Überleben schielt. Das klingt so, als hätte er ziemlich Schlimmes erlebt. Wissen Sie etwas darüber?«

»Ja, eine ganze Menge. Toni Burscheid wurde erpresst.«

Eine Weile herrschte Schweigen.

»Können Sie das noch einmal wiederholen?«

»Er wurde erpresst.«

»Mit was?«

»Mit seiner pädophilen Neigung.«

»Wie kann man damit erpresst werden, wenn man sie nicht lebt?«

»Es gibt ein kleines Mädchen, etwa zehn Jahre alt, das behauptet hat, Toni Burscheid habe sie unsittlich berührt.«

»Hat er?«

»Nein, niemals. Er hat auf dem Stuhl gesessen, auf dem Sie jetzt sitzen. Und er heulte Rotz und Wasser. Das ist jetzt etwas mehr als ein Jahr her. Das Mädchen hat angeblich gesagt, Toni habe ihr zwischen den Beinen herumgefummelt. Damals schon hat er gemeint, ich bringe mich um, wenn sie mich kreuzigen wollen.«

»Was steckte denn dahinter?«

»Ein Riesenhügel Vulkanschlacken, Aschen und so. Genug für die nächsten hundert Jahre. Bargeld im großen Fluss.«

Ich war sehr verwirrt. Ich war ausgezogen, den Mord an einem Mädchen zu recherchieren, und betrat anscheinend nun den trüben Teich der Regionalpolitik. Ich wusste nicht, ob ich das hören wollte.

»Kann man das beweisen?«

»Ich glaube nicht. Es sei denn, man bringt jemanden dazu, die Erpressung zuzugeben. Und da habe ich keine Hoffnung.«

»Könnten Sie mir das erklären?«

»Ja. Aber nur wenn Sie mich als Quelle nicht erwähnen. Ich möchte nämlich hier wohnen bleiben.«

»Zugesichert.«

Er besann sich kurz, stützte das Kinn in die rechte Hand, stand dann auf, ging zum Küchenschrank, holte eine Flasche Klaren heraus und fragte: »Sie auch einen?«

»Nein, danke.«

Er goss sich ein und trank den Schnaps mit einem Schluck. »Mich regt dieses Thema auf.« Er goss sich den zweiten ein, trank auch den, sah mich an und konzentrierte sich offensichtlich.

»Vor zweieinhalb Jahren ließ sich Toni zum Ortsbürgermeister aufstellen und wurde glatt und ohne Schwierigkeiten gewählt. Er hatte keinen Gegenkandidaten, was in kleinen Orten ganz normal ist. Er beackerte sofort zwei Felder, die er für dringlich hielt: Erstens kümmerte er sich intensiv um alte Menschen. Zweitens nahm er sich der Jugend an. Für die Alten organisierte er Kaffeefahrten, besuchte sie zu Hause, finanzierte einen Teil seiner Bemühungen sogar mit seinem privaten Geld. Er wusste, dass Menschen in Landstrichen wie der Eifel noch schneller als anderswo drohen zu vereinsamen, wenn sie ihre Mobilität verlieren. Und um die Jugendlichen war es böse bestellt. Toni besorgte ihnen als Erstes einen Raum im alten Bahnhof. Darüber hinaus stellte er zwei Privatwagen zur Verfügung und organisierte einen Taxidienst für die, die sonst keine Möglichkeit hatten, eine Disco zu erreichen. Die Jugendlichen bezahlten einen Euro hin und zurück. Das brachte ihm Feinde ein, weil einige Alte sagten, sie hätten auch keinen Jugendraum gehabt und niemand hätte sie zum Kirmestanz irgendwohin gefahren. Toni veranstaltete auch Grillfeste für die Jugendlichen. Und zwar auf einer großen Wiese vor seinem Haus. Toni war als Ortsbürgermeister ein voller Erfolg, denn Meckerer gibt es schließlich immer. Doch als er eine Fußballjugendmannschaft gründete, zog Unheil auf. Es gab Gerede und es schaukelte sich hoch. Bald war klar, wer dahinter steckte.«

Er machte eine Pause und rutschte unruhig auf seinem Stuhl hin und her.

Die Küchentür ging auf, das Mädchen stand da und nörgelte: »Ich muss aber nach Köln.«

Mauren entgegnete ganz sanft: »Ich weiß, dass du weg von hier willst, weil du den Tod von Onkel Toni nicht aushältst. Aber ich werde dich nicht fahren.«

Sie erstarrte und sagte mit breitem Mund: »Das tut so weh.«

»Ja, meine Kleine. So etwas tut immer weh, aber wir müssen lernen, damit zu leben.«

»Was soll ich denn tun?«

»Denk an ihn, weine um ihn. Tu irgendetwas, aber lauf nicht weg.«

Sie zögerte noch einen Moment, dann schloss sie die Tür wieder.

»Sie ist eine Mimose«, murmelte er.

»Was steckte hinter dem Gerede?«, nahm ich den Faden wieder auf.

»Es war allen klar, dass Toni Kinder liebte. Nicht so, dass er sie missbrauchte. Aber er fühlte sich zu Kindern hingezogen. Es kam vor, dass er einen kleinen Fußballer vor Begeisterung auf den Kopf küsste und sagte: Ich liebe dich. Und dann passierte die Sache mit der Vulkanasche. Die Nachbargemeinde teilt sich mit Eulenbach einen Berg und die Nachbargemeinde hatte erlaubt, auf ihrer Seite das Vulkangestein abzubauen. Jetzt, nach fünfzig Jahren, ist dort Schluss. Doch für die Seite, die zu Tonis Gemeinde gehört, gab es keine Genehmigung. Hier steht Hochwald, in der Hauptsache Buchen, aber auch schlanke Eichen. Und es gibt viel Rotwild, seltene Pflanzen und seltene Vögel. Toni wollte den Abbau nicht und die meisten Einwohner haben sich dieser Meinung angeschlossen. Andere sind dafür, sagen: Wenn wir den Abbau genehmigen, spült das Geld in die Kasse, viel Geld. Toni wusste, dass diese Leute Recht hatten. Aber er wusste auch, dass es wichtig ist, mit der Natur vorsichtig umzugehen. Und er argumentierte: Leute, wir werden mit unserem prächtigen Hochwald Touristen in unser Dorf locken. Das ist mühsam und langwierig, aber auf Dauer wird der Wald ein Magnet sein …«

»Eine Zwischenfrage. Wer steckt denn hinter dem Abbau?«

»Na, der Schmitz aus Hildenstein natürlich. Er ist der Größte und will die Zukunft seiner Firma sichern. Das ist ja auch berechtigt, aber das ändert nichts daran, dass Schmitz vorging wie ein Gangster im Chicago der Zwanziger. Schmitz hatte bei der übergeordneten Behörde in Trier vorgefühlt. Die Behörde war durchaus geneigt, ihm zu helfen und den Abbau zu genehmigen. Wobei bei einem solchen Verfahren heutzutage unglaublich viele Institutionen mitreden. Vom Ministerium in Mainz über die Leute vom Naturschutz bis zu den Forstbehörden. Aber eines war klar: Ohne die Zustimmung der Ortsgemeinde läuft nichts …«

»Moment, nicht so schnell. Dieser Schmitz ist der Vater von dem vierzehnjährigen Kevin Schmitz, richtig?«

»Genau. Herbert Schmitz ist ein harter Mann. Er tauchte also bei Toni auf und sagte, er brauche die Genehmigung und Zustimmung der Ortsgemeinde. Toni sagte Nein. Die Ortsgemeinde brauche sanften Tourismus und keine Baggerlöcher von dreihundert Meter Durchmesser und einen

Berg, der langsam, aber sicher platt gemacht wird. Es kam zum Streit, Schmitz drohte ganz unverhohlen, Toni solle sich warm anziehen. Ich glaube, dass Toni die Gefahr nicht richtig einschätzte. Drei Tage später jedenfalls waren sechs Bienenvölker von Toni tot. Jemand hatte nachts die Stöcke mit Paralspray eingenebelt. Dabei geht auch jedes Kilo Honig flöten, das im Stock ist, die Kästen müssen ausgewechselt werden, neue Bienenvölker müssen her. Das sind tausende Euro Schaden. Toni kam erschüttert zu mir. Ich sagte zu ihm, das sei meiner Meinung nach erst der Anfang. Und so war es auch. Tage später waren vier weitere Bienenvölker tot, wieder Paral. Und dann kam das Kindersommerfest. Sicher zweihundertfünfzig Kinder waren da. Auch das fand auf der Wiese vor Tonis Haus statt. Mit Karussell und Hüpfburg, Kinderschminken und Sackhüpfen. Ich war auch da, daher weiß ich das. Gegen zehn Uhr abends war es dann vorbei, die meisten Kinder und ihre Eltern waren weg. Nur ein Mädchen war noch da und wir wussten erst nicht, wo die Eltern steckten, aber dann entdeckte ich den Vater beim Bierpavillon. Er war ziemlich betrunken. Die Mutter schwätzte daneben mit Freundinnen. Als ich sie ansprach, nahmen sie Sandra und fuhren heim. Toni, ich und ein paar andere haben dann noch alles abgebaut. Es war eine Heidenarbeit, das ging bis morgens um vier.«

»Sie waren also die ganze Zeit dort?«

»Richtig. Meine Tochter übrigens auch. Sie machte Dienst an der Hüpfburg, weil die Kinder da immer besonders wild sind. Zwei Tage später, also am Montag, tauchten Kriminalbeamte bei Toni auf und sagten, er müsse mit ihnen kommen. Sie haben nicht gesagt, was vorlag, sie haben nur gesagt, sie brauchten seine Aussage. Also ist er mitgefahren. Im Präsidium haben sie ihn konfrontiert mit einer Aussage von Sandras Eltern und von Sandra selbst. Demnach sollte Toni Sandra mit in sein Haus genommen und das Mädchen … ja, betatscht haben. Das konnte gar nicht sein! Na ja, jedenfalls haben sie ihn erst mal zwei Tage in U-Haft gesteckt. Sie sagten, die Beschuldigung sei so schwer, dass sie kein Risiko eingehen könnten, und …«

»Hat ihn denn sein Anwalt nicht sofort wieder da rausgeholt?«

»Den durfte er erst Dienstag anrufen. Die Brigitte Lauer-Nack aus Daun. Von der ist bekannt, dass sie unheimlich schnell und hart ist. Sie muss einen irren Wirbel veranstaltet haben. Und Toni hat ihr den Tipp gegeben, mich anzurufen. Nachdem ich gehört hatte, was man ihm vorwarf, bin ich sofort zur Kripo gefahren und habe gesagt, dass die Beschuldigung der reine Quatsch sei. Das Kinderfest war so stressig, dass kein Betreuer auch nur fünf Minuten Zeit für sich selbst hatte. Ich habe den Bullen die Frage gestellt: Wann an dem Tag soll Toni das denn gemacht haben? Ich war pausenlos mit ihm gemeinsam unterwegs, wir waren nicht mal zehn Minuten getrennt, außer wenn man mal pinkeln war oder eine Bratwurst gegessen hat. Die Bullen erwiderten, das ginge mich alles nichts an, ich könnte mich darauf verlassen, dass sie genau recherchiert hätten. Ich sagte: Moment mal, Toni ist mein Freund und ich werde sauer, wenn ich so eine Beschuldigung höre. Und ich will wissen, wann genau das an dem Sommerfest stattgefunden haben soll. Sie erwiderten, es wäre wohl klar, dass Toni die kleine Sandra mit in sein Haus genommen habe und dass es dort zum Missbrauch gekommen sei.« Er schlug wieder wütend auf die Tischplatte. »Jedenfalls, die Anzeige der Eltern stand. Das Furchtbare war, dass sich die Sache wie ein Lauffeuer herumgesprochen hat und Toni die Vorwürfe kaum entkräften konnte. Ich habe mir dann gedacht, dass etwas ganz anderes hinter der Sache stecken musste.«

»Und was, bitte?«

»Sie wollten Druck ausüben, sie wollten ihn runterhaben

vom Posten des Ortsbürgermeisters. Mittlerweile stand nämlich einer bereit, Tonis Posten zu übernehmen. Erst hat Schmitz es mit Drohungen versucht. Dann hat er Toni zwanzigtausend Euro angeboten. Geschenkt. Allerdings kann das niemand bezeugen. Dann passierte die Sache mit den Bienenstöcken, zum Schluss die Sache mit der kleinen Sandra. Ich habe versucht, etwas über Sandras Eltern herauszukriegen. Und siehe da: Der Vater heißt Clemens Retterath und ist Maschinenmeister im Betrieb von Schmitz. Aber es kam noch besser. Ich fand heraus, dass plötzlich ein Geldsegen über diesen Clemens Retterath niedergegangen sein musste. Denn die Familie machte Urlaub auf den Bahamas und Retterath kaufte sich anschließend seinen Traumwagen, einen BMW.«

Am Fenster surrte zornig eine Fliege.

»Wie auch immer«, murmelte ich. »Nun hat Schmitz wahrscheinlich freie Fahrt.«

Mauren lächelte knapp. »Hat er nicht. Die Frau, die sich bei uns als Bürgermeisterin der Verbandsgemeinde aufgestellt hat, die Isabell Kreuter, wird auf keinen Fall damit einverstanden sein, dass Schmitz weiter abbaut und den Berg kriegt. Sie wird auf jeden Fall sehr gründlich prüfen lassen, welche Folgen das für die Verbandsgemeinde hat. Sie muss nur gewählt werden ... Die Scheiße ist, dass Toni den Druck nicht ausgehalten hat. Aber vielleicht hätten wir den auch nicht ausgehalten ... Doch ich will nicht, dass jemand behauptet, Toni sei ein ausgemachter Pädophiler gewesen. So war es nicht, verdammt nochmal!«

Er goss sich mit zittrigen Fingern einen weiteren Schnaps ein, trank ihn und sah mich an. »Ich weiß nicht, ob das hilft.«

»Es hilft sehr. Sind Sie einverstanden, wenn ich das der Kripo so erzähle, wie Sie es erzählt haben? Und sind Sie zu einer Aussage bereit, wenn die Mordkommission hier auftaucht?«

»Ja, selbstverständlich. Aber was hat das mit dem Tod der kleinen Annegret zu tun?«

»Das weiß ich nicht. Vielleicht gar nichts. Allerdings gibt es eine Mutter, die behauptet hat, ihr Sohn sei am Tattag pünktlich zu Hause gewesen. Und er habe den Heimweg von der Schule zusammen mit Annegret zurückgelegt. Und diese Frau heißt Schmitz mit Nachnamen. Dabei war sie selbst gar nicht zu Hause. Sie hat mit irgendeinem Lover im Wald herumgemacht.«

Er starrte mich ungläubig an. »Stimmt das?«

»Ja, warum soll ich Sie anlügen?«

»Wenn das so ist«, murmelte er bedächtig, »dann muss man sich fragen dürfen, was denn an den Aussagen überhaupt stimmt.«

»Genau«, nickte ich.

»Das ist ein Ding. Hier, ich gebe Ihnen meine Karte, falls Sie etwas Neues erfahren. Das würde mich interessieren.«

Auch ich ließ ihm meine Karte da und verabschiedete mich. Ich setzte mich in mein Auto. Ich hatte keine Lust mehr auf Menschen, ich musste nachdenken. Eigentlich glaubte ich nicht, dass die miesen Tricks gegen Toni Burscheid etwas mit Annegret zu tun hatten. Andererseits war ich schon zu oft eines Besseren belehrt worden.

Es gibt eigentlich nur zwei Orte, an denen ich zur Ruhe komme. Der eine ist der Wald, der andere eine Kirche. Ich führe mit Mutter Catholica eine Dauerfehde, die betrifft aber nicht den Alten Mann da oben. Die betrifft nur sein Bodenpersonal und das, was es in den letzten Dutzend Jahrhunderten angerichtet hat.

Heute zog es mich in die Kirche St. Leodegar in Niederehe. Im Sommer ist sie immer von neun bis achtzehn Uhr zugänglich. Es war kühl im Innern, gut für das Hirn. An den Wänden hingen jahrhundertealte Heiligen- und Seligenfiguren, deren elektronische Sicherung den Ort in eine Hölle aus

Lärm verwandeln würde, sobald irgendein gieriger Tourist es wagte, sie auch nur zu berühren. Eine Kirche mit Sirene auf dem Dach.

Fälle, in denen Kinder eine Rolle spielen, machen krank, erzeugen Widerwillen und Hoffnungslosigkeit. Da fragt man sich, was geht in so einem Täter vor? Und es ist möglich, dass sie gar nichts gedacht haben. Und dass sie sich selbst das größte Rätsel sind. So der Fall eines Achtzehnjährigen, der erst seinen siebzehnjährigen Bruder mit einem Kleinkalibergewehr erschießt und dann vor dem Bett der Eltern steht und dem Vater in den Mund feuert. Von den Spezialisten gefragt, was er sich dabei gedacht habe, antwortet er: »Ich weiß es nicht.« Nicht ein Mal zuvor war er durch Jähzorn oder Brutalität aufgefallen.

Ein Mord passiert, weil er eben passiert? Gibt es einen Fall ohne den Hauch einer Motivation? Gibt es.

Der Fall des Vaters, der erst seine Kinder im Alter von ein und drei Jahren aufhängt und sich anschließend selbst richtet, hat etwas von grandioser Trostlosigkeit. Nicht zu reden von der vollkommen erschütterten Mutter, die nach Hause kommt und das Bild ein Leben lang ertragen muss.

Vollkommen irrational der Vater, der zusammen mit zwei kleinen Kindern von der fünfzig Meter hohen Kylltalbrücke springt.

Schier unglaublich der Zwanzigjährige, der seine vierzehnjährige Freundin tötet, nicht erwischt wird, sogar ins Ausland flieht. Und der eines Nachts zurückkommt, auf dem Bauch robbend wie ein Bundeswehrler sich dem Grab nähert, um dann festgenommen zu werden. Noch unglaublicher, dass Mörderjäger damit gerechnet haben. Sie warteten tatsächlich einfach auf dem Friedhof. Gefragt, wie sie denn auf diese beinahe abstruse Idee gekommen sind, antworten sie: Das können wir nicht begründen.

Lieber Alter Mann, du könntest schon ein wenig den Vorhang lüften und zumindest die Möglichkeit einräumen, menschliches Verhalten zu erklären. Es wäre hilfreich, etwas zu begreifen, denn Nichtbegreifen macht uns stumm.

Ich setzte mich in die erste Bank und fragte mich, wie viele Bittgebete von hier aus schon in die Höhe geschickt worden waren, ob man sie zählen konnte. Die Eifel ist ein frommes Land.

Alter Mann da oben, warum hast du das zugelassen? Warum begeht ein Mensch den absoluten Tabubruch und tötet ein Kind? Weil er selbst keine Kindheit hatte?

Die Dutroux-Urteile sind gesprochen und nicht einmal verhallt, als ein Mann gefasst wird, dem man neun Morde nachsagt, der einige von ihnen schon gestanden hat. Ein Biedermann namens Michel Fourniret. »Hübsch und möglichst jungfräulich«, hat er der Polizei seine Opfer beschrieben. Jetzt ist er dabei, der Polizei die Stellen zu zeigen, an denen er die geschundenen Körper vergraben hat. Und die europäische Polizei hat einen Schlag ins Gesicht bekommen, denn eigentlich hätte man diesen Mann vor drei Jahren schon fassen können. Eine junge Frau in Belgien hatte eine schwere Belästigung gemeldet, den Mann präzise beschrieben, sein Autokennzeichen der Polizei gegeben. Nichts geschah. Erst eine Dreizehnjährige beendete die Mordserie, weil sie aus seinem Lieferwagen entkommen konnte. Sie fragte ihn, ob er zur Dutroux-Bande gehöre, und er antwortete: Nein, ich bin schlimmer. Hätte es einen automatischen Austausch der Daten von Schwerkriminellen in Europa gegeben, hätte die Mordserie nicht so lange andauern können. Denn in Frankreich kannte man Fourniret sehr genau, dort war er schon mal wegen sexueller Delikte verurteilt worden. Nach seiner Entlassung zog er nach Belgien, wo er polizeilich nicht erfasst war.

Morde an Kindern machen wütend und Wut ist in einer Kirche kein guter Ratgeber. Das Bild der schönen bunten

Fenster hinter dem Altar ließ mich etwas ruhiger werden und irgendwann drehte ich mich um zum Schmuckstück dieses Ortes, der Orgel. Balthasar König baute sie im Jahre 1715 und sie leuchtet auf der Empore über dem Kirchenschiff wie eine Verheißung von Musik, ein uraltes Stück europäischer Musikgeschichte, das älteste spielbare Instrument ihrer Art in Rheinland-Pfalz.

Immer wenn ich diese Orgel sehe, muss ich an den Vater von Markus Schröder, den Wirt in Niederehe, denken. Der alte Bernhard Schröder gehörte zu den Verrückten, die in den späten Neunzigerjahren darangingen, diese Orgel komplett zu renovieren, ein Vorhaben, das wirklich den Mut der Verzweifelten erforderte. Es sollte dreihundertsechzigtausend Mark kosten.

Sie mussten das Geld auftreiben und ihre Art, es aufzutreiben, ist eine Geschichte wert: Sie verkauften Patenschaften für die Orgelpfeifen – und sie brachten das Geld zusammen. Jetzt thronte das Instrument über den Andächtigen, ein Gedicht in wunderbarem Holz, ein Juwel in reinem Blattgold. Und spielen darf sie nur, wer ein ausgemachter Meister ist.

Plötzlich, in dieser kühlen Stille, in dieser Kompression von Besinnung, wusste ich, was ich am Tatort bemerkt hatte, als ich ihn zum ersten Mal sah. Der Gedanke, der mir immer wieder entkommen war, stand ganz klar vor mir.

Wenn Annegret, aus welchen Gründen auch immer, sich in diesem Wäldchen aufgehalten hatte, dann konnte sie, unsichtbar unter dem dunklen Schirm der Bäume, ihr Elternhaus sehen. Sie konnte beobachten, wie ihr Vater nach Hause kam, wie ihre Mutter nach Hause kam oder wie die Eltern das Haus verließen. Das Wäldchen, in dem sie so schrecklich starb, war ein Ausguck auf Annegrets kleine Welt.

Ich hatte das Handy nicht ausgeschaltet, es trällerte blöd in die Stille. Laut sagte ich: »Entschuldigung!«, wer immer mir zuhören mochte, und erst dann meldete ich mich.

»Rodenstock. Ich frage mich langsam, wo du herumeierst. Du bist seit dem Morgengrauen auf der Pirsch und meldest dich nur, um Auskünfte einzuholen. Was soll das?«

»Ich arbeite«, entgegnete ich geduldig. »Ich arbeite wirklich pausenlos.«

»Und wo hältst du dich zurzeit auf?«

»In einer Kirche.«

Er schwieg einen Moment, dann sagte er: »Wieso bist du in einer Kirche?«

»Ich wollte nachdenken. Hier stört mich keiner.«

»Über was nachdenken?«, fragte er ruppig.

»Über den Fall Annegret.«

»Kommt dabei wenigstens etwas raus?«

»Na ja, ich bekomme Klarheiten. Wenigstens zum Teil.«

»Was für Klarheiten?«

»Klarheiten über Mogelpackungen. Zum Beispiel hatte Toni Burscheid tatsächlich pädophile Neigungen. Aber er hat sie nicht ausgelebt, er hatte sich unter Kontrolle. Zum Beispiel darüber, dass Annegret am Donnerstag nicht die Straße Am Blindert benutzt hat, um nach Hause zu gehen. Du lieber Himmel, Rodenstock, ich arbeite, ich versuche, falsche Schlüsse zu begreifen. Was ist los mit dir?«

»Was soll denn mit mir los sein?«, blaffte er.

»Ich weiß es nicht. Irgendetwas stimmt mit dir nicht. Du bist sonst nie so muffig. Und du scheinst zwar deinem Freund Kischkewitz stets zu Diensten zu stehen, steigst aber in den Fall gar nicht richtig ein. Verdammt nochmal, du hast keinen Schwanz und keinen Busen, du bist nicht Fisch noch Fleisch, du schwebst über den Wassern, sonderst nur von Zeit zu Zeit Altersweisheiten ab. Das reicht mir nicht. Und deine Frau macht auf mich zuweilen den Eindruck, als hätte sie dich mit der Putzhilfe in der Vorratskammer erwischt.«

»Na klar, wenn man selbst in der Klemme steckt, sieht

man erst mal die Klemmen bei anderen«, gab er zurück. »Kommst du wenigstens gleich vorbei?«

»Nein.«

»Wie bitte?«

»Ich sagte Nein. Ich schreibe es dir auf.« Ich war mir nun ganz sicher, dass er an irgendeinem geheimen Kummer litt, aber solange er nicht bereit war, mit mir zu reden, wollte ich ihm ausweichen.

Ich verließ die Kirche und blinzelte zum Abschied dem Kreuz zu. Ich sagte: »Moderne Zeiten, schlimme Zeiten, wenn du verstehst, was ich meine. Nur Idioten um mich rum.«

Ich setzte mich in den Wagen und bretterte heimwärts, ohne links und rechts zu schauen und ohne in Heyroth auf die Bremse zu gehen. Ich war erfüllt von einer inständigen Hoffnung: dass niemand mein Zuhause besetzt hielt und mich störte.

Meine Hoffnung erfüllte sich und ich öffnete munter und gut gelaunt eine Dose Kidneybohnen. Das klassische Westernfrühstück, einnehmbar zu allen Tageszeiten. Das geht so: Man gibt Kidneybohnen in eine kleine, stark erhitzte Pfanne, in der ein guter Esslöffel Butter geschmolzen ist. Die Bohnen mit der Butter verrühren, dann die Bohnen mit irgendeinem Gerät quetschen. Es entsteht eine Pampe, die man mit Cayennepfeffer scharf würzt. Parallel zu diesem Vorgang zwei harte Eier kochen und dann etwa zwanzig dünne Scheiben Knoblauchwurst in die Bohnenpampe schneiden. Gut unterrühren. Das Ganze kommt kochend heiß auf einen Teller und man tut sich einen großen Gefallen, wenn man sich dazu einen Becher starken Kaffee gönnt. – Ich mache es also genauso, wie wir es alle in den zahllosen Western in unserer Kindheit gelesen haben. Ich gebe zu, dass der Darm möglicherweise etwas gereizt reagieren könnte, man sollte dem aber keine allzu große Bedeutung beimessen.

Nachdem ich gegessen hatte, rief ich die Darscheids an. Der Vater war am Apparat.

»Siggi schon wieder. Ich würde euch beide gern noch einmal sprechen. Geht das?«

»Ja, warum nicht? Wann und wo?«

»Am liebsten sofort. Entweder bei mir oder bei euch.«

Er zögerte keine Sekunde: »Wir kommen zu dir. Bis gleich.«

Ich machte mir keine Gedanken, ich hatte keinen Plan. Aber meine Überzeugung war gewachsen, dass ich auf die Eltern keine Rücksicht mehr nehmen sollte. Inzwischen war es mir ein Bedürfnis herauszufinden, wer Annegret erschlagen hatte – und das hatte mit meinem Beruf wenig zu tun. Mir ging es wie vielen Reportern im Krieg, die allzu leichtfertig glauben, sie seien einfach nur Beobachter. Bis sie feststellen müssen, dass sie Teil des Krieges sind. Ich war Teil dieses Geschehens und darüber hinaus hatte ich selbst plötzlich eine Tochter.

Ich begann zu begreifen, wie Polizeibeamte sich fühlen mochten, wenn sie vor einem ermordeten Kind standen. Da gibt es den fassungslosen, ja hassvollen Ausbruch: »Was sind das für Menschen? Wie kann man ein solches Würmchen töten?« Da gibt es die zitternde Wut, die den Beamten die Sprache raubt, sie in die Gefahr bringt, dass sich tobende, körperliche Gewalt ihrer bemächtigt, dass sie jegliche Kontrolle verlieren.

Wolfgang Menzel, polizeiliches Urgestein, sagte in so einem Zusammenhang mal: »Wir waren nach dem Anblick des toten Kindes so aufgewühlt und fertig, dass es uns nicht gelang, eine Zigarette anzuzünden. Und ich träume davon noch heute, fast zwanzig Jahre später.«

Mendig im Mayener Land, im Jahre 1986. Ein kleines Mädchen der betulichen und wohlbürgerlichen Gemeinde verschwindet. Das Mädchen ist drei Jahre alt, ein Wonneproppen, wie die Nachbarn sagen.

Die Polizei fährt für die Fahndung alles auf, was sie hat, das Kind bleibt verschwunden. Bei den Eltern der Kleinen ruft jemand an und verlangt Lösegeld. Eine Sonderkommission befiehlt: »Der Kidnapper ist in jedem Fall hinzuhalten.«

Die Polizei gräbt die Gemeinde buchstäblich um, durchsucht jedes Haus, jeden Dachboden, jeden Keller, jede Garage, jeden Garten. Und sie findet nichts. Erneute Anrufe des Kidnappers, erneutes Hinhalten. Und immer wieder erneutes Suchen.

Nach vielen Wochen sagen zwei Kriminalbeamte seufzend: »Lass uns von vorne anfangen!« Das bedeutet, dass sie bei den unmittelbaren Nachbarn des Mädchens schellen und freundlich um Einlass bitten. »Wo fangen wir an?« – »Na, ja, im Keller, wie immer.«

Eine Hausfrau macht ihnen auf. Eine Frau Mitte vierzig, verwitwet, zusammenlebend mit ihrem Sohn, einem Handwerksgesellen. Sie geht vor den beiden Beamten her und öffnet die Tür zum Keller. Eigentlich ist es unmöglich, diese Treppe ohne Sturz zu bewältigen, denn auf den Stufen stehen tausend Dinge: Schuhputzzeug, Farbeimer, Kartoffelkörbe, Behälter mit Handwerkszeug, alte Eimer, Schrubber, Besen. Die Dreiergruppe tastet sich die Stufen hinunter.

Unten bleibt die Frau vor einer etwas dunkleren Ecke stehen. Ihr Gesicht verzieht sich nicht, sie wirkt vollkommen unbeteiligt.

Etwa kniehoch liegen da alte Pappkartons. Und unter einem der Kartons ragt ein Beinchen heraus. »Sah aus wie das Bein einer großen Puppe.« Es ist keine Puppe, es ist das verschwundene Mädchen.

Es folgen hysterisch aufgeregte Minuten, die Frau wird aus dem Haus und auf die Wache gebracht. Zu einem ersten Verhör.

Die nach eigenen Angaben vollkommen zittrigen Beamten hatten eine schwere Aufgabe vor sich. »Draußen stand halb Mendig. Wenn wir die Frau auch nur eine Sekunde aus den Augen gelassen hätten, wäre sie tot gewesen. Sie hätten sie erschlagen.« Sie schafften es irgendwie.

Damals war schon die große Zeit der Polizeipsychologen angebrochen und ein solcher wollte unbedingt beim ersten Verhör dabei sein. Die Beamten wollten im Wesentlichen herausfinden, was die Frau mit der Tat zu tun hatte. Doch dem Psychologen ging es um etwas anderes, er wollte in Erfahrung bringen, ob die Frau ihre eigene Kindheit als schrecklich und deprimierend bezeichnete. Der klassische Fall, in dem Psychologen stören. Es kam zu einer verständlichen Brüllerei seitens der Kriminalbeamten, die genau wussten, wie wichtig eine erste sachliche Vernehmung ist. Hinzu kam, dass die Frau nach wie vor eiskalt wirkte, Gefühle waren nicht feststellbar.

Was dann im Laufe der Zeit ans Licht kam, war ein Albtraum. Das Kind war einfach freundlich plappernd im Haus erschienen – nicht zum ersten Mal. Mutter und Sohn, die in elenden, asozialen Verhältnissen lebten und ständig unter Geldnot litten, kamen überein, die Eltern der Kleinen um Lösegeld erpressen zu wollen. Kontaktaufnahmen per Telefon erbrachten wegen der Hinhaltetaktik jedoch nichts. Die Kleine nörgelte und weinte, sie wollte nach Hause.

Tage später ging das Kind sowohl der Mutter wie dem Sohn heftig auf die Nerven. Also erwürgten sie das Kind. Es war eine gemeinschaftlich begangene Tat. Anschließend rollten sie es in einen Teppich ein und ließen die Teppichrolle auf dem Fußboden im Schlafzimmer liegen. Die Forderungen nach Lösegeld stellten sie nicht ein.

Eigentlich eine Nebensache: Das Haus kannte einen denkwürdigen Besucher. Ziemlich häufig tauchte in der Mittagszeit der Direktor einer örtlichen Bank auf, um mit der Frau zu schlafen. Liebe am Mittag. Die Frau putzte jeden Tag in dem Geldinstitut und der Direktor hatte beschlossen, diese Verbindung zu nutzen. Die Kopulation fand natürlich im Schlafzimmer statt, zwei Meter weiter lag das tote Kind in der Teppichrolle.

Die Frau wie ihr Sohn wurden verurteilt, die Frau starb einen elenden Krebstod im Gefängnis. Die Familie der Kleinen zog fort.

Für mich ist an dieser traurigen Geschichte dieser Bankdirektor wichtig. Er ist ein Opfer der Umstände, mit dem Mord hatte er nichts zu tun. Doch ein Mord spült wohl immer eine Menge an Dingen und Ereignissen hoch, die als große Geheimnisse gehütet werden. Während die ehrbare Frau und die ehrbare Familie glaubten, dass Papi sich wegen Arbeitsüberlastung nur ein Häppchen im Büro gönnte, vögelte dieser Mensch mit seiner Putzfrau. Und die hatte, rein zufällig, ein kleines Mädchen erwürgt.

Ich starrte in den Garten. Am Teichrand unter dem Holunder blühten Waldweidenröschen. Sie wiegten ihre sanftroten Blütenkerzen im Wind.

Wer hatte Annegret getötet? Und warum?

Mein Telefon rührte sich.

Es war Clarissa.

»Hör mal, Väterchen, wie sieht es aus? Kommst du endlich her zu Emma? Oder sollen wir zu dir kommen?«

»Nicht böse sein. Aber ich erwarte Leute, die etwas mit dem Mord an dem Kind zu tun haben. Ich melde mich, wenn sie wieder weg sind.«

»Emma lässt dir ausrichten, dass Tante Anni morgen nach Hause entlassen wird.«

»Das ist schön. Sag Emma einen Gruß.«

Ich zog den Korken aus einer Weißweinflasche, stellte den Rotspon daneben, baute Gläser auf, für mich ein Wasser und einen Traubensaft. Wir konnten auf der Terrasse sitzen, es war warm und trocken genug.

Als sie eintrafen und ich ihnen zurief, sie könnten den

Garteneingang benutzen, traten sie seltsam zögerlich auf die Terrasse, als tauchten sie in eine fremde, ungewohnte Landschaft ein.

»Hallo«, sagte ich. »Nehmt Platz, wir haben schönes Wetter. Junge Frau, wir haben uns zwar schon gesehen, aber noch nicht richtig vorgestellt. Ich bin der Siggi und ich beiße nicht.«

»Ich heiße Elisabeth«, sagte Annegrets Mutter dünn und setzte sich ganz vorn auf die Kante eines Stuhls.

Ich goss den beiden Wein ein und bemerkte leutselig: »Mir sind ein paar grundsätzliche Dinge noch nicht klar.«

»Ist irgendwas Neues passiert?«, wollte Rainer wissen.

»Kann man sagen.« Ich nahm mir ein Glas Traubensaft. »Ich hatte vorhin ein langes Gespräch mit einem guten Freund von Toni Burscheid. Der Mann heißt Gustav Mauren und wohnt mit Frau und Tochter in Wiesbaum. Ihr kennt die.«

»Ach, der!«, sagte Elisabeth verächtlich.

Ihr Mann sah sie irritiert an, ich ließ mich nicht aus der Ruhe bringen.

»Mauren wusste, was Toni nachgesagt wurde. Und Mauren behauptet, dass Toni sich niemals einem Kind oder Jugendlichen sexuell genähert hat. Einen Missbrauch hält er für vollkommen ausgeschlossen.«

»Was soll der auch anderes sagen!« Elisabeth wurde heftig.

»Nun lass den Siggi doch ausreden«, meinte Rainer ungehalten.

»Ist doch wahr«, murmelte sie.

»Ich möchte auf ein Ereignis zu sprechen kommen, das ihr beide gut kennt. Annegret sitzt auf eurer Gartenbank bei Toni auf dem Schoß und Toni hat angeblich eine Erektion. Jedenfalls hast du das so gesehen, Elisabeth. Dein Mann Rainer, der neben dir stand, hat nichts bemerkt. Und wir sollten jetzt herausfinden, ob das, was du gesehen hast, wirklich so war oder ob es nur etwas war, was in deiner Einbildung so sein sollte.«

Ich dachte eine Sekunde lang, Rainer würde hochfahren und zu brüllen beginnen, um seine Frau zu verteidigen, aber er sackte in sich zusammen, weil er wohl ahnte, was kommen würde.

Sie wuchs zwei Zentimeter, ihr Rücken wurde ganz gerade. »Moment mal, ich denke, wir wollen über Annegret reden. Stattdessen reden wir darüber, dass ich mir was einbilde. Was soll das?«

»Du hörst nicht zu«, stellte ihr Mann fest. »Siggi sagt, er will was mit uns abklären. Weil es wichtig ist wegen Annegret. Und du hörst nicht zu und lässt ihn nicht ausreden.«

Sie drehte den Kopf zur Seite, griff dann zu ihrem Glas und trank einen Schluck.

»Als ich heute Morgen bei euch war«, begann ich erneut, »haben wir festgestellt, dass Annegret am Donnerstag doch nach Hause gekommen ist. Schob sie ihre Schultasche immer unter ihr Bett?«

»Nein. Normalerweise stand die Tasche neben dem Schreibtisch«, sagte er.

»Wo unter dem Bett war die Schultasche? Konnte man sie sehen, wenn man vor dem Bett stand?«

»Nein. Sie war bis an die Wand geschoben.«

Ich nahm eine runde, kugelige Crown von Winslow und stopfte sie bedächtig. Dabei sah ich beide freundlich lächelnd an. Ich schmauchte ein wenig vor mich hin und trank einen Schluck Traubensaft. Jemand hatte in einem Buch über Verhörtechniken geschrieben: »Nähere dich deinem Gegner mit Langsamkeit. Wenn er nicht weiß, auf was du aus bist, werde langsamer als langsam. Du wirst spüren, dass sich die Worte in ihm stauen.« Der Mann hatte bestimmt Recht, doch meine bisherigen Erfahrungen in irgendeiner Technik waren gleich null.

»Kommen wir auf Gustav Mauren zurück«, sagte ich gelassen. »Mauren behauptet, dass die Schweinerei während des Kindersommerfests auf Tonis Wiese nicht stattgefunden haben kann. Mauren war selbst da und kümmerte sich gemeinsam mit Toni um die Kinder. Und er sagt: Keiner der Helfer, auch Toni, habe auch nur fünf Minuten Zeit für sich selbst gehabt.« Ich sah Rainer Darscheid an. Sein Gesicht wirkte kantig und verkrampft.

»Auch wir waren da«, murmelte er.

»Und was ist deine Meinung? Kann Toni Burscheid das Mädchen mit ins Haus genommen und dort sexuell belästigt haben?«

»Völlig unmöglich«, antwortete er tonlos. »Die Zeit, die das braucht, hatte er in der Tat nicht. Ich habe ja beobachtet, wie viel die Helfer zu tun hatten. Mindestens zweihundertfünfzig Kinder tobten da rum.« Seine Zähne mahlten. »Ich weiß, wer behauptet hat, dass Toni mit der Kleinen irgendwelche ... irgendwelche Spielchen getrieben haben soll. Das war der Vater Retterath, der Maschinenmeister von Schmitz. Und Schmitz will den Berg. Das weiß doch jeder, dass da ein faules Ding gelaufen ist.«

»Du hättest mir davon erzählen müssen«, sagte ich sanft. »Das hätte geholfen.« Ich dachte, ich werde lieber noch langsamer. »Na ja, vielleicht hat das mit Annegret nichts zu tun, aber es ist doch besser, genau zu wissen ...«

»Ich verstehe das nicht«, unterbrach mich Elisabeth hastig. »Was hat Toni mit dieser Geschichte, also überhaupt ... Ich verstehe nicht, wieso wir über Toni reden. Und wieso wir über diesen Mauren reden. Und über das Sommerfest. Das ist schon so lange her.«

»Glaubst du immer noch, dass Toni deine Tochter getötet haben kann?«, wandte ich schnell ein.

»Ja«, erwiderte sie. »Bei dem, was über Toni bekannt war, kann er ..., er kann es gewesen sein.«

»Toni hat sich selbst getötet«, sagte Rainer dumpf. »Toni saß in der Falle. Weil ihr Scheißweiber behauptet habt, er macht was mit Kindern. Und nichts ist bewiesen. Niemand war Zeuge, niemand hat irgendwas Konkretes gesehen. Dass Toni bei uns im Garten einen Ständer hatte, hast nur du behauptet. Ich habe es nicht gesehen. Toni hatte ein wachsweißes Gesicht, als du ihn angebrüllt hast. Der war vollkommen fertig. Kapierst du nicht, auf was Baumeister rauswill?«

»Und was soll die Sache mit Annegrets Schultasche unter dem Bett?«, zeterte Elisabeth, schlang die Arme umeinander und barg sie in ihrem Schoß. Dann senkte sie den Kopf: »Ich weiß nur, dass meine Tochter tot ist. Und dass sie nicht zurückkommt. Und alles, was ihr hier redet, hat damit nichts zu tun.«

Meine Pfeife war ausgegangen. Ich zündete sie wieder an.

»Elisabeth, die Mütter lügen«, sagte ich gemütlich. »Die eine vögelt im Wald mit ihrem Liebhaber herum und behauptet steif und fest, ihr Sohn sei pünktlich zu Hause gewesen. Die andere schwört Stein und Bein, auch ihr Sohn sei pünktlich von der Schule heimgekommen. Dabei lag der mit seiner Russenliebe irgendwo im Gras. Du hast verschwiegen, dass du bei deiner Freundin warst. Und jetzt sagt Mauren, wenn etwas mit Toni und Kindern gelaufen wäre, dann hätte er das gemerkt. Mauren hat übrigens eine Tochter, die Toni Burscheid sehr gemocht hat und ausgeflippt ist, als sie hörte, dass er sich erhenkt hat. Es sieht wirklich so aus, als sollte Burscheid fertig gemacht werden. Erst haben ihm Unbekannte seine Bienenstöcke zerstört. Schmitz wollte den Berg, um Vulkanasche abzubauen. Und als er ihn nicht kriegte, ist komischerweise seinem Maschinenmeister Retterath die Sache mit der kleinen Tochter eingefallen. Und wahrscheinlich wurde dieser Maschinenmeister dafür bezahlt. Wie auch immer: Die traurige Geschichte deiner Tochter hat eine Menge mit den Lügen einiger Menschen zu tun. Nur wenn wir damit aufräumen, werden wir vielleicht erfahren, was wirklich geschehen ist. Also räumen wir auf.« Ich kam mir wegen des vielen Geredes etwas dämlich vor, aber schließlich hatte ich so etwas wie ein Ziel. Oder besser gesagt: eine Ahnung von einem Ziel.

»Ich höre heraus, dass an der Geschichte mit Tonis komischer Veranlagung nichts ist«, sagte Rainer mutlos.

»Wieso nichts ist?«, fragte Elisabeth giftig. »Glaubst du, die Kleine vom Retterath lügt?«

»Die Kleine vom Retterath war ganze neun Jahre alt und beeinflussbar«, erwiderte Rainer. »Hör auf mit diesen Märchen. Was machen wir jetzt?«

»Oh«, sagte ich, »ganz einfach. Wir fangen von vorne an. Elisabeth, schildere doch bitte, wie das am Donnerstagmittag war, als Annegret nicht nach Hause kam.«

»Das habe ich schon hundert Mal erzählt! Ich war bei meiner Freundin. Wir saßen in der Küche und Annegret hätte vorbeikommen müssen. Sie kam aber nicht vorbei. Dann bin ich nach Hause gegangen. Da war sie auch nicht. Und dann fing ... dann fing das Schreckliche an.«

»Du hast nicht bemerkt, dass sie zu Hause gewesen ist?«, fragte ich.

»Nein, habe ich nicht. Erst habe ich gedacht, sie ist mit zu Anke. Oder zu Kevin oder Bernard. Ist ja schon mal vorgekommen. Aber dann hat sie wenigstens angerufen und Bescheid gesagt. Na ja, erst habe ich mir keine Sorgen gemacht. Konnte ja alles Mögliche dazwischengekommen sein. Vielleicht waren sie auch irgendwo ein Eis essen. War ja warm und Zeit für Eis.«

Ich kratzte die Pfeife aus, nahm eine Spitfire von Lorenzo und stopfte nun diese. Wichtig war das Wechseln der Bilder, das ständige Springen von einem Bild in das andere, hatte es in dem Buch auch geheißen.

»Wie erklärst du das eigentlich, dass du eine Erektion bei Toni Burscheid gesehen hast und dein Mann neben dir nicht? Hat das damit zu tun, dass dir irgendwer gesagt hat, dein Onkel Toni sei ein Pädophiler? Wenn es so ist, wer hat dir das gesagt?«

»Das ging doch schon seit Jahren so und hundert Leute können sich nicht irren! Toni hatte es immer mit kleinen Jungs und kleinen Mädchen. Das weiß wirklich jeder.«

»Ja, ja, und genau an der Stelle sagt Gustav Mauren, dass sich da eine Hysterie hochgeschaukelt hat. Tatsache ist doch, dass es für keinen Fall einen Beweis gibt, oder nicht?«

»Dieser Mauren sollte besser das Maul halten«, meinte sie grob. »Von dem ist auch bekannt, dass er auf kleine Kinder steht. Jedenfalls knutscht er sie dauernd. Das ist gesehen worden, jawohl! Sonst wäre er ja wohl auch kaum mit Toni befreundet gewesen.«

Rainer Darscheid starrte seine Frau fassungslos an. Er wollte etwas sagen, etwas brüllen.

Schnell fragte ich: »Du sagst, das ist gesehen worden. Wer hat das gesehen? Nenne mir einen einzigen Menschen, der das gesehen hat.«

»Scheiße«, flüsterte Rainer Darscheid. Dann sagte er laut: »Nenn ihm einen einzigen Zeugen. Mehr will er nicht. Eine Frau, einen Mann. Einen!«

»Das tue ich nicht. Ich kann doch andere Leute nicht reinreiten.« Das klang jammernd. Elisabeth hatte ein blasses, durchscheinendes Gesicht. Sie hauchte: »Ich habe meine Tochter verloren.«

»Das ist wahr, das ist schrecklich«, nickte ich. »Trotzdem wäre es doch nicht nötig gewesen, auch noch Toni Burscheid zu verteufeln, oder? Wir müssen wirklich ganz von vorne beginnen und Toni können wir nicht mehr fragen. Aber dich kann ich fragen. Hast du eine Idee, warum deine Tochter auf Schleichwegen nach Hause geht, den Schlüssel aus dem Versteck nimmt, aufschließt, reingeht, die Schultasche weit unter das Bett schiebt, dann wieder rausgeht, den Schlüssel mitnimmt und wieder verschwindet?«

»Nein, ich habe doch keine Ahnung.« Sie weinte.

»Als Toni mit Annegret auf dem Schoß auf eurer Gartenbank saß, hatte er da wirklich eine Erektion?«

»Ja, verdammt nochmal! Es war so ... so schmutzig.« Die Worte kamen zischend und bösartig.

»Und du glaubst ernsthaft, dass er vor einem Jahr bei dem Sommerfest die kleine Retterath betatscht hat?«

»Ja.«

»Wie war das am Donnerstagmittag? Du bist ins Haus gekommen, Annegret war nicht da. Dann hast du gewartet.«

»Ja! Das habe ich tausendmal gesagt.«

»Du bist nicht raufgelaufen und hast in ihrem Zimmer nachgesehen?«

»Nein. Ich habe laut gerufen: Anneschätzchen! Das rufe ich immer. Aber sie war ja nicht da.«

Ich goss Rainer vom Roten nach, mir vom Traubensaft. »Elisabeth, soll ich dir sagen, was da wirklich passiert ist?«

Sie sah mich nicht an, nickte aber.

»Also, deine Tochter ist auf welchem Weg auch immer nach Hause gekommen, in das Haus gegangen und hat die Schultasche abgestellt. Dann ist sie verschwunden. Du kamst nach Hause, hast natürlich sofort die Schultasche gesehen. Das Einzige, was ich nicht verstehe, ist, warum du die Schultasche hoch in Annegrets Zimmer gebracht und weit unter das Bett geschoben hast. Annegret jedenfalls hat das nicht getan. Das wäre gänzlich unlogisch, denn sie war in Eile und hatte nicht den geringsten Grund, die Tasche verschwinden zu lassen.«

Rainer Darscheid hatte beide Hände vor das Gesicht gelegt und wiegte den Kopf hin und her. Er stöhnte: »O nein!«

»Ich weiß nicht, warum ich das getan habe«, sagte Elisabeth aufschluchzend. »Ich weiß es doch nicht.«

FÜNFTES KAPITEL

Das Schweigen währte sehr lange. Elisabeth weinte, ihr Mann starrte mit verbissenem Gesicht ins Leere.

Die Dunkelheit kroch heran, irgendwo suchte Satchmo eine Beute zur Nacht und beklagte laut, dass keine Maus sich freiwillig anbot. Cisco mühte sich am Ufersaum des Teiches ab, einen meiner kostbaren Kois zu schnappen. Er japste verärgert, weil er keinen Erfolg hatte. Zum Glück für die Kois ist er wasserscheu. Meine Kröte quakte verhalten. Die Schwalben schossen durch den Abendhimmel und sammelten Insekten für ihre Kinder.

»Ich mache dir keinen Vorwurf«, begann ich erneut, »du leidest ohnehin Höllenqualen. Aber jede falsche Aussage führt vom Täter weg. Für die Kripo ist es verdammt wichtig, jedes Detail wahrheitsgemäß zu kennen.«

»Glaubst du wirklich, dass Toni mit Annegrets Tod nichts zu tun hatte?«, fragte sie.

»Ja, das glaube ich. Welchen Weg kann Annegret am Donnerstag denn nun benutzt haben, wenn nicht die Straße?«

»Von der Stelle, wo sie sich von den anderen getrennt hat, gehen zwischen zwei Häusern Trampelpfade ab. Da kommt man durch Gärten und Hinterhöfe, hinter den Häusern, die uns gegenüberliegen.«

»Benutzte Annegret oft diesen Weg?«

Elisabeth schürzte die Lippen. »Keine Ahnung.«

Auch das ist mit Sicherheit falsch!, dachte ich zornig.

»Lass uns mal gehen«, wandte sie sich an ihren Mann.

»Ich komme nicht mit!«, entgegnete Rainer Darscheid hart. »Siggi, kann ich bei dir bleiben? Nur diese Nacht?«

»Selbstverständlich. Du musst zwar unten im Wohnzimmer mit dem Sofa auskommen. Aber das geht bequem.«

Er versuchte erst gar nicht, seiner Frau etwas zu erklären, obwohl sie sichtlich irritiert war.

»Ich verstehe das nicht«, murmelte sie. »Aber wenn du das so willst.«

Er nickte und sah sie nicht an.

»Tja, dann fahre ich mal.« Sie stand auf und ging zur Gartenpforte. Die Wagentür klappte, sie startete und fuhr vom Hof. Das wirkte alles ganz unspektakulär, schien nichts Besonderes zu bedeuten. Aber ich hatte das Gefühl, dass in diesem Moment das Band zwischen den beiden endgültig zerriss.

»Ich könnte nicht neben ihr schlafen«, meinte er. »Ich hasse mich selbst dafür. Aber ich könnte es nicht.«

»Das ist in Ordnung, es ist deine Entscheidung. Willst du noch etwas Wein?«

»Lieber nicht«, wehrte er ab.

»In was für einem Umfeld lebt deine Frau eigentlich? Abgesehen von der Freundin in der gleichen Straße. Gibt es da irgendwelche Cliquen?«

»Na ja, sie hat Kontakt zu Frauen, die Kinder im gleichen Alter haben. Das ergibt sich durch die Schule. Viele Mütter arbeiten, aber Elisabeth wollte das nie. Sie sagte immer: Ich habe nur eine Aufgabe, und die heißt Annegret. Wieso? Hast du noch mehr herausgefunden?«

»Nein, nein«, sagte ich kopfschüttelnd.

»Ich hatte immer schon Schwierigkeiten mit dem Geschwätz über andere. Über Toni zum Beispiel.«

»Na ja. Wir Journalisten leben zum Teil davon.«

Ich ging ins Haus, um ihm Bettwäsche herauszulegen. Ich war überzeugt, dass seine Frau noch viel mehr wusste, als sie bisher gesagt hatte. Und wahrscheinlich befürchtete Darscheid genau das.

Ich rief Rodenstock zu Hause an und bekam Emma.

»Ich wollte mich melden, wenn mein Besuch verschwunden ist. Doch der Vater des toten Mädchens wird hier übernachten.«

»Clarissa kann bei uns bleiben. Und, wie geht es dir? Hast du irgendwann einmal Zeit für dich? Und für deine Tochter? Und für Vera?« Sie lachte, weil sie wusste, dass mir das Druck machte.

»Ja, irgendwann werde ich Zeit haben. Aber nicht mehr heute. Ich bin hundemüde. Kannst du mir Rodenstock geben?«

Das dauerte ein paar Sekunden, dann sagte er: »Schön, von dir zu hören.« Seine Stimme klang nun wieder ganz normal.

»Hör mal, ich schreibe auf, was war. So kann ich auch meine Gedanken ordnen. Ist der Heimweg der Kinder nochmal überprüft worden? Weißt du das?«

»Ja. Die beiden Mütter, die gelogen haben, haben nun Zoff. Zwei weibliche Kriminalbeamte sind heute Mittag mit den Kindern den Weg von der Schule bis nach Hause gelaufen. Den Kindern war es vollkommen wurscht, ob Annegret den Rest des Weges über die Straße ging oder aber durch das Gewirr der Gärten und Schuppen der Altstadt. Sie haben gesagt: Sie ist mal so gegangen und mal so. Aber wirklich darauf geachtet haben sie auch am Donnerstag nicht. Jedenfalls ist anzunehmen, dass die Kleine durch das Messtischblatt gegangen ist.« Er lachte. »Es heißt deshalb Messtischblatt, weil die Gärten und Schuppen und Scheunen auf typische Eifler Art voneinander getrennt sind. Da gibt es Grundstücke, die nicht größer sind als dreißig Quadratmeter. Also ohne eine Karte weißt du nicht, wo du bist, wo ein Grundstück aufhört und das nächste anfängt. Tatsache ist, dass die Kinder diesen Weg kennen. Was hast du denn nun über Toni Burscheid herausgefunden?«

»Wie gesagt, er mag pädophile Anlagen gehabt haben, aber einen Tabubruch hat er nicht begangen. Ich glaube, dass er durch das Gerede und durch Drohungen buchstäblich in den

Tod gejagt worden ist. Aber das kannst du dann alles in meinem Bericht lesen. Ach ja: Die Mutter von Annegret kam Donnerstagmittag nach Hause, sah die Schultasche ihrer Tochter und hat die dann nach oben in Annegrets Zimmer getragen und weit unter das Bett geschoben. Sie behauptet, sie weiß nicht, warum sie das getan hat. Und wie sieht es mit den Speichelproben der männlichen Einwohner der Verbandsgemeinde Hildenstein aus?«

»Sie sind fast alle gekommen. Schon, um nicht ins Gerede zu geraten. Kischkewitz erwartet, dass die Aktion morgen abgeschlossen werden kann. Aber ehrlich gestanden, mache ich mir keine Hoffnung.«

»Warum nicht?«

»Weiß ich nicht. Intuition.«

»Aber wer, zum Teufel, soll der Täter sein? Ein zufällig durchreisender Handelsvertreter in Damenunterbekleidung?«

»Genau das. Das ist genau das Szenario, das wir alle am meisten fürchten. Denn damit rückt die Lösung in immer weitere Ferne, dann sind wir erst einmal am Ende. Wobei es schon reichen würde, wenn der Täter einer der dreitausend Einwohner eines der umliegenden Dörfer wäre. Also, bis morgen.« Damit legte er auf.

Rainer Darscheid stand in der Tür zur Terrasse. »Sag mal, könnte ich doch noch einen Rotwein haben?«

»Aber ja. Kleinen Moment.«

»Ich will dich nicht stören, aber schlafen kann ich sowieso nicht.«

»Hier ist Bettwäsche, der Wein kommt und dann findest du mich in meinem Bett. Im Zimmer ein Stockwerk höher.«

Drei Minuten später erreichte ich meine Liegestatt. Es kann nicht länger als zwei Minuten gedauert haben, bis ich in den Schlaf segelte.

Ich wurde wach, weil mich jemand an der Schulter rüttelte und mit mir redete.

»Was ist?«

»Wach auf«, sagte Rainer Darscheid. »Da ist ein Mann am Telefon. Ich weiß nicht, wie er heißt, Rosenholz oder so.«

»Rodenstock.«

»Ja, genau. Er sagt, ich soll dich sofort wecken.«

»Wie spät ist es?«

»Viertel nach vier.«

»Ist denn der verrückt?«

»Unten am Telefon«, sagte Darscheid drängend und verschwand wieder.

Ich rappelte mich hoch und stieg aus meinem Bett. Ich war noch todmüde, überwand aber die Treppe ohne bösartigen Sturz.

»Was ist?«

»Ein Mann in Wiesbaum ist getötet worden«, vermeldete er kühl bis ans Herz. »Ein gewisser Gustav Mauren. Und die Tochter behauptet, du seist gestern bei ihm gewesen.«

»War ich.«

»Wir sind in Wiesbaum, in dem Haus. Komm her, Kischkewitz braucht deine Aussage.«

»Bin schon unterwegs.« Ich wandte mich an Darscheid. »Alles fürs Frühstück findest du in der Küche, Kaffee inklusive.« Dann rannte ich die Treppe hinauf, zog mich an und machte mich auf den Weg.

Es hatte geregnet, die Straßen waren nass und wirkten nicht vertrauenerweckend. Trotzdem drückte ich aufs Gaspedal.

Vor dem Haus standen zwei Streifenwagen, ein Einsatzwagen der Inspektion der Kripo in Wittlich und drei bis vier zivile Fahrzeuge. Kein Blaulicht, keine Sirene. Es war unwirklich still und erinnerte an eine Szene aus einem Horrorfilm, da Nebel wallte.

Rodenstock wartete neben der Haustür.

»Kischkewitz ist drin.«

Ich quetschte mich an ihm vorbei.

Eine Frau schrie: »Nein!«, dann folgte ein schrilles Heulen. Das musste die Tochter sein. Oder die Ehefrau, die ich nicht kannte.

Rechts die Tür in die Küche, sie stand weit offen. Mauren lag auf dem Bauch am Boden. Genaues konnte ich nicht erkennen, weil zwei Kriminaltechniker neben ihm knieten und die Sicht verdeckten.

Vor mir im Halbdunkel des Flurs lehnte Kischkewitz an der Wand. »Kannst du etwas Erhellendes sagen?« Das klang gepresst und mutlos.

»Ich weiß nicht. Ich war gestern hier und habe mich mit ihm unterhalten. Er war stinkwütend über die öffentliche Hinrichtung von Toni Burscheid. Und er erzählte mir eine beachtenswerte Geschichte.«

»Manfred!«, schrie Kischkewitz. »Komm runter.« Dann zu mir gewandt: »Seine Tochter ist oben, der Arzt ist bei ihr. Sie ist vollkommen ausgeflippt, sie hat ihn gefunden. Kannst du die Geschichte gleich auf ein Band sprechen?«

»Selbstverständlich.«

Er schrie wieder: »Manni! Verdammt nochmal!« Dann wieder zu mir: »Wir haben null Ansatz, wir wissen gar nichts. Jemand hat ihm ein schweres Messer in den Rücken gestoßen. Sieh mal durch die Tür. Aber nicht reingehen!«

Ich drehte mich zurück zur Küchentür. Ich stand auf der Schwelle und starrte geblendet in einen grellen Lichtspot. Unsicher machte ich einen halben Schritt nach vorn.

»Verdammte Scheiße!«, schnauzte einer der beiden Techniker mit hochrotem Kopf. »Wie sollen wir arbeiten, wenn wildfremde Leute hier reinkommen? Sollen wir ihm ein Bier zapfen oder vielleicht ein Butterbrot schmieren?«

»Ruhe, Junge«, sagte Kischkewitz laut. »Das ist Baumeister, er hatte als einer der Letzten Kontakt zu dem Toten. Also Ruhe und Nerven bewahren.«

»Tut mir Leid«, sagte der Techniker im Normalton und werkelte verbissen mit einem großen Pinsel herum.

»Schon gut«, murmelte ich.

Die Frau schrie wieder.

»Wir müssen sie rausschaffen«, sagte Kischkewitz. »Können wir die Tür zur Küche anlehnen?«

»In Ordnung«, rief der andere Techniker. »Aber nicht zu lange. Zwei Minuten, ich muss Fußspuren sichern.«

»Gut!«, sagte Kischkewitz halblaut. »Manni! Ihr könnt jetzt.«

Jemand, den ich nicht sehen konnte, schob die Küchentür zu. Dann kamen Schritte die Treppe herab. Durch die offene Haustür konnte ich einen Krankentransporter des Deutschen Roten Kreuzes erkennen, dessen Fahrer den Wagen startete und das Blaulicht kreisen ließ. Nun bemerkte ich auch Leute, notdürftig angezogen. Neugierige aus dem Dorf.

Die junge Frau wurde an mir vorbeigeführt. Jemand hatte ihr um die Schultern eine Decke gelegt, deren Ende über die Fliesen schleifte. Ein Mann ging neben ihr, ein weiterer folgte.

Zitternd murmelte Maurens Tochter: »Bitte, lieber Gott! Bitte, lieber Gott!« Sie hörte nicht auf damit, es war wie eine Litanei. Und sie hatte beide Fäuste an ihr Kinn gepresst, als könnte sie damit ihren Schmerz lindern.

»Manni«, stellte Kischkewitz vor, »das hier ist Siggi Baumeister.«

»Ist gut«, nickte der junge Mann. »Ein paar Minuten noch.«

Er lief hinter Maurens Tochter und dem Mann her. Es war eine traurige Prozession. Endlich fuhr der Krankenwagen sacht vom Hof. Der, der Manni hieß, zündete sich eine Zigarette an, senkte den Kopf und starrte vor sich in das Dunkel zu seinen Füßen. Er wirkte erschöpft.

Kischkewitz trat neben mich, stieß die Küchentür wieder auf und sagte: »Kannst du ihn sehen?«

»Ja klar.«

»Gut. Er lag nicht so auf dem Boden, als seine Tochter ihn fand. Sie kam herein ins Haus, in der Küche brannte das Licht über dem Tisch. Ihr Vater saß auf dem Hocker, da vorne neben seinem Kopf. Sein Oberkörper lag auf dem Tisch. Sie ging zu ihm hin und berührte ihn an der Schulter. Dann fiel er mit dem Hocker um und sie sah, dass ein Messer in seinem Rücken steckte. Wahrscheinlich ist es das schwere Fleischmesser, das im Messerblock fehlt. Den Messerblock siehst du da auf der Anrichte am Schrank. Das Messer steckte bis zum Anschlag in seinem Rücken, sechzehn Zentimeter Stahl.«

»Merkwürdig«, murmelte ich. »Wenn der Täter hinter ihm stand, muss Mauren ihn gekannt haben, oder?«

Kischkewitz nickte. »Wir nehmen an, dass es sich folgendermaßen zugetragen hat: Beide Personen saßen am Küchentisch, Mauren auf dem Hocker, ihm gegenüber der Besucher. Dann ist der Besucher aufgestanden, hat das Messer aus dem Messerblock gezogen und Mauren in den Rücken gejagt. Ob Glück oder nicht: Er hat genau das Herz getroffen. Sekundentod.«

»Ich habe genau so an dem Tisch gesessen wie der Mörder«, sagte ich.

»Kennst du Namen von Leuten, die mit dem Besucher in Verbindung gebracht werden könnten?«

»Zwei«, überlegte ich. »Ich bin nicht sicher, aber es ist möglich. Die eine Person ist der Unternehmer Herbert Schmitz, Hildenstein. Der Mann, der Vulkanaschen abbaut und verscherbelt. Die zweite Person ist sein Maschinenmeister, ein gewisser Clemens Retterath. Wo der wohnt, weiß ich allerdings nicht.«

»Das ist gut, das ist verdammt gut«, sagte Kischkewitz hastig. Dann lief er zur Tür und sprach mit zwei Männern. Anschließend kehrte er zu mir zurück.

»Wie sieht es mit Spuren aus?«, fragte ich.

»Chaotisch«, antwortete er. »Es gibt die des Getöteten, die der Tochter. Todsicher auch deine und die der Ehefrau, die im Übrigen im Anmarsch ist. Mit anderen Worten: Wir haben noch kein Bild.«

»Und auf dem Messer?«

»Das ist sauber.«

»Handschuhe?«

»Vielleicht hat der Täter ein Spray benutzt. Bestimmte Sprays hinterlassen so etwas wie einen vollkommen glatten Film auf den Fingerspitzen.«

»Habt ihr eine Tatzeit?«

»Zwei Uhr, plus/minus zehn bis fünfzehn Minuten.«

»Woher kam denn die Tochter, als sie ihn fand?«

»Von draußen. Sie konnte nicht schlafen und war nochmal frische Luft schnappen. Sie hat gesagt, dass Toni Burscheids Selbstmord sie schwer mitgenommen hat. Sie hat ihn wohl sehr gemocht. Wie kommst du auf diese zwei Männer?«

»Sie mussten Mauren fürchten, wenn er in Aktion trat. Und er war sauer genug, das zu tun. Er war ein enger Freund Toni Burscheids und kannte Hintergründe des Rufmords. Es ging um Politik und Geld. Habt ihr denn eine Ahnung, was Mauren getan hat, nachdem ich hier war?«

»Nein. Seine Tochter sagte, er setzte sich ins Auto und fuhr weg. Doch er hat nicht gesagt, wohin er wollte.«

»Chef«, rief einer der beiden Techniker neben der Leiche, »wir würden ihn jetzt gern umdrehen.«

»Macht das«, nickte Kischkewitz. »Da stehen zwei Schnapsgläser, das rechte wurde benutzt. Das linke nicht. Hat er Schnaps getrunken, als du hier warst?«

»Ja, aber er machte mir nicht den Eindruck, als sei er von dem Stoff abhängig. Er trank zwei oder drei kleine Pinneken.«

Die beiden Kriminaltechniker wuchteten Mauren auf den Rücken.

»Ist etwas in seinen Taschen gefunden worden?«, fragte ich.

»So weit sind wir noch nicht«, antwortete Kischkewitz. »Ich hörte, die Darscheids waren bei dir?«

»Ja, stimmt. Die Mutter hat die Schultasche der Kleinen im Haus gefunden und sie dann weit unter ihr Bett geschoben. Sie sagt, sie weiß nicht, warum sie das getan hat. Auf jeden Fall wird das Bild dadurch schon wieder verändert.«

»Die Frau ist vollkommen durcheinander«, meinte Kischkewitz. »Und wahrscheinlich hat sich Elisabeth Darscheid über die Tochter Annegret identifiziert. Mütter projizieren sehr oft ihre Wünsche und Sehnsüchte auf die Tochter.«

Ich überlegte das, er sprach häufig kluge Sachen ganz nebenbei aus.

»Manni!«, rief er erneut. »Also, der Knabe heißt Manfred Tenhagen und wird gleich deine Aussage auf Band aufnehmen.«

Der junge Mann kam in den Flur und sagte: »Wir können in das Zimmer der Tochter gehen. Da haben wir mehr Ruhe.«

Er ging vor mir her die Treppe hinauf und dann in einen großen Raum, der sicher mehrere Funktionen hatte. Ein breites Bett mit einem leuchtend roten Überwurf. Ein Schreibtisch, uralt, scheinbar aus Eiche und riesengroß. Dann Kissen, sehr viele Kissen, manche überdimensioniert groß, alle in leuchtenden Farben. Kleine Lampen überall, dazu an der Decke ein Meer aus winzigen Lichtern. Ein Poster, ein mal zwei Meter groß mit einem vollkommen verkitschten Jesus, der milde lächelnd seine Hände zum Segen ausbreitete. Darauf eine Schrift: *Er war auch nur ein Mann.*

Dazu das ganze Brimborium an verspielten kleinen Dingen, die für viele Frauen so wichtig und unverzichtbar sind. Ganze Batterien von Nagellack, mindestens zwanzig Lippenstifte und eine Unmenge an Tiegeln und Tuben, deren

Aufschriften einen fantastischen Teint versprachen. Eine Wand war vollkommen mit Büchern bedeckt, überwiegend Literatur der deutschen Klassik. Kleists gesammelte Werke ebenso wie der gesamte Goethe und der gesamte Schiller. Ich dachte mechanisch: Wie ungewöhnlich für eine so junge Frau.

»Das Mädchen ist vollkommen mit den Nerven fertig«, sagte Tenhagen. »Setzen wir uns an den Schreibtisch, das ist am praktischsten.« Er legte ein kleines Aufnahmerät auf die Platte und drückte einige Knöpfe. Er war der Typ des jungen Mannes, der das Abitur macht und dann einfach nicht älter wird. Ein ewiger Junge.

»Können Sie mal was sagen, bitte?«

»Eins, zwei, drei, sechs, zehn, zehn.«

»Okay, okay, reicht. Sie waren also hier bei Gustav Mauren im Haus. Haben Sie eine Ahnung, wann genau Sie hier eintrafen?«

»Gegen sechzehn Uhr, glaube ich.«

»Wieso kamen Sie her?«

»Es war eigentlich ein Schuss ins Blaue. Natürlich bin ich hinter dem Fall Annegret her, aber die Sache bekam durch den Suizid des Toni Burscheid einen Bezug zur lokalen Politik. Ich suche nach einem Schlüssel im Fall Annegret und da ist mir jedes Mittel recht. Allerdings habe ich Querverbindungen nicht gefunden.«

»Das kenne ich«, sagte er mit einem Anflug von Lächeln.

»Dann fangen wir mal an«, sagte ich. Draußen kroch der Tag langsam aus den Wäldern, die Sonne schien zaghaft von links in das Zimmer. Unter uns sprachen Männer miteinander, jemand sagte zornig: »Kann mir mal einer sagen, wie ich jemals die Überstunden abdienen soll?«

Ich erzählte so komprimiert wie möglich, gab exakte Auskunft über jeden Punkt, den ich mit Gustav Mauren besprochen hatte, ließ nichts aus. Nach etwa zwanzig Minuten war ich fertig und fragte Tenhagen, ob ich irgendetwas noch ausführlicher abhandeln sollte.

»Nein«, sagte er. »Das ist schon gut so. Wir lassen das Band abschreiben und Sie müssen dann das Protokoll unterzeichnen. Falls ich noch Fragen habe, kann ich Sie erreichen?«

»Immer«, sagte ich und gab ihm meine Karte.

Der Tag war nun sehr hell, die Sonne war grell im Osten erschienen, der Lorenz machte seinen morgendlichen Klimmzug, wie man im Ruhrgebiet sagt. Ich kam mir verloren vor, das Haus hinter mir wirkte bedrohlich, als habe der Mörder es noch nicht verlassen.

Ich hockte in meinem Auto, startete aber den Motor nicht. Ich dachte an diese Tochter, deren Leben nun wie abgeknickt schien. Und ich dachte an ihren Vater, dem jemand ein Messer in den Rücken gestoßen hatte.

Ein Film lief vor meinem Auge ab: Ich unterhalte mich mit Mauren über sein wirkliches Aufreger-Thema: Toni Burscheid. Ich bringe ihn dazu, sich in Rage zu reden, sich zu empören über die Ungerechtigkeiten dieser Welt, die düsteren Gewässer der lokalen Politik. Ich verschwinde wieder und lasse ihn zurück mit einem plötzlich aufgetauchten Ziel: Er fährt los, um jemanden zu treffen. Er kommt mit diesem Jemand zurück in sein Haus – und stirbt.

Dann fiel mir ein: Ich kenne nicht einmal die Marke seines Autos. Ich stieg wieder aus, suchte den jungen Tenhagen und fragte: »Was für ein Auto fuhr Mauren?«

Er musste nicht überlegen. »Einen Saab Cabrio, dunkelblau, ein edles Teil.« Er wandte den Kopf beiseite und fragte: »Ob es schon mal vorgekommen ist, dass jemand bei einem solchen Ereignis auf ewig den Kopf verloren hat?«

»Mit Sicherheit. Aber es gibt auch mit Sicherheit die Möglichkeit, der jungen Frau ein wenig zu helfen.«

»Ja«, nickte er, als habe er sich das längst vorgenommen.

Ich dachte: Er ist noch sehr jung. Man hat ihm beigebracht, persönliche Betroffenheit auszugrenzen, und jetzt muss er die Erfahrung machen, dass das nicht immer funktioniert.

»Ich habe noch eine Frage.« Mir war etwas eingefallen, was ich ganz unter den Tisch hatte fallen lassen. »Ich hörte von so etwas wie einer Bürgerwehr nach dem Motto ›Schützt unsere Kinder, die Polizei kann es nicht‹. Was ist mit der? Gibt's die noch?«

Tenhagens Mund wurde breit. »Diese Scheißmöchtegernpolitiker! Da gibt es einen Kaufmann, Josef Hövel, der hat einen Verein gegründet. *Mündige Bürger für Hildenstein* heißt der. Dieser Hövel will wohl partout eine Rolle spielen und hat auf so etwas wie den Mord an Annegret nur gewartet. Schon lange scharen sich um ihn noch ein paar andere Großmäuler. Jeden Tag sitzen die in einer Kneipe namens *Deutsche Eiche* und trinken auf Hövels Kosten. Hövel schwingt dabei so Reden wie: Wir werden irgendwann an der Macht sein, haltet euch bereit! Das ist so platt, das tut schon richtig weh. Aber solche Erscheinungen sind ja immer platt ... Jedenfalls ist Kischkewitz eingeschritten und hat der Stammtischrunde mit dem Oberstaatsanwalt gedroht, wenn sie mit ihrer Hetze nicht aufhören. Seitdem ist Ruhe, die so genannte Bürgerwehr war einmal. Allerdings werden sie wohl bei der nächsten Schweinerei wieder aus ihren Löchern kriechen.«

Ich nickte ihm zum Abschied zu. Ich war hundemüde und fuhr nach Hause, wollte nicht weiter nachdenken, weil ich den Verdacht hatte, das sei ohnehin bestenfalls verwirrend. Ich wollte nur noch unter die Decke des Schlafes kriechen.

Aber ich konnte nicht schlafen. Und erst jetzt fiel mir auf, dass Rainer Darscheid nicht mehr da war. Vielleicht hatte er sich von seiner Frau abholen lassen, vielleicht konnten sie nun miteinander reden. Das Bettzeug lag unbenutzt auf einem Sessel.

Irgendwann muss ich bei laufendem Fernseher mal wieder auf dem Sofa eingeschlafen sein. Als Clarissa sich über mich beugte und vorwurfsvoll »Väterchen! Väterchen!« sagte, war es zwölf Uhr mittags.

»Ich bin gekommen, weil ich neue Klamotten brauche. Ich habe eben mit Emma Tante Anni vom Krankenhaus abgeholt. Das ist ja vielleicht eine scharfe Type.«

»Wenn du ihr das sagst, freut sie sich. Gibt es sonst was Neues?«

»Nein, weiß ich nicht. Mir war gar nicht klar, dass die Eifel so voller ungewollter Leichen steckt. Das ist ja richtig cool. Ich mach dir jetzt ein Frühstück.«

»Das ist die beste Nachricht des Tages. Wie geht es dir denn?«

»Ich habe eben noch zu Matthias gesagt, dass München mir eigentlich zum Hals raushängt. Matthias ist ein Freund aus München. Und Mami weiß schon Bescheid, dass ich ein paar Tage länger bleibe.«

»Da wird sich die Eifel aber freuen. Ich muss duschen, ich stinke.« Ich rappelte mich hoch und wankte die Treppe hinauf ins Badezimmer. Dort rammte ich mir die Ecke meiner Badewanne ans Schienbein und war endgültig wach.

Als ich mich rasierte, kam mein Hund herein, freute sich über meinen Anblick und legte sich dann auf den Flausch vor der Wanne.

»Wir kommen nicht weiter«, erzählte ich ihm. »Wir haben die tote Annegret und nicht die Spur eines Mörders. Es gibt ein wenig Dreck in der Politik, aber auch das führt wohl nicht weiter. Dazu kommen ein Selbstmörder und ein weiteres Mordopfer, die ich beide irgendwie mochte. Jetzt stehen wir vor einer Wand ohne Tür.«

Mein Hund japste Zustimmung.

Unten waren zwei weibliche Stimmen zu hören, die sich lachend unterhielten und scheinbar mächtig Spaß hatten.

Clarissa hatte den Küchentisch gedeckt und Emma die Arbeitsplatte mit Lebensmitteln belegt.

»Du hattest nichts mehr im Eisschrank«, erklärte sie. Sie sah mich an und strich mir über die Stirn. »Kann es sein, dass du nicht weiterweißt?«

»Das stimmt. Wie geht es Vera?«

»Einigermaßen«, lautete die Antwort. »Nimm dir doch endlich mal Zeit für sie.«

»Die Eier sind fertig«, stellte Clarissa fest. »Komm, Väterchen, damit du groß und stark wirst.«

»Okay«, murmelte Emma. »Dann verschwinde ich wieder.«

Irgendetwas schien sie zu bedrücken, aber ich wollte nicht direkt fragen. Sie würde es mir sagen, wenn die Zeit reif war. »Grüß Rodenstock schön, er war die letzte Zeit etwas griesgrämig.«

»Ja«, nickte sie und marschierte hinaus.

»Vater frühstückt mit Tochter«, sagte ich händereibend. »Völlig neue Übung. Frühstückst du manchmal auch mit deiner Mutter?«

»Ja, aber nur selten. Wenn sie in Berlin wohnte, würde ich sie wahrscheinlich öfter sehen. Darf ich dich was fragen?«

»Aber ja, was immer du willst.«

»Was war, als du gesagt hast, du würdest mit dem Saufen aufhören. Wie hat die Familie reagiert?«

»Niemand hat mir geglaubt. Es war sogar noch viel extremer. Ich war schon vier oder fünf Jahre trocken, als ich einen Haschischring auf Ibiza auffliegen ließ. Davon berichtete ich meinem Bruder. Er rief daraufhin unseren Vater an und sagte: Der Siggi säuft wieder. Als die Geschichte dann gedruckt erschien, war es zu spät. Denn mein Vater glaubte tatsächlich, ich saufe wieder. Wie auch alle anderen im Umkreis. Doch kein Mensch hat mich angerufen und sich bei mir direkt erkundigt. Trocken hätte ich wahrscheinlich nicht in ihr Bild gepasst, das war unbequem. Besoffen war ich entschieden bequemer, weil keiner seine Einstellung zu mir überprüfen musste. Auch deshalb bin ich geflüchtet. Die meisten Süchtigen müssen diese Erfahrung machen.«

Sie brach sich ein Stück Brot ab und knabberte daran. »Und hast du nicht manchmal Lust, wieder mit dem Trinken anzufangen?«

Ich lachte. »O ja, an heißen Sommertagen, wenn alle in einem Biergarten hocken und ein Pils zischen, bin ich richtig neidisch. Glaub aber nun ja nicht an den trockenen Alkoholiker, der seine Familie um Entschuldigung bittet. So einer bin ich nicht. Im Gegenteil, ich habe Familie gründlich satt, ich habe die Schnauze voll.«

»So ganz versteh ich die Reaktion der Familie ja nicht. Ich meine, die müssen doch erlebt haben, dass du dich verändert hast.«

»Natürlich. Aber die Vorurteile waren stärker. Ein Beispiel: Sechs oder sieben Jahre nach meinem Trockenwerden besuchte ich meinen Vater. Wir wollten spazieren gehen und er wollte sich seinen Mantel aus dem Schrank holen. Konnte er aber nicht so einfach, denn dieser Schrank war abgeschlossen. Der Schrank war deshalb abgeschlossen, weil da drin sämtliche Alkoholika standen, die im Haus vorhanden waren ... Wehgetan hat vor allem, dass niemand mit mir darüber redete. So kam es zu dem, was ich als Schnauze-voll-Gefühl bezeichne. Irgendein kluger Mensch hat einmal gesagt: Wo steht geschrieben, dass du deine Familie lieben und ehren musst?«

»Und jetzt sind Rodenstock und Emma, Anni und Vera deine Familie?«

»So ist es und ich liebe sie.«

»Was wäre passiert, wenn ich nicht gekommen wäre?«

»Nichts, Mädchen, absolut nichts. Du warst immer eine Verwundung auf meiner Seele, etwas, was nicht wirklich heilte. Aber passiert wäre nichts, denn ich sage mir: Wer etwas mit mir zu tun haben will, muss aus eigenem Antrieb kommen. Ich weine auch deiner Mutter nicht nach, obwohl wir gute Jahre hatten. Das ist Teil meines Lebens, aber es ist vorbei.«

»Warum hast du sie eigentlich betrogen?«

»War es wirklich Betrug? Es gab Frauen, die mir ansahen, wie beschissen es mir ging. Die waren dann einfach da und ich teilte mit ihnen Bett und Tisch.«

»Darüber habt Mami und du auch nie gesprochen?«

»Stimmt.«

»Aber warum nicht?«

»Gegenfrage: Wem hätte das genutzt? Verlassen hätte sie mich in jedem Fall. Außerdem hätte sie es postwendend verdrängt. Deine Mutter war allzeit eine großartige Verdrängerin. Ich erinnere dich an ihre Migräne.«

»Aber so schlimm litt sie doch gar nicht darunter.«

Ich starrte Clarissa verblüfft an und wusste in der gleichen Sekunde, was da abgelaufen war. »Hat sie gesagt, dass die Migräne nicht so schlimm war?«

»Ja, klar.« Ihre Augen waren ganz schmal geworden, weil sie wahrscheinlich ahnte, dass es jetzt knüppeldick kommen würde.

»Clarissa, wir nähern uns einem gefährlichen Punkt. Und ich denke, es ist an der Zeit, Schluss zu machen. Sonst schreist du mich an, ich schreie dich an. Und dann willst du zurück nach München.«

»Ich schreie nicht«, sagte sie gelassen. »Und ich haue auch nicht so einfach ab. Was war mit der Migräne von Mami?«

»Sie war tablettensüchtig. Wahrscheinlich war sie jahrelang viel süchtiger als dein Vater, der als Alki verschrien war. Wir sind tatsächlich beide untergegangen.«

»Tablettensüchtig?«

»Ja. Ein starkes, hochbrisantes Kopfschmerzmittel, das es nur auf Rezept gab. Deine Mutter brauchte dieses Mittel, wenn sie ihre Migräne bekämpfen wollte. Ich kannte im

Süden Münchens einen Apotheker, der mir gegen Bares alles verscheuerte, was immer ich haben wollte. Wir wohnten damals außerhalb der Stadt, gut sechzig Kilometer entfernt. Weißt du das nicht mehr – immer wenn ich zu diesem Apotheker fuhr, wolltest du unbedingt mitfahren. Und wir kamen nach Hause wie Sieger, denn Mami bekam ihre Pillen. Doch irgendwann habe ich begriffen, wie tief deine Mutter in der Sucht hing, und zwei Entschlüsse gefasst. Der eine war, mich von euch zu trennen, der zweite war, mich zu töten. Aber bekanntlich kam alles anders.«

»Du hast aufgehört zu trinken«, stellte sie fest. »Und dann bist du hierher in die Eifel gegangen.«

»Du bemühst einen Zeitraffer. Aber so ungefähr war das.«

»Auch ich habe dir nicht geglaubt, dass du nicht mehr trinkst«, sagte sie leise.

»Ich weiß. Aber mach dir keine Vorwürfe.«

Sie starrte aus dem Fenster und knabberte noch immer an ihrem Brotstück. »Und du gehst nicht hin und rufst Mami an, wenn du mal in München bist?«

»Nein. Ich habe keine Veranlassung, das zu tun, kein Gefühl, das dafür spricht.«

»Wie ist denn dein Gefühl zu mir?«

»Du bist meine Tochter, du siehst verdammt gut aus, ich bin stolz auf dich und lerne dich langsam kennen. Und ich habe nicht die Spur von schlechtem Gewissen.«

»Du bist ziemlich hart«, murmelte sie.

»So wird man.«

Nach einer Weile meinte sie: »Wir beide haben kaum gemeinsame Erinnerungen.«

»Das ist wahr. Aber das können wir ab jetzt ändern. Wann immer dir etwas unklar ist, frag mich einfach. Und jetzt brauche ich dringend eine Pause.«

Ich stand auf und ging hinaus. Das Thema hatte mich schlimmer gepackt, als ich es wahrhaben wollte. Ich spazierte zu meinem Plastikstuhl am Teich, setzte mich und betrachtete meine Fische, die gänzlich ungerührt vom Lärm der Menschen ihre Kreise zogen und mit Sicherheit nicht nach Schuld und Sühne fragten. Ich sehnte mich plötzlich nach Vera. Es wäre gut gewesen, sie hier zu haben und mit ihr über mein unbekanntes Leben sprechen zu können.

Eine Feuerschwanzlibelle setzte sich neben mir auf die Rispe des Wilden Reises, wippte auf und nieder, flog dann weiter. Satchmo kam heran, maunzte und sprang auf meinen Schoß.

»Manchmal ist ein Vorleben verdammt schwer. Es wäre schön, wenn ich es für immer in eine Schublade stecken könnte«, sagte ich.

Die jungen Amseln unter meinem Dach unternahmen aufgeregt Flugversuche. Mama saß hoch oben in der Birke und forderte sie auf, gefälligst die Flügel auszubreiten.

Ich rief Rodenstock an und fragte, ob er bereit sei, gemeinsam mit mir den Fall Annegret zu analysieren. Er antwortete, das sei eine gute Idee.

Clarissa stand in der Küche und wollte das kaum benutzte Geschirr abspülen. Sie sagte: »Ich werde gleich Tante Anni besuchen.«

»Grüß sie schön und sage, ich käme demnächst auch vorbei.«

Dann fuhr ich rüber nach Heyroth und Cisco starrte beleidigt hinter mir her, gänzlich fassungslos, dass ich Schweinehund schon wieder ohne ihn davonbrauste.

Rodenstock saß mit Emma auf der Bank vor dem Haus und merkwürdigerweise tranken sie Sekt.

»Hat jemand Geburtstag?«

»Nein, uns war einfach danach«, sagte Emma.

»Was ich wichtig finde«, begann Rodenstock unvermittelt, »ist die Einstellung der Kinder zum Schulweg. Er ist sehr schnell zu einer Selbstverständlichkeit geworden, auf die sie nicht mehr achteten. Ob also Annegret über die Straße nach Hause ging oder den Weg über die Hinterhöfe der Altstadt wählte, interessierte nicht.«

»Richtig«, sagte ich. »Und weil Annegret ja zu Hause ankam, aufschloss, die Schultasche im Haus ließ und wieder ging, ist ihr Weg nach Hause wurscht.«

Eine Weile herrschte Nachdenken.

»Das ist falsch«, stellte Emma dann fest. »Das Mädchen muss einen Grund gehabt haben, nach Hause zu gehen und postwendend wieder zu verschwinden. Auf dieser Straße durch die Siedlung hätte sie möglicherweise ganz andere Leute getroffen als auf dem Weg über die Hinterhöfe. Es ist also von immenser Wichtigkeit, welchen Weg sie nahm.«

»Aber die Mutter hockte bei einer Freundin in der gleichen Straße. Das heißt, sie hätte ihre Tochter vorbeilaufen sehen müssen. Das hat sie aber nicht.« Rodenstock probierte den Sekt und verzog leicht angewidert den Mund.

»Einspruch«, sagte ich. »Die Mutter hat gleich mehrfach gelogen. Ich glaube der Frau nichts mehr. Annegret kann durchaus an dem Haus vorbeigekommen sein, ohne dass die Mutter das mitkriegte. Weil die Mutter mit der Freundin über irgendein spannendes Thema sprach und nicht auf die Straße achtete. Hast du dir das mal angeguckt? Den Weg zwischen den Häusern hindurch?«

»Klar«, nickte Rodenstock. »Wie ich schon sagte, typische Eifler Verhältnisse, die Folge verheerender Erbgeschichten. Die Grundstücke wurden geteilt, geviertelt, geachtelt. Die Stadtverwaltung hat stets darauf geachtet, dass uralte Wegerechte und Zugänge von hinten auf die Grundstücke erhalten geblieben sind. Alteingesessene betreiben auf handtuchgroßen Grundstücken kleine Gemüsegärten. Dazwischen gibt es einen zehn Meter breiten Streifen, der seit Jahren brachliegt und von undurchdringlichem Dschungel bewachsen ist. Dann führt ein ordentlicher Weg am Grundstück entlang, der so aussieht, als würde er regelmäßig befahren. Warum? Weil jemand auf die Idee gekommen ist, da hinten einen Wohnwagen abzustellen. Das sind völlig verrückte Zustände. Eins ist wichtig: Du hast auf diesen Parzellen die Wahl zwischen mindestens drei oder vier verschiedenen Wegen. Und: Ein Erwachsener ist da kaum zu finden, für die Kinder ist das ein Paradies.«

»Von welcher Annahme gehen wir also aus?«, fragte Emma kühl.

»Von der, dass Annegret zwischen den Häusern nach Hause lief«, sagte ich.

»Einverstanden«, stimmte Rodenstock zu. »Dann gibt es da Kevin Schmitz, Anke Klausen und Bernard Paulus. Diese drei Kinder trennten sich von Annegret unmittelbar an dem Punkt, an dem sie die Bundesstraße überquerte und die Wahl hatte, über die Straße Am Blindert oder über die Hinterhöfe weiterzulaufen. Welchen Weg Annegret genommen hat, wissen sie nicht. Kevin Schmitz geht nach Hause, Anke Klausen geht nach Hause, Bernard Paulus geht nach Hause. Anke und Annegret sind um fünf Uhr am Nachmittag miteinander verabredet. Zu diesem Treffen kommt es nicht mehr, weil schon die fieberhafte Suche nach dem Mädchen beginnt. Wir wissen, dass zwei Mütter gelogen haben. Griseldis Schmitz sagt, ihr Sohn sei pünktlich um 12.45 Uhr zu Hause gewesen. Das kann stimmen, das wissen wir aber nicht, denn die Mutter traf einen Liebhaber im Stadtwald ...«

»Moment mal«, unterbrach Emma. »Darf ich erfahren, wie dieses Treffen mit dem Liebhaber aussah? Die Frau ist schließlich über vierzig, da haut man sich doch nicht mehr mit einer Decke in die Sonne.«

Rodenstock grinste. »Ganz richtig, fiel mir auch auf. Ich habe mir das angesehen. Mitten im Stadtwald gibt es ein privates Grundstück. Es gehört der Familie Schmitz. Darauf steht ein altes Blockhaus. Und hinter dem Blockhaus ist ein paradiesischer Platz. Dort sind Goldulmen gesetzt worden. Der Platz ist nicht einsehbar, das ganze Grundstück von einem hohen, fast neuen Zaun umgeben.«

»Moment«, sagte ich schnell. »Meine Information lautet aber: Annegrets Vater hat die beiden gesehen.«

»Richtig«, nickte Rodenstock. »Rainer Darscheid hat Fichten vermessen. Tatsächlich befand er sich dazu an einer Stelle im Wald, von der aus er den Platz einsehen konnte. Ein Unkundiger würde diese Stelle niemals finden. Das haben wir überprüft, die Aussage ist glaubwürdig.«

»Gut«, sagte Emma zögernd, »und wer ist dieser Liebhaber?«

»Ein Pole«, antwortete Rodenstock. »Er gehört zu einer Gruppe von vier Männern, die jedes Jahr nach Hildenstein kommen, um Gärten in Schuss zu halten. Sie arbeiten schwarz, haben ein Touristenvisum. Sie sind gut und schnell.«

»Was hat der Pole geantwortet, als man ihn fragte, wann das fröhliche Treffen mit Griseldis Schmitz zu Ende ging?«, fragte Emma.

»Gegen Viertel vor drei«, sagte Rodenstock. »Das heißt, dass Kevin Schmitz etwa zwei volle Stunden unkontrolliert verbrachte. Was er über diese Stunden aussagte, klingt überzeugend. Er ist nach Hause gekommen, hat in seinem Zimmer Musik gehört, ein Computerspiel gespielt, sich aus der Küche einen Muffin und einen Apfel geholt. Und er hat angeblich nicht mitkriegt, wann seine Mutter nach Hause gekommen ist.«

»Was ist das für ein Junge?«, fragte ich.

»Zurückhaltend, mit einer gewaltigen Angst vor dem Vater. Der Vater ist ein Bilderbuchmacho.«

»Was ist, Rodenstock? Kann Kevin Schmitz der Mörder sein?«

»Unvorstellbar«, antwortete er. »Der Knabe pubertiert, ist ohnehin sehr scheu, wird dauernd verlegen. Und er hat an keiner seiner Schilderungen auch nur den Hauch eines Zweifels gelassen. Alles, was er sagt, wirkt schon deswegen unbedingt ehrlich, weil er anders nicht kann.«

»Das sieht düster aus. Hier in der Gegend gibt es Spezialkliniken für Suchtkranke«, wandte Emma ein. »Ist da jemand verschwunden?«

»Das wurde als Erstes geprüft«, sagte Rodenstock. »Da fehlt niemand.«

»Also haben wir nichts«, fasste Emma zusammen. »In der Mittagszeit wird Annegret, dreihundert Meter vom Elternhaus entfernt, mit einem Stein erschlagen. Sie wird mit Laub und alten Zweigen bedeckt. Am dritten Tag danach, am Sonntag, findet sie ein Spaziergänger. Das ist alles.«

»Wie sehen die Untersuchungen der DNA-Proben aus?«, fragte ich.

»Nicht der geringste Hinweis bis heute. Ein paar stehen aber noch aus, das Landeskriminalamt in Mainz schiebt Überstunden.«

»Und was ist mit diesem Toni Burscheid?«, fragte Emma. »Kann er die Tat begangen haben, ja oder nein?«

»Theoretisch kann er«, nickte ich. »Ihm fehlen zwei Stunden bei seinem Alibi.«

»Er war es nicht«, widersprach Rodenstock. »Die DNA stimmt nicht mit der am Tatort gefundenen überein.«

»Zwei Täter?«, fragte Emma schnell und hart. »Zwei oder mehr?«

»Sehr unwahrscheinlich«, antwortete Rodenstock. »Dr. Benecke hat die meisten menschlichen Bewegungen, die am Tatort stattfanden, rekonstruieren können. Danach kann man kaum von zwei Tätern ausgehen, von drei schon gar nicht.«

Wieder Stille. Im Westen zogen tiefschwarze Wolken heran, offensichtlich war der Wettergott entschlossen, dieses Jahr den Sommer ausfallen zu lassen.

»Wo ist Vera?«, fragte ich.

»Sitzt an meinem Computer und schreibt Briefe«, sagte Emma lächelnd. »Sie räumt mit ihrer Mainz-Phase auf.«

»Kommen wir zur lokalen Politik«, seufzte Rodenstock. »Gibt es eine Verbindung zwischen dem Tod Annegrets und dem Verlauf oder irgendwelchen Besonderheiten lokaler Politik?«

»Die gibt es«, sagte ich. »Aber es ist eine indirekte Verbindung und sie besteht nur in der Verwandtschaft der Familie Darscheid mit Toni Burscheid. In diesem Zusammenhang müssen wir uns auch mit dem Mord an Mauren befassen. Mauren war eng und freundschaftlich mit Toni Burscheid verbunden. Seit Jahren. Es ist gut möglich, dass sich Mauren nach dem Gespräch mit mir mit jemand anderem getroffen hat. Er fuhr mit unbekanntem Ziel von zu Hause weg und wurde mitten in der Nacht von seiner Tochter in der Küche gefunden. Mit einem Messer von hinten erstochen. Aber eine Verbindung zu dem Mord an Annegret ist auch hier nicht feststellbar. Wir sind wieder am Ende einer Einbahnstraße.«

»Wir müssen herausfinden, wen Gustav Mauren getroffen hat, nachdem du dich von ihm getrennt hast«, sagte Rodenstock.

»Das wird schwierig werden. Kein Mensch, der Kontakt zu Mauren hatte, wird sich freiwillig melden. Selbst wenn der Kontakt noch so harmlos gewesen sein mag. Kischkewitz hat doch bestimmt inzwischen sowohl den Schmitz als auch seinen Maschinenmeister Retterath befragt. Was ist dabei rausgekommen?«

Rodenstock zuckte mit den Achseln. »Beide behaupten, sie hätten im Bett gelegen. Das kann man glauben oder nicht.«

Ein scharfer, kühler Wind kam auf. Emma sagte: »Wir sollten umziehen.« Wir räumten den Tisch leer und verzogen uns ins Haus, wenig später regnete es, der Himmel hatte sich in ein graues Meer verwandelt.

»Hat jemand eine Idee zu einem neuen Denkansatz?«, fragte Rodenstock muffig, nachdem wir uns am Esstisch breit gemacht hatten.

»Ich werde versuchen, die Alibilücke bei Toni Burscheid zu schließen. Ich kannte ihn nicht, aber ich bin es ihm schuldig.«

»Das bringt doch nichts«, widersprach Rodenstock heftig. »Das ist vertane Zeit. Ich freue mich über deine Arbeitswut, aber dann solltest du dir ein besseres Ziel aussuchen.«

»Ich habe kein besseres Ziel«, sagte ich wütend. »Weißt du eins?«

»Na ja, Baumeister ist ein netter Kerl und wieder auf der Erde gelandet«, beschwichtigte Emma. »Nehmen wir an, du schließt die Zeitlücke. Und dann?«

»Dann will ich herausfinden, wo Gustav Mauren seinen Mörder getroffen hat. Alles immer schön der Reihe nach.«

Vera kam herein, lächelte, ging auf mich zu und küsste mich auf das kahler werdende Plateau auf meinem Kopf. »Das ist aber schön, dich zu sehen.«

»Ich habe ein schlechtes Gewissen«, murmelte ich.

»Musst du nicht. Ich habe so viele schlechte Gefühle zu verarbeiten, dass ich ohne Unterbrechung noch vierzehn Tage damit zu tun habe. Geht es besser mit Clarissa?«

»Na ja, wir hatten ein Gespräch. Ich fand es nicht besonders toll. Sie muss begreifen, dass meine Erinnerungen anders aussehen als die ihrer Mutter.«

»Bist du verbiestert?«, fragte Emma sachlich.

»Nein, keineswegs. Ich habe diese schlimme Periode abgehakt. Natürlich kann Clarissa mir da nicht folgen. Mein Vorsprung ist zu groß. Das, was ich mir übel nehme, ist meine Wortlosigkeit euch gegenüber. Das war ausgesprochen dämlich.«

»Erste Anzeichen von innerer Einkehr«, grinste Rodenstock. »Noch ein Stückchen und du wirst heilig gesprochen.«

»Also, ich fahre, ich muss was tun.«

Emma bekam einen Kuss auf die Backe, Vera bekam einen Kuss auf die Backe und zu Rodenstock sagte ich: »Wiedersehen, du alter Mümmelgreis.«

Er lachte entzückt.

In der Tür drehte ich mich nochmal um. »Mir fehlen noch Fakten. Toni Burscheid war am Donnerstag, dem Mordtag, auf dem Nürburgring. Was hat er denn für Uhrzeiten angegeben?«

»Er hat gesagt, er sei ab 12.15 Uhr unterwegs gewesen und gegen 12.50 Uhr angekommen, hätte dann zwei Stunden irgendwelche Verhandlungen geführt. Das wurde überprüft und heraus kam: Er war erst um 14.30 Uhr am Nürburgring.« Rodenstock breitete die Arme aus, als wollte er mich segnen. »Mach was damit.«

Ich fuhr gemächlich, ich hatte keinen Grund, besonders schnell zu sein, denn ich hatte mich um zwei Tote zu kümmern. Tote weichen nicht aus und sie flüchten auch nicht.

Mein Ziel war Toni Burscheids Haus, denn ich erinnerte mich an die Nachbarin, die den Toten gefunden und sofort einen Fernsehsender angerufen hatte.

Nichts schien mir im Moment angenehmer als eine klatschsüchtige Frau, die ordentlich vom Leder zog. Ich schellte, laut Schild hieß sie Mathilde Klemes.

»Guten Tag, mein Name ist Siggi Baumeister. Ich bin Journalist. Kann ich Sie einen Augenblick sprechen?«

»Aber gerne doch.« Sie war klein, pummelig und grauhaarig. Sie ging voran in ein Wohnzimmer, das im Halbdunkel lag.

Die Eifler haben eine Unsitte zur Höchstform entwickelt: Um die Möbel in der gute Stube zu schonen, lassen sie die Rollos halb herunter. Aber für ein Gespräch ist es dort dann entschieden zu schummrig. In der Regel ist es darüber hinaus auch zu kalt, einen Hauch feucht und garantiert sehr, sehr muffig. Man kann so einen Raum nicht betreten, ohne an eine Friedhofskapelle zu denken.

Trotzdem wollte ich sie davon abhalten, das Schiff klarzumachen, ich sagte: »Lassen Sie nur. So lange dauert es nicht. Ich will nur wissen, mit wem der Toni so geredet hat, wenn es um die Gemeinde ging.«

»Da gibt es mehrere Möglichkeiten«, antwortete sie schnell. »Aber da müsste ich telefonieren, das dauert eine Weile.«

»Nein, Telefonate sind nicht nötig. Ich stelle mir vor, dass er sich schon mal mit jemandem ausgetauscht hat, wenn es um Gemeindeprobleme ging, vielleicht mit älteren Gemeindemitgliedern. Und ich will nur wissen, ob das stimmt und wer von diesen Männern besonders infrage kommt.«

»Ja, dann wohl der Alois. Alois Scherer heißt der. Der alte Ortsbürgermeister. Tja, den kann ich ja mal schnell anklingeln, dann wissen wir es. Ist sowieso nur sechs Häuser weiter. Ich kann natürlich auch mitfahren, weil dann haben Sie es einfacher. Och, jeh, der arme Toni. So jung zu sterben ist ja nicht das Wahre. Ich fahre eben mit. Ich arbeite gern für die Presse.«

»Das ist mir bekannt. Aber ich zahle keine Honorare für Auskünfte, die mir jeder gratis geben kann.«

Ich gebe es zu: Es war mir ein inniges Vergnügen, die Verlegenheitsröte in ihr Gesicht steigen zu sehen. Das ist die Rache des Mittelstandsbürgers.

Ich fuhr also sechs Häuser weiter, zu einem alten, kleinen Bauernhof. Der Trecker stand genau vor der Eingangstür.

Eine Frau saß auf einem alten Küchenstuhl und schälte Kartoffeln. Sie war etwa siebzig Jahre alt, hatte einen krummen Rücken von der vielen Arbeit, aber sie lächelte mich an und sagte munter: »Heute Abend kommen die Kinder, es gibt Reibekuchen. Die mache ich immer von Hand.«

»Ihr Mann ist der alte Ortsbürgermeister, nicht wahr?«

»Das stimmt. Aber er ist auf dem Feld, er muss gleich kommen. Und Sie sind sicher von der Presse.«

»Ja, bin ich. Und ich will herausfinden, warum Toni Burscheid so schlecht behandelt worden ist.«

Sie blickte hoch zu mir, hörte einen Augenblick lang mit dem Schälen auf. »Da sagen Sie was. Traurige Geschichte ist das. Toni und mein Mann haben sich immer gut verstanden. Mein Mann wollte nicht mehr Bürgermeister sein. Ich bin zu alt, hat er gesagt. Da hat sich der Toni bereit erklärt. Und nun schreibt die Presse, er sei ein ... na ja, ein komischer Charakter gewesen. Das war er nicht, sage ich. Aber kein Mensch hört einem zu, wenn die anderen so laut schreien. Toni hat das nicht verdient.«

»Toni war am Donnerstag auf dem Nürburgring und mich interessiert, ob er vorher bei Ihrem Mann war, Frau Scherer.«

»Ja. So ab elf. Er wollte mit meinem Mann über den Altenausflug reden und dann gleich weiter zum Nürburgring, um das festzumachen. Jedes Jahr einmal fahren wir zum Nürburgring. Da kriegen wir was geboten, Kaffee und Kuchen und einen Vortrag, was da so alles los ist. Und das hat Toni mit meinem Mann besprochen. Er hat sogar mit uns gegessen. Ich habe gesagt, wo es für zwei reicht, reicht es auch für drei.«

»Mehr wollte ich gar nicht wissen. Vielen Dank.«

»Wenn's mehr nicht ist«, lächelte sie.

Weiter nach Wiesbaum. Ich hatte eine Idee, die noch nicht ausgegoren war. Aber ich wollte es zumindest versuchen. Obwohl ich wusste, dass ich mich auf gefährliches Terrain begab.

Ich bilde mir ein, dass man einem Haus ansieht, wenn es Trauer trägt. Dieses Haus war ein düsterer Klotz. Ich dachte an Maurens Tochter, die so erschreckend geschrien hatte, ich dachte an ihn und seine immense Wut. Es standen sehr viele Autos auf dem Grundstück, aus Köln, Aachen und aus Mönchengladbach.

Ich klopfte an die Tür, und als niemand reagierte, öffnete ich mir einfach selbst, blieb im Flur stehen und rief laut: »Hallo!«

Leichte Schritte kamen die Treppe herunter. Es war die Tochter, eine schmale Gestalt in Schwarz.

»Erinnern Sie sich an mich?«

»Ja, natürlich.«

»Haben Sie eine Ahnung, wohin Ihr Vater gefahren sein könnte, nachdem ich ihn gestern verlassen habe?«

»Nein. Meine Mutter weiß es auch nicht. Ich weiß nur, er war schrecklich wütend.«

»Ist es möglich, dass er nach Hildenstein wollte, zu dieser Unternehmerfamilie Schmitz?«

»Vielleicht. Aber angeblich hat doch dieser Schmitz gesagt, mein Vater sei nicht dort gewesen. Genauso wie dieser Retterath. Auch er hat behauptet, meinen Vater nicht gesehen zu haben.«

»Ihr Vater hat mir erzählt, dass Retterath sich kurz nach dem Kinderfest auf Burscheids Wiese einen BMW angeschafft hat. Wissen Sie zufällig, wo Retterath diesen Wagen gekauft hat?«

»Ich glaube, mein Vater sagte, bei einem Händler in Mayen. Aber nicht bei einem BMW-Händler. Es muss ein Gebrauchtwagenhändler gewesen sein.« Ihr Kopf flog hoch und sie sagte wütend: »Aber das alles ist doch jetzt scheißegal, oder? Jetzt sind sie beide tot.«

»Das kann man so sehen«, sagte ich. »Aber ich bin daran interessiert, die Wahrheit herauszufinden. Sie sind in der Nacht spazieren gewesen. Ist Ihnen kein fremder Pkw aufgefallen?«

»Mir wäre nichts aufgefallen«, sagte sie. »Nicht einmal ein Bus.«

»Glauben Sie, dass mir Ihre Mutter den Saab Ihres Vaters ausleihen würde?«

»Was soll das nützen?«

»Ich weiß nicht genau, das ist nur so eine Idee. Ich würde damit bei Schmitz vorfahren und anschließend bei Retterath. Ich möchte das tun, was man Bäumchen schütteln nennt. Mal sehen, was passiert.«

»Ach so. Ja, ich kann Ihnen den Wagen geben. Kein Problem. Er steht nebenan in der Scheune.«

»Ich stelle meinen rein und bringe den Saab so schnell wie möglich zurück.«

Sie nickte und ging den langen Flur entlang, wahrscheinlich um den Schlüssel zu holen. Nach einigen Augenblicken kam sie wieder.

»Ich habe nur meiner Mutter Bescheid gegeben. Kommen Sie.«

»Sagen Sie mal, Toni Burscheid hat behauptet, der Vulkanasche-Schmitz habe ihm zwanzigtausend Euro in bar angeboten. Wissen Sie davon?«

»Das weiß ich sogar sicher. Ich habe Toni an dem Tag besucht und stand in der Waschküche, weil ich seine Gardinen waschen wollte. Währenddessen redete er mit Schmitz im Wohnzimmer. Waschküche und Wohnzimmer teilen sich eine Wand. Ich hörte, wie Schmitz sagte: Das fällt für dich ab, wenn du das Projekt mitträgst. Toni sagte: Ich nehme kein Geld, mein Freund, ich bin nicht bestechlich. Als Schmitz weg war, sagte Toni zu mir: Davon hätten wir beide zwei Monate in der Karibik leben können. Wir haben gelacht.«

»Wusste Ihr Vater, dass Sie eine Ohrenzeugin sind?«

Sie blieb abrupt vor der Scheunentür stehen und drehte sich zu mir um. »Nein, ich glaube nicht, dass er ... dass er gewusst hat, dass ich das alles mitgehört habe. Ach, du lieber Gott. Jetzt bin ich eine Zeugin. Das wollen Sie damit sagen.«

»Ja, das sind Sie. Tun Sie sich einen Gefallen: Halten Sie

den Mund und erwähnen Sie das niemandem gegenüber, nicht einmal Ihrer besten Freundin.«

Sie ließ das Scheunentor weit aufschwingen, es knallte gegen die Wand.

Ich setzte den Saab raus, fuhr meinen Wagen rein und gab ihr den Schlüssel. »Ich werde mich beeilen. Aber was mache ich, wenn es spät wird?«

»Kein Problem. Hier wird im Moment nicht geschlafen.«

Nun hatte ich eine Wahl zu treffen: Retterath? Schmitz? Oder der Gebrauchtwagenhändler in Mayen? Ich entschied mich für den, der wahrscheinlich die härteste Nuss sein würde: Schmitz, Vorname Herbert, der Mann, der mit einer besonderen Eifel-Erde handelte.

Der Saab schnurrte, benahm sich in den Kurven sauber, machte keine Zicken und hatte eine äußerst elegante und aufwändige Inneneinrichtung. Tief in das sauteure Leder gepresst, hatte ich die Werbung im Ohr, dass dies das Fluchtauto für ganz besondere Typen war. Die Frage, ob ich dem Typ entsprach, war müßig, denn der Typ besaß für so einen Spaß nicht genügend Geld. Es sei denn, man hätte sich auf zweihundert Ratenzahlungen einigen können und darauf, dass man die erste erst am fünfundsiebzigsten Geburtstag leistet. Angesichts der hart gebeutelten Wirtschaft vielleicht nichts Unmögliches.

In einer Spitzkehre knapp hinter der Eisenbahnüberführung geriet der Wagen ins Rutschen, ich brachte aber dank tausend elektronischer Hilfen die Sache wieder ins Lot. Aber: Ich hatte mich erschrocken und rollte deshalb vorsichtig auf einen kleinen Parkplatz unter hoch aufragenden Weißtannen.

Wie geht man einen Mann wie diesen Schmitz an? Und vor allem: mit welchen Fakten? Ich hatte keine.

Auf der Rückbank lag ein Aktenordner. Ich griff ihn und blätterte darin. Es waren Angebote und Kaufverträge, deren

Inhalt ich nicht verstand. Auf den Papieren wimmelte es von Typennummern und Spezifikationen. Ich warf den Ordner zurück. Dann untersuchte ich das, was im Handschuhfach lag: Papierschnipsel mit so sinnigen Notizen wie *zwei Pakete Rollenbutter* und *1 kg Haferflocken, dunkel.* Einkaufszettel. Ich griff noch einmal in das Handschuhfach und zog etwas heraus, was mir Sorgen bereitete. Es war ein Colt, 38er, special. Und er war geladen. Eine kleine, feine Waffe amerikanischer Herkunft mit sechs schimmernden Patronen in der Trommel.

Ich war verblüfft, weil Gustav Mauren für mich kein Mensch gewesen war, der Auseinandersetzungen mit Waffen zu führen pflegte. Im Gegenteil hätte ich eher vermutet, dass er Waffen grundsätzlich ablehnte.

Ich rief Rodenstock an und erzählte ihm von dem Colt.

»Das ändert einiges«, meinte er. »Ich kläre, ob er einen Waffenschein besaß und die Waffe angemeldet war. Du hörst von mir.«

Eine Weile dachte ich noch über meinen Fund nach und rief schließlich bei Mauren zu Hause an. Diesmal klang die Frauenstimme fremd.

»Ich bin Siggi Baumeister, ich habe mir vorhin den Wagen Ihres Mannes geborgt.«

»Ja, meine Tochter hat mir Bescheid gesagt.«

»Besaß Ihr Mann einen Waffenschein?«

»Einen Waffenschein?«, fragte sie erstaunt. »Weshalb denn das?«

»Das reicht mir schon als Antwort. Ich danke Ihnen.«

Ich wollte starten und weiterfahren, als ich entdeckte, dass man die rechte Armlehne aufklappen konnte. Darin lagen eine kleine Schachtel Al Capone Zigarillos, Streichhölzer und ein weiterer zusammengefalteter Zettel – eine DIN-A4-Seite unliniertes Papier. Darauf stand in einer eigenwilligen Handschrift:

Toni 20.000,– nicht beweisbar. k. Z.
Retterath k. BMW für € 28.750,– Mayen, b. S., bar (?)
Retterath b. Urlaub f. 3 Pers. Karibik € 7.800,– bar (!) k. B.
Retteraths F. Küche f. € 18.700,– bar (!) k. B.
Retteraths B.: L. Gewinn! n. b.
H. S. z. für Kh. Grotian Kto.-Überz. von € 26.800,– n. b.

»Mauren«, rief ich laut und begeistert, »das ist ein echter Hammer! Du hast richtig gut vorgearbeitet!«

SECHSTES KAPITEL

Da ich den Baumeister ziemlich gut kenne, weiß ich, dass röhrende Begeisterung bei ihm mit größter Vorsicht zu genießen ist. Es schien so, als habe Gustav Mauren eine unglaubliche Kette entdeckt, so etwas wie Eifel-Filz in Reinkultur. Aber die Abkürzungen machten mir zu schaffen.

k. Z. in der ersten Zeile hieß sicherlich keine Zeugen. Und bei dieser ersten Zeile schon hatte Gustav Mauren sich geirrt. Es gab eine Zeugin: seine Tochter.

In der zweiten Zeile stand am Ende *bar* mit Fragezeichen. Also war das etwas Unbewiesenes.

Die dritte Zeile erschien mir klar. *Retteraths F.* in der vierten Zeile konnte nur Retteraths Frau sein. Aber offensichtlich hatte Mauren keinen Beweis für die Zahlungen, und das war schlecht.

Was *Retteraths B.* war, konnte ich nicht zusammenreimen. Und war ein *L. Gewinn* ein Lotto-Gewinn? War Mauren zur Bank gegangen, hatte gefragt und die hatte die Auskunft gegeben, Retterath habe im Lotto gewonnen? Und *n. b.* am Schluss dieser fünften Zeile hieß das nicht bekannt oder nicht bewiesen?

Die sechste Zeile: *H. S.* konnte Herbert Schmitz heißen,

musste aber nicht. z konnte zahlt bedeuten, aber auch zum oder zur. Stand *Kh. Grotian* für Karlheinz Grotian? Aber wer war Grotian? War das eine Firma, eine Privatperson?

Die Summe der Gelder lag knapp über hunderttausend Euro und das Verblüffende daran war, dass irgendjemand Gustav Mauren diese Zahlen genannt haben musste. Willkürlich eingesetzte Summen waren das auf keinen Fall, also woher kannte Mauren die Zahlen? Er musste sie schon vor unserem Gespräch recherchiert haben. Es war ganz unwahrscheinlich, dass er all die Zahlen im Laufe seines absolut letzten Ausflugs gesammelt hatte. Oder hatte er jemanden zum Sprechen gebracht, der über all das Bescheid wusste?

Du hast keine Antworten, Baumeister, also nutze sie.

Ich fuhr weiter nach Hildenstein.

Neben dem gewaltigen Tor der Einfahrt stand an einem mächtigen Klinkerpfosten aus Schmiedeeisen und stark verschnörkelt *H. S.* Ich parkte so, dass man den Saab vom Haus aus sehen konnte, und klingelte. In den großen, niedrig gezogenen Klinkerbau waren gewaltige Fenster eingelassen.

»Ja?«, fragte eine Frauenstimme.

»Mein Name ist Siggi Baumeister. Kann ich bitte Herbert Schmitz sprechen?«

»Mein Mann hat keine Zeit.« Die Stimme war ein Alt, sehr rauchig, eigentlich sympathisch.

»Er muss Zeit haben. Es geht um merkwürdige Zahlungen an einen gewissen Clemens Retterath.«

Eine Weile herrschte Schweigen, dann hörte ich ein unwilliges: »Kommen Sie herein.«

Die Frau war groß und schlank und zweifelsfrei hübsch. Blond gefärbte Haare, ein heller, klarer Teint, keinerlei Kosmetika und eine schmale, kleine Hornbrille. Sehr klug wirkende eisgraue Augen.

»Guten Tag. Mein Mann ist im Arbeitszimmer.« Sie lief vor mir her, sie trug eine schwarze Hose, einen schwarzen

Pulli und ging seltsam müde mit hängenden Schultern. Die Frau öffnete eine schwere Eichentür, hinter der sich ein lichter, großer Raum mit Fenstern bis zum Boden befand, und ließ mich eintreten, ohne mir zu folgen. Gebürstete Stahlmöbel, ein Schreibtisch mit einer großen Holzplatte und einer bestechend schönen Maserung, schneeweiße Wände mit modernen, großflächigen, rahmenlosen Bildern. Sie waren bunt, gegenstandslos, von der Marke: Du musst dir schon selbst was ausdenken. Aber sie wirkten ausgesprochen freundlich.

Der Mann war schlank und größer als eins achtzig. Er hatte einen kantigen Schädel, dunkle Augen unter starken schwarzen Brauen, kurzes graues Haar. Er stand auf, kam um den Schreibtisch herum, streckte mir seine Hand entgegen und sagte: »Guten Tag, Herr Baumeister, ich weiß schon, Sie sind der Journalist. Was kann ich für Sie tun?« Das Ganze sehr bestimmt, aber vollkommen neutral. Dabei marschierte er zurück zu seinem Stuhl und wies mir einen Besuchersessel an.

»Was Sie für mich tun können, wird sich herausstellen. Die traurige Geschichte mit der Annegret, die traurige Geschichte mit Toni Burscheid, die traurige Geschichte mit Gustav Mauren, das alles wirbelt viel bösen Staub auf und ...«

»Ja, aber das eine hat doch mit dem anderen nichts zu tun, oder?«, warf er freundlich lächelnd ein.

»Das weiß man noch nicht«, erwiderte ich. »Da fiel ein hässlicher Verdacht auf Toni Burscheid, und ehe etwas geklärt werden konnte, hat er sich das Leben genommen. Wahrscheinlich doch, weil er mit den Verdächtigungen nicht leben konnte.«

»Na ja, der Typ war aber auch seidenweich. Haben Sie dem je die Hand gegeben? Als wenn Sie in Gallert packen. Und – soweit ich gehört habe, hatte er ja auch kein Alibi.«

»Also nehmen Sie es mir nicht übel, aber es gibt fantastische seidenweiche Typen, deren Händedruck mit Gallert wenig zu tun hat. Das mit dem Alibi, woher wissen Sie denn das?«

»Das wird gesagt.«

»Bitte, nicht so«, wandte ich scharf ein. »Wer hat das gesagt?«

»Tja, meine Frau, zum Beispiel.«

»Wollen wir sie teilnehmen lassen?«

Er starrte mich verblüfft an. »Ist das Ihr Ernst?«

»Sicher ist das mein Ernst.«

Er spitzte seinen Mund zu einem Kussmaul, überlegte kurz und griff dann zum Telefon. »Gris, kannst du mal kommen?« Er legte den Hörer nieder. »Ehrlich gestanden habe ich von dieser Gerüchteküche die Schnauze voll. Leiden Sie auch darunter?«

»Nun ja, ich leide nicht, aber es macht mir Sorgen.«

Die Frau betrat den Raum. Sie setzte sich brav neben mich und sah ihren Mann an. »Was gibt es?«

»Nur eine Kleinigkeit«, sagte er mit einer abwehrenden Handbewegung. »Du hast mir doch vor zwei Tagen erzählt, dass Toni Burscheid für den Donnerstagmittag kein Alibi hat. Wer hat das erzählt?«

»Alle!«, gab sie zur Antwort.

»Ja, ja, aber der Herr Baumeister hier fragt nach Namen. Also, wer war es?«

Sie presste die Lippen zusammen. »Die Mutter von der Annegret, zum Beispiel. Und eine Freundin von ihr. Und jede Menge andere Mütter. Alle wussten das Gleiche, die Kripo habe gesagt, der Toni hätte kein Alibi. Für die Tatzeit, meine ich.«

»Das stimmt nicht. Er hatte ein lückenloses Alibi«, sagte ich scharf. Dass die Information nicht älter war als dieser Tag, brauchten sie nicht zu wissen.

»Sieh mal einer an«, murmelte Schmitz fein. »Und was wollen Sie nun von mir?«

Ich konnte ihn nur mit einer Mischung aus Bluff und Blödsinn fangen, also startete ich mit der Feststellung: »Ihr Maschinenmeister Clemens Retterath hat mehrere unglaubliche Käufe getätigt und jeweils bar bezahlt. Er flog mit der Familie in die Karibik, kaufte sich ein neues Auto und eine Küche. Und als Antwort auf die Frage, woher er das viele Bare hat, taucht Ihr Name auf.« Ich dachte: Friss es oder spuck es aus.

Sein Gesicht veränderte sich nicht, zeigte keine Regung. »Darf ich erfahren, wer Ihnen meinen Namen nannte? Gris, wir brauchen dich jetzt nicht mehr, glaube ich.«

»Der tote Gustav Mauren. Kurz vor seinem Tod. Und mir wäre es lieber, Ihre Frau würde bleiben. Vielleicht kann sie etwas zu dem Gespräch beisteuern.«

Sie blieb im Sessel neben mir sitzen und ich glaubte, den Hauch eines Lächelns auf ihren Lippen zu sehen.

»Soweit ich weiß, hat Retterath im Lotto gewonnen«, erklärte Schmitz leicht verächtlich.

»Wahrscheinlich ist das die Legende, die seine Bank streut«, entgegnete ich leichthin. »Aber das Finanzamt wird todsicher genauer hinschauen.«

»Um wie viel Geld geht es denn?«, wollte die Frau wissen.

»Bei den genannten drei Positionen in Summe um etwa fünfundfünfzigtausend Euro.«

»Und das soll ich Retterath gegeben haben?«

»Schwarz«, nickte ich.

»Weshalb soll ich so etwas Blödes gemacht haben?«

»Weil Retteraths sich damit einverstanden erklärten, etwas gegen Toni Burscheid zu unternehmen. Sie bestätigten, dass Burscheid sich an ihrem Kind Sandra vergangen hat.«

»Den Vorwurf kennst du doch«, murmelte sie. »Das ist doch nichts Neues.«

Er sah sie kurz an. »Nein, neu ist das nicht. Aber es wird immer unappetitlicher. Wissen Sie, Retterath ist ein Prolet, ein Rumbrüller. Den würde ich niemals um einen Gefallen bitten. Wieso sprachen Sie vom Finanzamt?«

»Das ist ganz einfach, Herr Schmitz. Wenn Sie mir keine Auskunft geben wollen, was ich ja verstehen kann, dann gehe ich zum Finanzamt und lasse die Summen und alle Angaben prüfen. Wegen des Datenschutzes werde ich selbst zwar keine Informationen vom Finanzamt erhalten, aber die Auskunftsfreudigkeit der Beteiligten wird sich vermutlich erhöhen. Das dauert zwar ein paar Stunden länger, ist aber sicher für mich ertragreicher.«

»Sie glauben also, mein Mann hat Retterath bezahlt, weil er mit seiner Hilfe Toni Burscheid aus dem Amt jagen wollte? Verstehe ich das richtig?« Griseldis Schmitz blickte mich aus ihren klugen Augen an und wirkte amüsiert.

»So ungefähr«, nickte ich.

»Was sagt denn Retterath dazu?«, fragte der Mann kühl.

»Das weiß ich nicht. Bei dem war ich noch nicht. Aber das kommt noch.«

»Wenn Sie dem Retterath so was vorhalten, kann es passieren, dass er Sie totschlägt.« Das kam ausgesprochen genüsslich.

»So, wie er Mauren totgestochen hat?«

»Das geht jetzt aber zu weit!« sagte er scharf.

»Das ist die Frage«, murmelte ich. »Sie müssen sich vergegenwärtigen, dass der Mord an der kleinen Annegret erhebliche Unruhe geschaffen hat. Da tauchen plötzlich politische Probleme auf, die Rede ist von einem Berg, den Sie abbauen wollen, was Sie aber nur dürfen, wenn Toni Burscheid nicht mehr im Amt ist. Und wir, also die Berichterstatter, müssen uns mit Fragen herumschlagen, an die wir gar nicht gedacht haben, auf die wir gar nicht vorbereitet sind.« Ich sah beide, herzlich um Verständnis bittend, an.

»Na gut, Sie wollen wissen, ob ich dieses Geld schwarz an Clemens Retterath bezahlt habe. Richtig?« Schmitz lächelte wieder, er war wirklich ein äußerst harter Brocken.

»Richtig.«

»Die Antwort lautet: Nein.«

»Wenn ich mal etwas dazu sagen darf«, schaltete sich seine Frau wieder ein. »Es ist doch so, dass der scheußliche Mord an der kleinen Annegret im Wesentlichen erst einmal die Gerüchteküche anheizt. Mein Mann soll Toni Burscheid in die Enge getrieben haben. Dann gibt es sogar die Behauptung, dass mein Mann Burscheid zwanzigtausend dafür geboten hat, dass er den Abbau des Berges unterstützt.« Sie sah mich an. »Wissen Sie, wer mir das mit den zwanzigtausend sagte? Annegrets Mutter. So viel zu Gerüchten.«

»Das hörte ich auch«, nickte ich. »Es ist nett, dass Sie es erwähnen.«

»Jetzt sitzen Sie hier und stellen Fragen. Und ich sitze hier und frage mich schon seit langem, warum die Kriminalpolizei den alten Pitter Göden nicht ins Verhör genommen hat. Der Mann wohnt genauso wie Annegret in der Straße Am Blindert. Und der Mann ist berühmt-berüchtigt für sein merkwürdiges Sexualleben. Ganz Hildenstein redet darüber, aber der Mann bleibt vollkommen ungeschoren.«

»Woher wissen Sie, dass der Mann nicht verhört worden ist?«

Sie lächelte maliziös. »Von ihm selbst.«

»Wie sieht sein Sexleben denn aus?«, wollte ich wissen.

»Na ja, er nimmt sich Frauen mit nach Hause. Die müssen sich unter einer Wolldecke verstecken, bis sein Wagen in der Garage steht. Damit man sie nicht sieht. Und das ist nicht alles. Er kriegt öfter Besuch von zwei Polen aus Köln, die ihm Mädchen zuführen. Manchmal zwei auf einmal, was richtig teuer ist. Aber er sagt, er bezieht eine gute Rente. Sorgst du beizeiten, hast du in der Not, sagt er immer.«

»Hat er denn ein Alibi für den Donnerstag?«

»Hat er nicht«, antwortete Schmitz. »Er sagt, er sei zu Hause gewesen und habe sich eine Erbsensuppe gemacht.«

»Und gleich werden Sie mich wahrscheinlich nach meinem Treffen mit einem gewissen Stanislaus befragen wollen«, stellte Griseldis Schmitz erheitert fest.

»Das wollte ich ansprechen«, gab ich zu.

Die Frau war noch härter als ihr Mann und die beiden befolgten das einzige Rezept, mit dessen Hilfe sogar eine Mordkommission außer Gefecht gesetzt werden konnte. Sie blieben bis zu einem sehr weit reichenden Punkt bei der Wahrheit und beharrten dann darauf. Kein Abweichen, keine Unterschiede in Details.

»Sehen Sie«, erklärte der Hausherr. »Sie müssen wissen, dass wir schon sehr lange verheiratet sind. Wir lassen einander die Freiheit, die jeder braucht. Da gibt es keine Szenen, keine Prügel, da gibt es keine lautstarken Auseinandersetzungen, keinen Rosenkrieg. So ist das nun mal.«

»Was sagt denn Ihr Sohn dazu. Er wird doch den Klatsch darüber hören?«, fragte ich beinahe gemütlich.

»Er glaubt uns«, behauptete sie. »Wir erzählen: Das war so und so. Und er fragt nicht weiter. Wie alle Kinder. Sollen wir ihn holen?«

»Warum nicht?«, sagte ich etwas erstaunt. »Ich kenne noch keines der Kinder, die zusammen mit Annegret nach Hause gingen.«

Der Mann griff wieder nach dem Telefonhörer. »Kannst du bitte mal ins Arbeitszimmer kommen, Kevin?« Dann betrachtete er mich nachdenklich. »Er leidet sehr, müssen Sie wissen.«

»Oh, das wird kein strittiges Thema sein«, versicherte ich.

Ein weiterer Beleg für die Raffinesse der beiden: Keine Lücke, kein Stocken, da gab es nur den aufrichtigen Hang, alles offen zu legen, nichts zu beschönigen – Papa, Mama und Sohnemann, das Ganze wie aus dem Bilderbuch.

Sekunden später marschierte der kleine Kerl herein, nickte mir förmlich zu und stellte sich dann neben seinen Vater.

Der erklärte freundlich: »Das ist Herr Baumeister von der Presse. Was mit deiner Freundin passiert ist, tut ihm zutiefst Leid. Das ist doch so, Herr Baumeister, oder?«

»Das ist so. Grüß dich, Kevin. Mein Name ist Siggi. Die Annegret war bestimmt eine gute Freundin für dich. Das, was du da erleben musstest, war ganz schlimm.« Ich spürte meine Unsicherheit wie den Anflug einer hilflos machenden Krankheit.

»Ja«, nickte er. Seine Stimme war schon jenseits jeder Kindlichkeit, tief und klangvoll. »Ich muss dauernd an sie denken.«

Du lieber Gott, was sagt man so einem Kind, das kein Kind mehr ist?

»Ich habe von der Polizei erfahren, dass Annegret wahrscheinlich den Weg durch die Häuser genommen hat.«

»Ja, wir sind nochmal befragt worden. Das machte sie oft. Wenn wir uns oben im Wald getroffen haben, sind wir von hier aus auch oft da langgegangen. Das ist eben praktischer.« Er setzte hinzu: »Da gibt es jetzt jede Menge Obst. Und kein Mensch pflückt das.«

»Die Kirschen und Birnen und Johannisbeeren sind reif«, sagte ich verstehend. »Da fällt mir etwas ein: Ist es jemals vorgekommen, dass euch auf diesem Weg zwischen den Häusern ein Erwachsener angesprochen hat?«

»Nein, nie. Aber den Weg kennt auch sonst keiner und die Leute, die da wohnen, die interessieren sich nicht für uns, denen ist das ganz egal.«

»Nachdem du am Donnerstag heimgekommen bist, hast du dich also vor den Computer gehockt?«

»Ja, bis Mama kam. Dann haben wir uns Eier mit Senfsoße gemacht.« Er wurde verlegen. »Ich esse die so gern.«

»Das erinnert mich an meine Mutter«, lächelte ich. »Harte Eier mit Senfsoße, das war immer klasse. Leider lebt sie nicht mehr.«

»Darf er Ihnen auch eine Frage stellen?«, fragte Kevins Vater.

»Natürlich.«

»Wie wird man eigentlich Journalist?« Das kam gestochen scharf.

»Man kann nach dem Abi studieren. Politik zum Beispiel. Anschließend muss man noch eine Ausbildung bei einer Zeitung oder bei einem Fernsehsender machen. Du kannst auch eine Journalistenschule besuchen. In Hamburg oder München. Aber es ist sehr schwierig heutzutage, einen Platz zu kriegen. Wenn du allerdings hartnäckig genug bist, wird dir das gelingen. Reizt dich das?«

»Ja, ich finde Journalisten gut. Anke findet Journalisten auch gut.«

»Anke ist Annegrets Freundin?«

»Ja, sie wohnt hier nebenan, wir unternehmen viel zusammen. Der Psychologe von der Polizei sagt, dass es wichtig ist, Freunde zu haben.«

»Wir nehmen die Betreuung in Anspruch«, erläuterte die Mutter. »Dazu wurde uns geraten.«

»Das kann ich gut begreifen«, sagte ich. »Dann danke ich dir schön.«

»Wahrscheinlich hat Kevin noch eine Frage«, deutete der allmächtige Vater an.

»Ja«, nickte der Sohn. »Haben Sie schon eine Ahnung, wer das mit Annegret … also, wer das getan hat?«

»Nein. Wenn ihr Jugendlichen so miteinander redet, ist da schon mal ein Verdacht geäußert worden?«

»Nein. Natürlich haben wir überlegt und überlegt. Aber wir kennen keinen, der so was tun würde.«

Eine Weile herrschte Schweigen, dann sagte die kluge Mutter sanft: »Das war es, mein Herr. Kevin, du kannst dich wieder trollen. Und mich müssen Sie jetzt auch entschuldigen.«

»Ich danke Ihnen.«

Die beiden gingen hinaus und schlossen leise die Tür hinter sich.

»Kann ich erreichen, dass Sie das mit dem Finanzamt so lange vergessen, bis Ihnen nichts anderes mehr einfällt?« Er lächelte mich an mit diesem eingefrorenen Lächeln, das er wahrscheinlich gar nicht mehr abstellen konnte. Er hatte was von einem Hai.

»Ja«, antwortete ich. »Das heißt aber nicht, dass Sie mir jetzt zehntausend in bar rüberschieben sollen. Sie profitieren von einer journalistischen Besonderheit. Ich arbeite für ein Magazin aus Hamburg. Diese Leute wollen eine gute, beweisbare Story, eine Geschichte. Und die habe ich noch nicht. Wenn ich schreibe, werde ich Ihnen die Sie betreffenden Stellen in meinem Bericht vorher zufaxen. Das ist so Usus bei uns.«

»Gut«, nickte er mit einem Pokergesicht.

»Doch beantworten Sie mir noch die Frage, wer Karlheinz Grotian ist!«

»Ja, warum nicht. Grotian ist ein Parteifreund aus der CDU. Er ist der Einzige, der in Toni Burscheids Fußstapfen treten will, der Einzige, der sich bereit erklärt hat, den Ortsbürgermeister zu machen.« Er setzte hinzu: »Da Sie die Summen so genau kennen, wissen Sie wahrscheinlich auch die. Es waren 26.800,– Euro. Sind Sie jetzt zufrieden?«

»Völlig.« Ich stand auf und reichte ihm die Hand. »Ich finde schon selbst hinaus.«

Aber er begleitete mich bis vor die Haustür. Als er den Saab sah, stutzte er, verhielt den Schritt und wollte etwas sagen. Doch er verkniff es sich und ich dachte freudestrahlend: Das war zwei Sekunden lang ganz unklug, mein Freund.

Ich machte mich auf den Nachhauseweg, ich wollte noch alles aufschreiben und eine Kopie davon Kischkewitz schicken. Eine direkte Verbindung zu dem scheußlichen Verbrechen an Annegret war immer noch nicht aufgetaucht.

Dann kam die grelle Erleuchtung, dass ich in einem Auto saß, das mir nicht gehörte. Also bog ich nach Osten ab und schlängelte mich über eine teuflisch schmale Betonbahn auf Wiesbaum zu.

Es war schon fast dunkel, als ich vor dem Haus der Maurens landete. In einem der oberen Fenster brannte Licht.

Ich klopfte an die Tür und wenig später hörte ich die Treppe knarzen. Eine Frau öffnete und fragte: »Bringen Sie den Saab zurück?«

»Ja. Tut mir Leid, das ging nicht eher.«

»Das macht nichts.« Sie trug einen schneeweißen Trainingsanzug, hatte eine rotblonde Mähne und machte den Eindruck eines Menschen, der tief in seiner Trauer versunken ist. Sie nahm mich nicht wirklich wahr. »Stellen Sie ihn rein, lassen Sie den Schlüssel stecken, hier klaut ihn sowieso keiner. Und hier ist Ihr Autoschlüssel.« Dann, als habe sie registriert, dass ich ein Fremder war, ergänzte sie: »Die Kleine schläft, ich will sie nicht wecken.«

»Das müssen Sie nicht.« Ich nahm meinen Schlüssel, öffnete das Scheunentor, fuhr meinen Wagen heraus, setzte den Saab rein und sah, wie die Frau die Haustür wieder schloss.

Irgendwie kam ich mir in meinem Auto kompletter vor. Ich hörte Christian Willisohn *St. James Infirmary* singen und fand das durchaus angemessen und auch symbolträchtig. Es wurde der Wut des Gustav Mauren gerecht.

Zu Hause hockten Vera und Clarissa in den Sesseln und unterhielten sich träge. Zwischen ihnen stand eine Flasche Weißwein. »Sieh einer an, Väterchen«, sagte Clarissa scheinbar hell erfreut.

»Wie geht es dem Detektiv?«, fragte Vera.

»Na ja, so lala«, antwortete ich. »Jemand angerufen?«

»Wir sind nicht drangegangen«, gab meine Tochter Auskunft. »Ich soll dich von Tante Anni grüßen, du sollst morgen früh zum Rapport antreten.«

»Wie schön«, murmelte ich. »Ich bin oben, ich muss was aufschreiben. Lasst euch nicht stören.«

Jemand hatte mir gefaxt, jemand, der sich *Club Erotica* nannte. Er forderte mich auf, Telefonsex für 99 Cent pro Minute zu genießen. Er versprach eine *diskrete Berechnung* und ausschließlich *Premium-Lines – keine Bandaufnahmen.* Ich konnte Sex in siebenunddreißig Varianten hören: *abartig, anal, blow jobs, dicke Girls, dummgeil, Hobbynutte, Kaviar, Natursekt, Klosex …*

Und ganz unten stand klein gedruckt, dass die Nutzung dieser wunderbaren Erfindung menschlicher Abartigkeiten eine Mitgliedschaft erforderte, die eine Aufnahmegebühr von nur 29,99 Euro kostete. Für ein paar Sekunden kämpfte ich mit der Versuchung, mein Faxgerät an der Wand zu zertrümmern.

Ich schrieb noch zwei Stunden, dann war ich so müde, dass ich ins Schlafzimmer hinüberschlurfte, mich auf das Bett legte, erst im Clinton herumblätterte, dann Schätzings *Der Schwarm* las. Ich schlief ein, angezogen und ausgerüstet mit allem, was ein Pfeifenraucher so braucht: Tabak, sechs Pfeifen, Pfeifenbesteck und der Hoffnung, dass der Schlaf nicht alles auslöschen möge. Nicht mal meine Schuhe hatte ich ausgezogen.

Ich wurde wach, weil Vera sich neben mir räkelte. Als ich vorsichtig zu ihr rüberlinste, sah ich, dass sie nicht mehr trug als ihre Haut. Aber sie hatte mein Bett erobert und die gewaltig große Zudecke, während ich fror. Ich versuchte festzustellen, wie spät es war. Dann schlief ich wieder ein. Ich wachte zum zweiten Mal auf, mir war noch kälter und Vera war genauso nackt wie vorher.

Ich bemerkte, dass sie mich blinzelnd beguckte.

»Was ist passiert?«, fragte ich.

»Nichts«, zischte sie leicht empört. »Was soll denn passiert sein?« Wahrscheinlich hatten vereinzelte chemische

Blitze ihre kleinen grauen Zellen erst jetzt in Schwung versetzt. Sie starrte an sich hinunter und stöhnte: »Oh!«

»Das macht nichts«, murmelte ich. »Dafür bin ich komplett angezogen.«

»Weißt du was, Baumeister?«

»Nein.«

»Ich war völlig blau! Ich hoffe, du hast meinen Zustand nicht ausgenutzt.«

»Ging nicht. Ich bin impotent.«

»Dann ist es ja gut«, seufzte sie, stieg aus dem Sündenpfuhl und verschwand nackt, wie Gott sie schuf.

Dafür erschien meine Tochter im Türrahmen, legte sich theatralisch den rechten Handrücken gegen die Stirn und murmelte heiser: »Oh, mein Kopf!« Sie trug wenigstens die Andeutung von etwas Textilem.

»Was, um Gottes willen, habt ihr denn gefeiert?«

»Frag mich nicht so was«, stöhnte sie und legte sich dorthin, wo vorher Vera gelegen hatte.

Mein Festnetztelefon schrillte, ich langte danach, es fiel mir aus der Hand, ich fluchte und dann sagte Emma: »Du solltest herkommen. Erinnerst du dich an Annegrets Freundin, die Anke Klausen?«

»Na sicher. Was ist mit der?«

»Auch ihre Mutter war gar nicht zu Hause, als die Kleine angeblich pünktlich von der Schule heimkehrte.«

»Wo war die Mutter?«

»Das will sie nicht sagen.«

»Das ist nicht dein Ernst!«

»Sie kochen sie gerade gar. Komm einfach her.«

»Okay. Würdest du mir an diesem ungeordneten Tag sagen, wie viel Uhr es gerade ist?«

»Es ist mittags, ein Uhr. Was machen deine Weiber?«

»Die sind komisch: Eine hat nackt neben mir geschlafen, die andere hält sich den Kopf und jammert.«

»Schön, so jung zu sein«, kommentierte Emma trocken. »Ich müsste auch mal zehn Minuten mit dir allein reden. Das ist sehr wichtig.«

»Gut«, sagte ich. »So was habe ich erwartet. Du hast so ausgesehen.«

»Du siehst das immer, Rodenstock sieht das nie.«

Ich verzichtete auf jede Verschönerungsarbeit, zog mir nur frische Wäsche an und machte mich auf den Weg.

Zur Begrüßung sagte Emma: »Er telefoniert gerade mit Mallorca.« Und weil ich wahrscheinlich dumm guckte, setzte sie hinzu: »Er will auswandern.«

»Da hat man die Kinder groß, da haben sie einen Beruf und dann flippen sie aus.«

»Das kannst du so sagen«, nickte sie. »Es macht mir Kummer, weil er meiner Meinung nach überhaupt nicht ahnt, auf was er sich da einlässt.«

»Warum hast du mir nicht eher etwas davon gesagt?«

»Weil du selbst nicht mehr auf der Erde gelebt hast«, antwortete sie knapp.

Wir gingen ins Haus. Rodenstock saß am Esstisch, hatte eine Unmenge Zettel vor sich liegen, mindestens sechs Kugelschreiber und machte einen total gestressten Eindruck.

Er sah mich, lächelte kurz und herzlich wie Mackie Messer und tat den folgenschweren Spruch: »Na, mein Lieber, wie geht es uns denn?«

»Na ja, wenn du nach Mallorca auswandern willst, geht es mir augenblicklich beschissen. Was hast du anderes erwartet?«

»Sie hat es dir erzählt«, stellte er bissig fest.

»Wer sonst? Ist das dein Ernst?«

»Ja. Ich habe von den Eifel-Sommern die Nase voll.«

»Und deswegen wanderst du aus? Für immer unter englische, niederländische und deutsche Bierbäuche?«

Er rang sich noch nicht mal ein Lächeln ab. »Nicht so einen Killefitz, bitte. Das Klima dort ist besser, immer blühen

Blumen, das Meer ist grün und blau. Und es ist nicht wesentlich teurer als hier.«

»Du klingst wie Ballermann sechs. Genauso flach und dämlich.«

»Er ist dabei, ein großes Apartment zu kaufen«, sagte Emma sanft im Hintergrund.

»Was kostet denn so was?«, fragte ich.

»Es ist etwa so teuer wie dieses Haus hier und die Konditionen der Banken sind sehr verlockend.« Rodenstock bemühte sich um Sachlichkeit.

»Und was machst du, wenn irgendein Zipperlein dich plagt? Was machst du, wenn du deinen Salzstreuer hier vergessen hast? Und was sagst du mir am Telefon? Etwa: Komm mal eben rüber, wir haben was zu bekakeln?«

»Du nimmst das scheinbar nicht ernst.«

»Richtig. Was ist mit dir, Emma?«

»Ich bin zu alt, um mich aufzuregen. Ich habe ihm gesagt, dass er zwei Monate im Jahr mit mir rechnen kann. Aber nicht zu Weihnachten, nicht zu Ostern, nicht zu meinem Geburtstag, nicht zu seinem Geburtstag. Das Apartment hat einen Balkon mit sechs Betonkübeln. Das ist sein Garten! Das muss man sich mal vorstellen!« Ihre Stimme klang hoch und leicht zittrig.

»Lasst uns auf die Frau und Mutter zu sprechen kommen, die nicht angeben will, was sie am Donnerstagmittag getrieben hat.«

»Ich konstatiere, dass du nicht mit mir über Mallorca diskutieren willst«, sagte Rodenstock leichthin.

»Stimmt. Das ist eine Idee wie ein zweistöckiger Lokus. Und das ist noch geschmeichelt. Also was ist mit der Frau?«

»Ursprünglich hat die Mutter ausgesagt, Anke sei um zehn vor eins nach Hause gekommen. Wie immer am Donnerstag. Und Anke hat gesagt: So war es! Und dann hat Mami mir ein Mittagessen vorgesetzt und anschließend habe ich Schulaufgaben gemacht. Gegen Viertel vor fünf bin ich dann zu Annegret, weil wir uns ein Britney-Spears-Video angucken wollten. Ankes Vater hat bestätigt, dass er gegen ein Uhr mittags zu Hause angerufen und mit seiner Frau gesprochen hat. Alles war in Ordnung.«

»Was macht der Vater eigentlich?«

»Klausen besitzt eine Möbeltischlerei, die Mutter ist Hausfrau und engagiert sich ehrenamtlich. In mindestens drei privaten Vereinen und in einem Verein des Landes, der in Ruanda Dörfern zu Brunnen verhilft, zu Schulen und so weiter und so fort. Eine sehr agile, freundliche und soziale Frau.«

»Und woher wisst ihr jetzt, dass das alles gelogen war?«

»Gevatter Zufall«, erklärte Rodenstock. »Anke hat sich verplappert, in größerer Runde. Kevin Schmitz und seine Mutter gehörten auch dazu. Eine fröhliche Hausfrauenrunde. Eine Polizeipsychologin hat derartige Gespräche angeregt. Und mitten im Gespräch sagt Anke plötzlich: Mami, das stimmt doch so nicht. Du warst doch gar nicht da, als ich Donnerstag nach Hause gekommen bin. Du bist ja noch nach Papi gekommen! Die Mutter hat versucht, Anke einzureden, sie verwechsle da was, aber Anke hat auf ihrer Behauptung bestanden. Jedenfalls hat sich die Mutter von Kevin ein Herz gefasst und die Mordkommission angerufen.«

»Sieh mal an, die verantwortungsvolle Frau Schmitz. Und nun weigert sich Ankes Mutter zu verraten, wo sie war?«

»Genau.« Rodenstock lächelte vage. »Natürlich wird Kischkewitz das klären.«

»Und was sagt Ankes Vater?«

»Der hat plötzlich gar nicht mehr mit seiner Frau telefoniert.«

»Komische Sache, nicht wahr?«, tönte Emma.

»Ja. Darf ich mal eben telefonieren?«

»Aber ja«, nickte Rodenstock und reichte mir den Apparat.

Ich wählte Rainer Darscheids Nummer.

»Siggi hier. Ich brauche nochmal deine Hilfe. Bist du gleich zu Hause?«

»Ja.«

»Gut, ich komme.« Ich gab Rodenstock meinen Recherchenbericht: »Für Kischkewitz. Meine letzten achtundvierzig Stunden. Sechzehn Seiten und keine Lösung in Sicht.«

»Hör mal«, meinte Rodenstock verunsichert. »Ich würde schon gern mit dir über Mallorca sprechen. Ich meine, wir richten da auch ein Gästezimmer ein.«

»Rodenstock, mal ehrlich: Du willst nach Mallorca auswandern, die Eifel verlassen. Das kann ich absolut nicht ernst nehmen, denn spätestens sechs Wochen nach deiner Übersiedlung wirst du mich anrufen und mich bitten, dich vom Flughafen abzuholen, weil dir der ständige Sonnenschein auf den Geist geht.«

»Ja, aber ...«

»Nix aber. Das ist meine Meinung! Und jetzt habe ich zu tun.« Ich marschierte aus dem Haus und hinter mir flüsterte Emma: »Ich liebe dich, Baumeister!«

Rainer Darscheid stand in der Tür und sagte: »Der Arzt war eben bei meiner Frau. Sie hat eine Spritze gekriegt, sie schläft jetzt. Wir müssen leise sein.«

»Es geht um die Mutter von Anke Klausen. Das stellt sich nun als ähnlicher Fall dar wie der der Griseldis Schmitz und deiner Frau. Auch diese Mutter war in Wahrheit nicht zu Hause, als ihre Tochter von der Schule zurückkehrte. Kennst du die Familie?«

»Na ja, nicht gut.« Er lächelte. »Aber ich weiß, wen ich anrufen muss, um zu erfahren, was da läuft. Ich habe gehört, dass Ankes Vater eine dicke Geschichte mit einer verwitweten Frau angefangen hat. Schon seit langem. Das ist die Stunde der alten Magda. Man nennt sie auch die Schwatzkanone der Vulkaneifel. Du brauchst sie nur anzustoßen und schon legt sie los.«

Er griff nach dem örtlichen Telefonbuch, suchte eine Weile und murmelte dann: »Mal sehen, was sie sagt.« Er wählte eine Nummer und meldete sich dann gemütlich: »Hier ist der Rainer. Ich hab mal eine Frage an dich. Also, da wird ja viel geredet und das meiste stimmt sowieso nicht. Aber hast du auch gehört, dass die Klausens, du weißt schon, der Tischler, nicht mehr zusammen sind? Ich dachte, mich trifft der Schlag!«

Darscheid hielt mir den Hörer hin und ich vernahm das auf- und abschwellende Schnattern eines Papageis, der nicht mehr zu stoppen war.

Darscheid ertrug es, nickte ab und zu, sagte »Nein« und »Ja, ehrlich?« und »Denk dir bloß!«. Das ging etwa zehn Minuten so, dann verabschiedete er sich: »Ich danke dir auch schön!«

»Ich weiß nicht, was dran ist. Magda ist die Erbin eines großen Hildensteiner Vermögens. Und sie hat nichts zu tun, außer herauszufinden, was gerade läuft. Also: Der Papa von der Anke hat was mit einer jungen Frau, die kürzlich Witwe geworden ist. Das ist der Ehefrau zu Ohren gekommen. Und am Donnerstag ist sie vor dem Haus der Konkurrentin aufgetaucht, um mit ihr zu sprechen. Angeblich haben sie sich geeinigt, jetzt hat der Klausen gar keine Frau mehr. Weder die angetraute noch die andere.«

»Das muss Kischkewitz wissen, irgendwo habe ich seine Nummer. Ja, hier.«

Als er sich meldete, erstattete ich Bericht und sagte: »Du kannst davon ausgehen, dass das im Wesentlichen stimmt.«

»Danke«, murmelte er todmüde und fügte nachdenklich hinzu: »Man vergisst immer, dass Kinder ein eigenes, geheimes Leben leben. Wir Erwachsenen gehen einfach davon aus, dass wir unsere Kinder kennen. Dabei kennen wir sie nicht.«

»Bist du weitergekommen? Habt ihr irgendeine Idee?«

»Nein. Der DNA-Test hat nichts gebracht.«

»Rodenstock hat einen Recherchenbericht von mir. Nimm dir den zur Brust, vielleicht bringt es dich weiter. Was ist mit dem Fall Mauren?«

»Wir treten auch da auf der Stelle. Allerdings habe ich bei dem Fall mehr Hoffnung, da gibt es Ansatzpunkte.«

»Wir sehen uns.«

Ich wandte mich wieder an Rainer Darscheid: »Wie geht es dir selbst?«

»Beschissen, wie sonst? Das Haus ist totenstill, meine Frau leidet schwer unter Weinkrämpfen und der Psychologe, der jeden Tag kommt, hat mir gesagt, es sei kaum möglich, sie aus dem Schock herauszuholen.«

»Arbeitest du wieder?«

»Kein Gedanke. Mein Chef sagt, er gibt mir noch vierzehn Tage Zeit. Irgendwann wird alles irgendwie weitergehen. Aber nichts wird mehr so sein wie vorher.«

Ich verabschiedete mich und fuhr weiter. Clemens Retterath hatte ein Häuschen in Walsdorf. Es war sicher, dass Schmitz ihn angerufen hatte, er würde mich also erwarten.

Das Haus lag an einer neu gezogenen Straße durch eine Siedlung. Ein ganz normales Haus, es hatte nichts Besonderes. Ich klingelte, eine junge Frau öffnete. Sie machte einen missmutigen Eindruck.

»Ja, mein Mann kommt raus, wenn Sie ihn sprechen wollen. Ist es denn dringend?«

»Doch, das würde ich sagen.«

Sie schloss die Haustür so unfreundlich, als wollte ich an das Bargeld im Flur.

Es dauerte eine Weile.

Als dann Retterath in der Tür erschien, wusste ich, dass es keine gute Idee gewesen war, hierher zu kommen.

Er hatte eine Bierflasche in der rechten Hand, in der linken eine Zigarette. Seine Augen waren schmal vor Misstrauen. »Ja?«

»Kann ich Sie einen Moment sprechen?«

»Fangen Sie schon an.«

»Sie wissen ja, dass Gustav Mauren getötet worden ist und …«

»Ich kenne keinen Gustav Mauren.«

»Doch, er war hier bei Ihnen. Er hat es mir erzählt.«

»Ich kann mich nicht erinnern. Um was soll es denn gegangen sein?«

»Um Ihre Aussage, Toni Burscheid habe sich an Ihrer Tochter vergangen.«

»Hat er ja auch.«

»Hat er nicht«, sagte ich wütend. »Das war eine linke Tour, Sie sind dafür bezahlt worden.«

Er ließ die Bierflasche einfach fallen, die Zigarette segelte zu Boden. Er schlug beidhändig zu und erwischte mich mit voller Kraft auf beiden Ohren. Scharf sagte er: »Hau ab, du Dreckschwein!«

Die Haustür klackte zu und ich versuchte, stehen zu bleiben. Das gelang nicht – ich drehte mich um und fiel die zwei Stufen hinunter. Das Letzte, was ich bewusst dachte, war, dass ich nicht gehört hatte, ob die Bierflasche zu Bruch gegangen war.

Ich wurde wach, weil dicht neben mir eine fremde junge Frau fragte: »Hat er mal wieder zugeschlagen?« Ich saß seitlich auf dem Fahrersitz meines Autos und wusste nicht, wie ich dorthin gekommen war.

»Bluten meine Ohren?«, fragte ich.

Sie nahm meinen Kopf und drehte ihn resolut hin und her. Das schmerzte sehr und ich befürchtete schon, wieder ohnmächtig zu werden.

»Nein. Da sind nur Schwellungen, kein Blut.«

»Eine gute Nachricht«, sagte ich. »Wer sind Sie?«

»Ich wohne gleich da vorne. Sie können so nicht Auto fahren«, sagte sie.

»Doch, doch«, widersprach ich heftig, obwohl mein Kopf dröhnte. Ich blickte an ihr vorbei auf das stille Haus des Clemens Retterath. »Retterath fährt einen BMW, nicht wahr?«

»Ja, so ein richtiges Schiff.«

»Wissen Sie zufällig, bei welcher Firma er den gekauft hat?«

»Bei Senftenberg in Mayen. Unserer kommt auch daher.«

»Prügelt er häufig?«

»Na ja ... Meistens prügelt er seine Frau, manchmal auch das Kind. Und dann kommt Polizei und versucht zu schlichten. Auch beim letzten Straßenfest der Nachbarschaft hat er eine Schlägerei angefangen. Er war so betrunken, dass sie ihn hinterher ins Krankenhaus fahren mussten.«

»Was ist mit der kleinen Sandra?«

»Völlig verschüchtert. Also, lange geht das nicht mehr gut ... Dieser Mann, der ein Messer in den Rücken gekriegt hat, der war auch hier. An dem Tag, an dem er starb. Jedenfalls habe ich ihn wiedererkannt, auf dem Bild im *Trierischen Volksfreund.*«

»Ach«, sagte ich. Mein Kopf dröhnte weiter wie eine Kesselpauke. Ohne jede Vorwarnung wurde mir speiübel. Ich hauchte: »Scheiße!«, und übergab mich auf den Gehweg.

Die junge Frau hüpfte erstaunlich behände zur Seite. »Das macht nichts. Ich hole schnell einen Eimer Wasser.« Es klang so, als mache sie das mehrmals am Tag.

Ich vernahm das Stakkato ihrer Absätze und musste lachen. Ich wusste nicht einmal, wie sie aussah, stellte aber während ihres Sprints zum Wassereimer fest, dass sie ein Typ mit einer angenehmen, schwingenden Fülle war. Barock, Eifler Landmädchen eben. Ach ja, und aschblond mit hellen Streifen.

Auf einmal stand Clemens Retterath in der Plastiktür seiner Behausung, musterte mich verächtlich und schüttelte den Kopf. »Typisch Schnüffler. Erst blöde Fragen stellen und dann vors Haus kotzen.«

»Tja, Ehre, wem Ehre gebührt.«

Er verstand die Replik nicht, schlug seine Haustür wieder zu.

Der Barockengel kehrte zurück und schüttete einen Eimer Wasser über den Segen.

»Sehen Sie«, sagte sie hell, »so schnell ist das Zeug weg.«

»Um wie viel Uhr war der mit dem Messer im Rücken denn hier?«

»Weiß nicht genau. So nachmittags um fünf, schätze ich.«

»Das könnte passen. Ich danke Ihnen sehr für die Hilfe.«

Ich ließ den Motor an und zog meines Wegs.

Ich beschloss, mir den Gebrauchtwagenhändler in Mayen zu sparen. Niemand kann ermessen und beweisen, wie viel graues Geld auf diesem Markt unterwegs ist. Und wahrscheinlich war es ganz simpel verlaufen: Retterath hatte das Auto entdeckt und wollte es haben. Der Verkäufer steckte das Bargeld ein und interessierte sich in keinster Weise dafür, woher die vielen Scheine stammten. Keine Rechnungsnummer, keine Fragen.

Dann also zu Karlheinz Grotian, 26.800,– Euro wert, Wohnsitz in Eulenbach. Der Mann von der CDU, der als Einziger bereit war, in Toni Burscheids Fußstapfen zu treten.

Und wieder tauchte Annegrets Bild vor mir auf: Hatte ihr Tod überhaupt etwas mit diesen Merkwürdigkeiten zu tun? Na ja, immerhin hatte ihr Tod diese nebeligen Angelegenheiten mehr oder weniger sichtbar gemacht. Also musste ich sie abklären, um am Ende nicht hilflos im Labyrinth dieser Ereignisse zu stehen. Vielleicht führte dieses Stochern im Nebel ja zudem dazu, dass es den Mörder verunsicherte.

Ich hielt an einer Abbiegung der Straße und rief Rodenstock an. »Gustav Mauren war am Tag seines Todes etwa gegen siebzehn Uhr bei Retterath. Der bestreitet das zwar beziehungsweise behauptet sogar, Mauren nicht zu kennen. Aber eine Nachbarin hat Mauren gesehen. Jetzt fahre ich zu Karlheinz Grotian, einem CDU-Mann. Der hat wahrscheinlich von diesem Vulkanaschen-Schmitz mehr als sechsundzwanzigtausend Euro kassiert. Und ich will wissen, wofür. Vorher brauche ich noch ein paar Infos: Wann findet die Wahl des Verbandsbürgermeisters statt?«

»Nächsten Sonntag«, kam es wie aus der Pistole geschossen. »Ich hoffe, du gehst wählen.«

»Bestimmt nicht. Ich gehöre zur Verbandsgemeinde Daun, ich darf deine Favoritin Isabell Kreuter gar nicht wählen. Zwischen mir und Heyroth liegen zweitausend Meter, das sind Welten. Ich brauche Grotians Adresse und seine Telefonnummer. Und während du das raussuchst, kannst du mir mal etwas über deine Isabell Kreuter verklickern. Vor allem über die Verbindung zwischen der Kreuter und dem Toni Burscheid. Ich bitte dich um sämtliche Gerüchte.«

Er lachte leise. »Du willst bluffen, nicht wahr?«

»Genau, Papi.«

»Gut, erst mal die Adresse und die Nummer.« Er diktierte mir alles. Dann holte er hörbar Luft. »Du musst vor allem wissen, dass Jünkersdorf immer in der Hand der CDU war. Seit den ersten demokratischen Wahlen nach dem Zweiten Weltkrieg. Ich meine nicht, dass das grundsätzlich falsch war, aber diese Atmosphäre der immer gleichen Entscheidungsträger lässt ein Biotop entstehen. Neue Leute kommen nicht nach, weil sie nicht nachkommen dürfen. Das Endstadium ist tiefster Filz, der sich zwischen den immer gleichen Leuten spannt. Und darin eingebunden sind auch die Entscheidungsträger aller Gruppen der Opposition. Auch dieses Mal hat die CDU natürlich einen Kandidaten vorgesehen, der genau in das Schema passt und bei dem man sicher sein kann, dass er dem Schema dient. Aber ganz plötzlich meldete die Isabell ihre Kandidatur an. Sie gehört keiner Partei an, kommt aus der freien Wirtschaft, besitzt und betreibt zusammen mit ihrem Mann eine Firma. Die Folgen dieser Kandidatur waren zunächst nicht wahrnehmbar, weil die CDU und andere konservative Gruppen so taten, als gäbe es diese Kandidatin gar nicht. Das ging natürlich nicht lange gut, zerstörte sich gewissermaßen von selbst. Denn erstens kam diese Kandidatin bei den Leuten gut an und zweitens machten die Konservativen einen Fehler nach dem anderen. Der Hauptfehler war, dass sie sich einigelten. Isabell Kreuter rief die Ortsbürgermeister an und bat, durch die Gemeinden geführt zu werden. Das ist in einer Demokratie eigentlich selbstverständlich, aber die Ortsbürgermeister, beziehungsweise fünf von ihnen, verweigerten der Kandidatin diesen Wunsch. Insgesamt vierzehn Gemeinden bilden die Verbandsgemeinde, also mehr als ein Drittel lehnte die Bitte ab. Isabell besuchte die Gemeinden trotzdem. Nun haben diese fünf Ortsbürgermeister ihren Wählerinnen und Wählern regelrecht gedroht: Wenn ihr diese Frau wählt, treten wir von unserem Amt zurück. Aber ich wette mit dir, egal wie es ausgeht, keiner wird zurücktreten.«

»Hör zu«, unterbrach ich. »Ich habe nicht so viel Zeit. Ich brauche die miesen Spiele in diesem Stück Eifel.«

»Die miesen Spiele?« Rodenstock wirkte beinahe fröhlich. »Die miesen Spiele sahen bis jetzt so aus: Zuerst kursierte das Gerücht, die Firma der Kreuters sei pleite. Das stimmte absolut nicht. Dann hieß es, Isabell habe früher Haschisch geraucht und sei, streng katholisch formuliert, ein ziemlich loses Weib gewesen. Das kommt einem heutzutage fast schon komisch vor, aber auf dem Land kann das schwer wiegen. Außerdem weiß ich definitiv von einem kleinen Bauunternehmer, der schon immer die wichtigsten Arbeiten in seiner Gemeinde übertragen bekommen hat. Der Mann wurde von seinem Ortsbürgermeister angerufen und gewarnt, er solle um Gottes willen nicht zur Vorstellungsveranstaltung dieser Kandidatin gehen. Denn sonst könne er mit Aufträgen der Gemeinde nicht mehr rechnen. Dann wurde empört gefragt, diese Kandidatin habe doch ein Kind, wie zum Teufel sie sich noch um das Kind kümmern könne, wenn sie Verbandsbürgermeisterin sei? Und es gibt Frauen, die naserümpfend bemerken, die Kandidatin habe zu Hause ja nicht mal Gardinen vor den Fenstern. Andererseits war Toni Burscheid ein Ortsbürgermeister, der die Kandidatin freundlich empfing und ihr seine Gemeinde zeigte. Isabell hat mir erzählt, dass Bruscheid ihr Zusammenarbeit angeboten und gesagt hat: Endlich mal eine taffe Frau. Reicht dir das?«

»Kennst du den CDU-Mann Grotian?«

»Nein. Ich bin ihm noch nie begegnet.«

»Die Gerüchte über diese Isabell sind aber eigentlich harmlos, oder?«

»Kein Gerücht ist harmlos, wenn es tausendmal wiederholt wird. Und ein Gerücht ist besonders geeignet, der Frau Angst einzujagen. Das ist das Gerücht, dass in der Verbandsgemeindeverwaltung in Jünkersdorf die ganze Mannschaft passiven Widerstand leisten will. Mit einer Verwaltung, die sich kontraproduktiv verhält, kannst du nicht arbeiten, egal wie gut du selbst bist.«

»Und – ist an dem Gerücht was dran? Wie wird sich die Verwaltung verhalten, deiner Meinung nach?«

»Positiv«, antwortete er. »Die sind in Wahrheit froh, wenn endlich mal jemand neue Ideen liefert. Ich denke, Isabell wird gewählt. Ich habe nämlich die laute Hoffnung, dass die Hälfte der Wahlbevölkerung den seit fünfundfünfzig Jahren aufgebauten Filz satt hat. Ich meine die Frauen.«

»Da hast du hoffentlich Recht, ich danke dir.«

Ich rief Grotian an, sagte, wer ich war und dass ich am

Rande des Mordfalles Annegret politische Strömungen untersuche.

»Was wollen Sie da von mir?«, fragte er verblüfft. »Ich bin Burscheids Stellvertreter, sonst nichts.«

»Na ja, ich will mehr über Toni Burscheid wissen. Und nach der Zukunft eines Berges auf dem Gebiet der Ortsgemeinde Eulenbach fragen.«

»Wann wollen Sie denn mit mir sprechen?«

»Sofort«, sagte ich geradeheraus. »Wann sonst?«

»Dann kommen Sie, um Gottes willen«, stimmte er mit einem hörbaren Seufzer zu.

Ich begab mich also nach Eulenbach und sah dabei, wie der Tag sich auf den Abend vorbereitete. Eine fröhlich wirkende Röte dominierte den Westen, was manchmal auf gutes Wetter hindeutet. Aber eben nur manchmal, schließlich waren wir in der Eifel.

Grotian war in einer für die Gegend typischen Bleibe zu Hause: ein alter, kleiner Bauernhof, neben den aus Gründen reiner Angabe ein regelrechter Klotz in den Boden gerammt worden war. Rund zweihundert Quadratmeter Wohnfläche, eingepackt in die merkwürdigsten architektonischen Spielereien. Teile des Daches waren spitzwinklig nach unten verlängert worden, was fast drohende Dreiecke zur Folge hatte, von denen unklar war, was der zweifelsfrei künstlerisch arbeitende Schöpfer des Ganzen damit bezweckt hatte. Am schönsten aber war der Turm an der rechten Hausseite, der vermutlich dem Gedanken diente: My home ist my castle!

Ich schellte. Grotian war ein kleiner, schmaler Mann in Jeans und einer braunen Wollweste über einem blauen Hemd. Er trug eine Brille, sein unrasiertes Gesicht war freundlich und länglich. Er gemahnte ein wenig an ein Pferd, ein freundliches Pferd. Das Pferd schielte enorm.

Mit der ganzen Offenheit eines Eiflers sagte er: »Ist ja eigentlich schon spät.«

»Oh, es wird nicht lange dauern«, versicherte ich.

»Die Familie sieht fern«, instruierte er mich. »Wir gehen am besten in die Küche.«

»Ist recht«, nickte ich und folgte ihm.

Die Küche war freundlich und groß, nach der Anzahl der Stühle um den Esstisch herum zu urteilen, aßen hier regelmäßig sechs Menschen.

»Sie gucken Sport«, erläuterte er. »Das ist ja wirklich spannend, wer unser neuer Bundestrainer wird. Die Guten wollen nicht und die Schlechten wollen alle gefragt sein.«

»Da haben Sie Recht.« Ich erinnerte mich düster, dass wir gerade eine Europameisterschaft hinter uns gebracht und die Griechen den Pokal gewonnen hatten. Meine Begeisterung für Fußball erschöpft sich in der Frage, ob es auch beim Halma Elfmeter gibt.

»Der soll fünf Millionen im Jahr kriegen«, sagte er und setzte sich auf einen Stuhl.

Ich setzte mich ihm gegenüber. »Das hörte ich auch«, log ich und dachte: Es wäre gut, wenn wir gleich beim Geld bleiben könnten. Doch es war noch zu früh.

»Na gut. Sie wollen also wissen, was ich über Toni Burscheid denke?«

»Genau, liebend gern.«

»Er war ein feiner Kerl«, sagte er einfach. »Sicher, da gab es diese bösen Gerüchte ...«

»Welche bösen Gerüchte meinen Sie?«

»Dass er ein lauer Typ sei und scharf auf Kinder.«

Grotian punktete auf simple Weise: Er sah mir direkt in die Augen, seine waren braun. Er sprach unaufgeregt und bedächtig und erweckte nicht den Eindruck eines Taktierers. Und so sicher wie das Amen in der Kirche hatte Herbert Schmitz ihn schon angerufen.

»Und? Was war dran?«

»Nichts. Wir im Ortsgemeinderat sind alle der festen Überzeugung, dass da nichts dran war. Toni hat sich für diese Gemeinde den Arsch aufgerissen. Entschuldigung, das war wohl etwas deftig.«

»Nein, nein, das ist schon in Ordnung. Wie konnte es denn zu dieser unseligen Geschichte mit dem Ehepaar Retterath und der kleinen Sandra kommen? Glauben Sie, dass da irgendetwas stattgefunden hat?«

»Auf keinen Fall. Ich habe ja auch bei dem Kinderfest mitgemacht. Toni hatte keine zehn Minuten allein für sich. Und schon gar nicht kann er mit der Kleinen ins Haus gegangen sein. Er hat mir gesagt, dass er nicht mal wusste, wie die Kleine aussah, geschweige denn, wie sie hieß. Schließlich waren da rund zweihundertfünfzig Kinder.« Grotian bewegte seinen rechten Arm über der Tischplatte hin und her. »Wahrscheinlich hat ihn doch die Hysterie erledigt ... Sehen Sie, da wird behauptet, der Toni habe sich Kindern in sexueller Absicht genähert. Es gibt zwar dafür keinen einzigen Beweis, aber das hat sehr an Tonis Selbstbewusstsein genagt. Er hat zu mir gesagt: Wenn das so weitergeht, schmeiße ich den Bürgermeister hin und setze mich nach sonst wo ab.«

»Das hat er Ihnen gesagt? Nach sonst wo? Wann denn?«

»Das ist vier Wochen her, schätze ich.«

»Haben Sie denn etwas gegen diese Hysterie unternommen?«

»O ja, Herr Baumeister. Da gab es ja diese schlimme Sommernacht bei den Eltern von Annegret. Angeblich hatte Toni die Annegret auf dem Schoß und kriegte einen Ständer. Das wurde unaufhörlich weitererzählt, Annegrets Mutter war da treibend.« Er schüttelte den Kopf, als wollte er demonstrieren, wie unmöglich das alles gelaufen war. »Aber wie man hört, hat der Vater an besagtem Abend neben der Mutter gestanden und nichts gesehen. Na ja, ich sag, was ich gemacht habe. Ich bin zur Annegret, nach der Schule. Ich habe sie direkt gefragt: Hör mal, war da irgendwas Unanständiges bei

Toni? Und sie guckt mich an und fragt: Wieso? Was denn? Heute kann man Mädchen, die dreizehn Jahre alt sind, so was ganz normal fragen. Und dann bin ich zu der Mutter und habe der gesagt: Lassen Sie die leichtfertige Rederei sein! Aber die Gerüchte hörten trotzdem nicht auf. Und als dann die Sandra-Geschichte passierte und die Polizei bei Toni auftauchte, hieß es: Na also, die Kripo glaubt auch daran!«

Ich blickte ihn lange an und er wurde nicht im Geringsten unsicher.

»Ich habe gehört, dass Clemens Retterath dafür bezahlt worden sein soll, dass er seine Tochter Sandra für dieses furchtbare Spiel benutzte. Tatsächlich weiß ich, dass er sich wenig später ein teures Auto gekauft hat. Und eine neue Küche und eine Urlaubsreise. Nun ist Retterath sicher ein gut bezahlter Mann, aber für diese drei Positionen hat er mehr als fünfundfünfzigtausend Euro über den Tisch geschoben.« Ich beobachtete ihn, er ahnte etwas. »Sie werden mir zustimmen, dass das leicht säuerlich riecht. Hinzu kommt, dass Retterath, als ich ihn vor nicht viel mehr als anderthalb Stunden mit den Vorwürfen konfrontierte, nicht antwortete, sondern mich einfach zusammenschlug. Darf ich übrigens rauchen?«

»Selbstverständlich. Bei uns raucht zwar keiner, aber irgendwo muss ein Aschenbecher sein.« Er stand auf und fuhrwerkte in einem Küchenschrank herum, dann stellte er einen Aschenbecher vor mich hin.

Er setzte sich wieder und wirkte immer noch geduldig. Obwohl in seinem Gesicht zu lesen war, dass er genau wusste, wohin die Reise ging.

»Das Geld, das Retterath ausgegeben hat, stammt ohne Zweifel von Herbert Schmitz. Mit dem habe ich mich schon gestern unterhalten. Ich nehme an, dass er Sie längst informiert hat. Und damit kommen wir zu der interessantesten Frage des Abends.«

In Grotians Augen stand unübersehbar: Nun mach schon! Es war ein Ausdruck tiefer Melancholie.

»Ihnen zahlte Herbert Schmitz 26.800,– Euro. Wofür?«

»Für den Rest einer Hypothek, die auf diesem Haus liegt.« Er musste sich räuspern, weil ihn die Stimme verließ. »Aber das zahle ich an Schmitz zurück, das ist nur ein Darlehen. Mir ist klar, dass Bellut geredet hat. Bellut redet immer.«

»Ich will nicht mal wissen, wer Bellut ist. Warum dieses Darlehen? Und warum jetzt?«

»Ich war von Anfang an gegen diese Scheißplanung, ich wusste, dass das schief gehen würde. Bellut, dieses Arschloch!«

»Könnte ich dann doch über dieses Arschloch informiert werden?«

»Bellut ist der Leiter der hiesigen Bankfiliale. Bellut redet, er kann einfach seinen Mund nicht halten.«

»Gut, also hat jemand von der Bank geredet. Ist dieser Bellut auch der, der die Auskunft gegeben hat, Retterath habe im Lotto gewonnen?«

»Genau. Schmitz war der festen Überzeugung, dass jetzt seine große Stunde schlagen und er den Berg kriegen würde. Er wollte Toni Burscheid abschießen – angeblich zum Wohle der Partei. Sein Gerede war: Wir müssen die Partei rücksichtslos wieder nach vorne bringen. Doch Parteien spielen eigentlich bei den Ortsgemeinden keine große Geige. Da spielt nur die Sorge um die Gemeinde eine Rolle. Schmitz glaubt, er bekommt von mir die Erlaubnis, den Berg abzubauen. Dabei habe ich ihm schon erklärt, dass da dermaßen viele Ministerien und Gebietskörperschaften mitspielen, dass es auf mich überhaupt nicht ankommt. Gut, ich bin der Ansicht, der Abbau tut meiner Gemeinde gut, weil er Geld einbringt. Aber entscheiden tun ganz andere. Und wenn die parteilose Kandidatin möglicherweise tatsächlich demnächst im Chefsessel der Verbandsgemeinde sitzt, wird sie sich als

Erstes jede Menge Gutachten vorlegen lassen – vom Naturschutzbund, den Grünen und so weiter. Wir gehen herrlichen Zeiten entgegen.« Grotian presste die Lippen ganz schmal zusammen, dann explodierte er: »Herrgott, warum glaubt eigentlich das Arschloch Schmitz, er könne sich alles und alle einfach erkaufen?«

»Weil das in der Eifel schon des Öfteren vorgekommen ist. Warum aber dieser Kredit? Damit das Haus schuldenfrei ist, aber dafür Schmitz im Nacken zu haben, der den Berg will?«

Er murmelte: »Ich schicke ihm das Geld zurück. Ich will es nicht mehr.«

»Warum wollten Sie es denn?«

»Das war eine Milchmädchenrechnung«, gab er zu. »Schmitz nimmt keine Zinsen, ich konnte also jede Menge Zinsen sparen. Ich war der Meinung, dass das Haus schuldenfrei sein müsste, wenn ich den Bürgermeister mache. Denn so ein Amt kostet verdammt viel Zeit und Arbeit. Ich besitze einen Malerbetrieb, der gut läuft. Aber ich kann die bestehenden Verpflichtungen bei der Bank nur bedienen, wenn ich immer einen guten Auftrag pro Monat mehr mache. Und den kann ich nicht machen, wenn ich Bürgermeister bin. Schmitz sagte: Wo liegt das Problem? Hier hast du Geld, löse dein Haus ab.«

Plötzlich wurde die Küchentür aufgestoßen und ein beachtlich dicker Junge von etwa zwölf Jahren schoss auf den sehr großen Eisschrank los. Er riss die Tür auf, entnahm dem Kältefach eine große Plastikflasche und stürzte wieder aus dem Raum. Die Küchentür blieb offen.

Sein Vater seufzte, stand auf und schloss die Tür. Dann setzte er sich wieder an den Tisch und formulierte sein neues Credo: »Ich werde erstens die Bank wechseln, zweitens Bellut in den Arsch treten. Und drittens das Geld zu Schmitz zurücktragen.«

»Da ist noch ein wichtiger Punkt. Meiner Ansicht nach ist nicht auszuschließen, dass Clemens Retterath den Gustav Mauren erstochen hat. Weil Mauren nämlich wusste, wie übel Schmitz Toni Burscheid mitgespielt hat. Trauen Sie Retterath eine solche Tat zu?«

»Ich weiß nicht. Retterath trinkt sehr viel. Ab einem bestimmten Punkt säuft er auch Schnaps. Jeder Kneipier auf fünfzig Quadratkilometern weiß, dass es dann gefährlich wird. Denn Retterath prügelt gern. Wenn er betrunken bei Mauren war, kann er der Täter gewesen sein. Aber unterschreiben würde ich das nicht. War Mauren denn hinter Schmitz und Retterath her?«

»Mit absoluter Sicherheit. Mauren war wütend und empört. Und er kannte die Summen, mit denen Schmitz gespielt hat. Auf den Euro genau.«

»Sicher«, nickte Grotian. »Mauren hatte sein Konto auch bei Bellut. Und Mauren hat ihn zum Reden gebracht. So einfach ist das.«

»Vielen Dank für Ihre Offenheit, ich geh dann mal wieder«, sagte ich nun und gab ihm die Hand.

Er brachte mich nicht zur Tür. Er blieb wie ein Besiegter an seinem Küchentisch sitzen und hielt den Kopf gesenkt. Im Fernseher tobten Begeisterungsstürme.

SIEBTES KAPITEL

»Das alles nutzt im Fall Annegret nichts«, sagte ich laut im Auto. Was sollte ich jetzt tun? Ich kam mir heimatlos vor, wollte mich nicht in die offenen Arme von Clarissa oder Vera stürzen, sondern hatte das Gefühl, eine richtig gute Kneipe würde mir gut tun. Also auf zu *Leo's* in Gerolstein, eine der besten Kneipen weit und breit, beheimatet im *Hotel Calluna*.

Ich kam gerade rechtzeitig, um mir noch etwas zu essen bestellen zu können. Ich bat um das Übliche: »Drei Spiegeleier auf Bratkartoffeln in der Pfanne, einen doppelten Espresso und ein Wasser, bitte.«

Wieso, zum Teufel, hatte Kischkewitz eigentlich von einem geheimen Leben der Kinder gesprochen? Das hatte doch in unserer letzten Unterhaltung keine Rolle gespielt. Was war da in seinem Hirn abgelaufen? Und was meinte er mit ›geheimem Leben‹? Natürlich sagen Kinder ihren Eltern lange nicht alles, was sie tun, träumen, ängstigt, denken. Aber war das nicht normal? War das nicht in meiner Jugend genauso gewesen?

Ich überlegte, wie man wohl mit den Kindern im Fall Annegret umging: von Psychologen umsorgt, von ihren Eltern mit ein wenig Scheu, aber auch mit großer Rücksichtnahme begleitet. Etwas war geschehen, was diesen Kindern einen besonderen Status gab, den Status der Trauernden, der Erschreckten. Seid ganz sanft, erinnert sie nicht, verstört sie nicht noch mehr!

Erinnern woran? Sie waren nach Hause gegangen und hatten das gemacht, was sie immer taten: mit dem Computer spielen, Hausaufgaben erledigen, vielleicht mit jemandem telefonieren oder fernsehen, vielleicht Musik hören und davon träumen, selbst ein Musiker zu sein.

Die Bratkartoffeln mit den Eiern kamen. Ich ließ das Denken sein und konzentrierte mich auf eine der vornehmsten Pflichten der Herrscher dieses Planeten: die Nahrungsaufnahme.

Was hatten die Kinder eigentlich von den Gerüchten um Toni Burscheid mitgekriegt?

Annegret hatte auf jeden Fall etwas mitbekommen. Allein wegen der Schreierei ihrer Mutter an besagtem Abend. Und dadurch, dass Toni Hausverbot hatte. Also wussten auch die anderen Kinder mit Sicherheit Bescheid.

Ich musste doch an die Kinder heran und die Frage war, wie ich das anstellen konnte, ohne sie zu beunruhigen oder gar aufzuregen. Zudem galt es, die Eltern zu überwinden, die niemals damit einverstanden sein würden, dass sich ein rücksichtsloser Pressefritze ihren Kindern näherte.

Ich erwischte mich dabei, dass ich mit der Gabel leicht kreischend in der leeren Pfanne herumfuhrwerkte. Hatte es eigentlich gut geschmeckt? Ich wusste es nicht, aber das Gegenteil wäre mir vielleicht eher bewusst geworden. Ich bestellte einen weiteren Espresso. Dann bezahlte ich und machte mich auf den Heimweg. Arbeit lag noch vor mir: Ich musste den Verlauf meiner Recherchen bei Schmitz, Retterath und Grotian zu Papier bringen. Sonst riskierte ich, einen scheinbar unwichtigen Punkt zu vergessen.

In Hohenfels-Essingen standen rechts der Fahrbahn Pferde auf der Koppel. Sie starrten neugierig zu mir herüber.

Zu Hause erwartete mich ein Zettel: *Sind bei Emma. Wenn du Lust hast, komm doch! Clarissa.*

Ich hatte keine Lust, sondern hörte meine Bandmaschine ab. Außer Anni war niemand aufgelaufen. »Du könntest eine alte Frau ruhig mal besuchen«, sagte sie dröhnend vor Empörung.

Im Faxgerät fand sich der übliche Schmonzes. Heute bot mir jemand künstliche Bäume an, sechzig, achtzig und hundertachtzig Zentimeter hoch. Und eine Schuhpoliturmaschine. *Sie werden nirgendwo ein besseres Angebot bekommen,* hieß es. Schon vor drei Monaten hatte ich fluchend darum gebeten, man möge mich mit dem Müll verschonen. Aber diese Leute kannten keine Gnade. Sie hatten eine Adresse im englischen Sussex angegeben und dort war grundsätzlich niemand erreichbar. Schöne neue Welt.

Ich brauchte eine Stunde, um den Bericht zu verfassen. Danach fühlte ich mich ausgelaugt und vollkommen erfolglos. Was hatte ich schon? Ein Stück lokaler, kleinkarierter

Politik, in deren Gefolge es einen Selbstmord und einen Mord gegeben hatte.

Nicht die geringste Klarheit im Fall der kleinen Annegret. Vielleicht war tatsächlich das Schlimmste passiert: Ein Mörder hatte im Vorbeigehen gemordet, war vierundzwanzig Stunden nach der Tat wieder spurlos im hochmobilen Getriebe dieser Gesellschaft verschwunden, als habe es ihn nie gegeben. Ein Ding für Kommissar Zufall.

Was war mit diesem Nachbarn, dem alten Mann, Pitter Göden, der angeblich so ein ausführliches und merkwürdiges Sexleben führte? Machte es Sinn, ihn zu besuchen? Reine Melancholie ließ mich zu dem Schluss kommen, dass er einen Besuch wert war.

Ich ging schlafen, las nicht mehr, versackte in dem Bewusstsein, an den Kern der Geschichte nicht herangekommen zu sein.

Um sechs Uhr wurde ich wach, weil irgendetwas nicht stimmte. Von draußen von der Straße waren erregte Männerstimmen zu hören.

Jemand sagte: »Wieso fährst du schusseliger Blötschkopf mit einem Langholzwagen durch diese Gemeinde? Hast du nicht mehr alle Tassen im Schrank?«

Jemand anderer antwortete gedämpft, was, konnte ich nicht verstehen. Das Ganze wurde untermalt von einem gewaltigen Dieselmotor, der nagelte, als kriegte er es bezahlt.

Also rein in den Bademantel und runter in den frühen Tag.

Genau in der Straßenkurve vor meinem Haus stand ein Wagen, der Stämme von rund fünfundzwanzig Metern Länge geladen hatte. Der Fahrer hatte wohl geglaubt, heil durch das Dorf kommen zu können, was angesichts seiner Ladung ein Unding war. Die Spitzen der Stämme hatten die erste Steinreihe auf meiner Gartenmauer glatt wegrasiert und der Fahrer stand nun belämmert in der Frühsonne und ließ sich von meinem Nachbarn Rudi Latten beschimpfen. Nach meiner Einschätzung konnte der Mann mit seinem Truck weder vor noch zurück.

Rudi Latten schimpfte weiter. Mein anderer Nachbar, Theo Jaax, kam hinzu, der gleichermaßen argumentierte. Die wesentliche Frage war, wie der verlegen herumstehende Fahrer die Sache in Ordnung bringen konnte, ohne die benachbarten Gebäude zum Einstürzen und mögliche Frühaufsteher auf ihren Lokussen in akute Lebensgefahr zu bringen. Auf jeden Fall würden wir drei stehen bleiben und schadenfroh zugucken.

»Langsam, langsam«, schaltete ich mich ein. »Regt euch nicht auf. Er steckt in der Scheiße und muss sehen, wie er da wieder rauskommt.«

»Hah!«, machte Rudi Latten. »Wie soll das denn gehen?«

Dreißig Minuten später hatte der Fahrer des Trucks es zu Wege gebracht, durch zentimetergenaues Fahren wenigstens die erste scharfe Kurve zu nehmen. Es lagen zwar noch drei bis vier vor ihm, aber das ging uns drei nichts mehr an, bedrohte unsere Immobilien nicht mehr. Wir trennten uns in dem Bewusstsein, die erste Gefährdung des Tages erfolgreich überstanden zu haben. Ich sammelte meine Mauersteine ein und nahm mir vor, sie bei nächster Gelegenheit mit Schnellbeton wieder auf die Mauerkrone zu setzen. Dorfleben ist etwas wunderbar Aufregendes.

Ich bereitete mir einen Kaffee und starrte fasziniert auf den Fernsehbildschirm. Ein Blondschopf nicht näher bestimmbaren Alters behauptete, er sei ab sofort der neue Teamchef der deutschen Fußballnationalelf. Ich erfuhr auch den Namen des Menschen: Klinsi, sagte der Reporter zärtlich. Der so Genannte bleckte eine Reihe perlweißer Zähne und machte auf Schwäbisch alles in allem einen so entsetzlich harmlosen Eindruck, dass er auch ein Vertreter für Plüschbären hätte sein können. Ich war zufrieden, denn so lange dieses Volk keine anderen Ereignisse aufregend fand, konnte es ihm eigentlich nicht schlecht gehen.

Irgendwann stand Clarissa hinter mir und sagte: »Guten Morgen. Warst du inzwischen bei Tante Anni?«

»Nein, meine Liebe. Keine Zeit. Ich muss Geld verdienen. Und du? Was treibst du?«

»Weißt du, Väterchen, mir gefällt's immer besser hier. Vielleicht könnte ich hier doch leben.«

»Aber in der Eifel gibt es keine Arbeitsplätze und keine Uni.«

»Das macht nix. Ich könnte nach Koblenz oder Trier gehen. So, und jetzt muss ich duschen und dann rein in neue Klamotten. Sag mal, kann ich deine Waschmaschine anwerfen? Und hast du noch einen Kaffee? Übrigens, Vera finde ich unheimlich nett. Emma und Rodenstock sowieso. Vergisst du Anni nicht?«

»Ich vergesse sie nicht«, versprach ich.

»Dann sehe ich dich irgendwann später.«

»Ja, das könnte sein. Ich wohne hier.«

Sie sah mich von der Seite an und kicherte: »Damit hätte ich wirklich nie gerechnet.« Endlich entschwand sie in den Tiefen des Hauses.

Ich zog mir etwas an, das Badezimmer zur morgendlichen Reinigung stand mir ja nicht zur Verfügung. Also setzte ich mich erst mal in die Sonne an den Teich und beobachtete eine graubraune, beinahe widerlich aussehende Raublarve, die einen Stängel der Schlangenwurz erobert hatte, um an ihm hochzukriechen und sich dann – o Wunder – in eine große, grünblau schillernde Libelle zu verwandeln, eine Königslibelle.

Meine Goldfische zogen ihre Bahnen, an einem Algenband war noch etwas Futter hängen geblieben. Also brauchte ich sie heute nicht zu füttern. Satchmo kam heulend heran, von der Straße her war ein drohendes Wuff meines Hundes zu vernehmen. Die beiden wollten Futter, natürlich bekamen sie es und erstaunlicherweise verzichtete Satchmo auf sein Klagelied um Paul.

Ist es wahr, dass alte Leute weniger Schlaf brauchen? Ich riskierte es mit dem Glockenschlag acht und wählte die Nummer von *Göden, Peter* in Hildenstein an. Artig sagte ich: »Mein Name ist Siggi Baumeister. Ich bin Journalist. Kann ich Sie mal sprechen?«

»Was wollen Sie denn wissen?«, krähte er fröhlich in einem beinahe unerträglich hohen Diskant.

»Na ja, ich will die Stimmung in Hildenstein beschreiben. Die Stimmung, die herrscht, seit die kleine Annegret ermordet aufgefunden worden ist. Sie wurden mir genannt als ein Mann, der viel über das Städtchen weiß.«

Einen Moment war Pause. »Hm, einiges weiß ich schon. Wollen Sie am Sonntag kommen? Sonntags habe ich immer Zeit.«

»Das ist schlecht, denn am Sonntag kann ich nicht. Geht es nicht gleich?«

»Ja, na gut. Wollen mal gucken, was ich so weiß. Sie sind doch wohl aus der Großstadt?«

Fast war ich beleidigt. »Nein, ich lebe hier in der Eifel.«

»Ja denn«, sagte er zufrieden. »Bis gleich.«

Ich griff die Weste mit den Pfeifen und dem Tabak und setzte mich ins Auto. Im Westen bauten sich schon wieder Wolkentürme auf. Wenn sie blieben, konnten wir am Abend erneut mit einem Gewitter rechnen.

Göden wohnte in der Straße Am Blindert auf der linken Seite. Es war ein unauffälliges Haus, neu, klein, bescheiden mit einem Vorgarten, in dem zwei kleine Weymouthskiefern vor sich hin dämmerten.

Er war ein kleiner, schlanker Mann, vielleicht fünfundsiebzig Jahre alt, mit einem schmalen, beinahe asketisch wirkenden Gesicht voller Falten und einer strahlenden Glatze.

»Wir gehen in die Küche«, setzte er fest. »Wo wohnen Sie denn?«

»In Dreis-Brück«, gab ich Auskunft.

Er trug einen Blaumann, der ihm entschieden drei bis vier Nummern zu groß war, er schien darin zu ersaufen.

»Ach, am Dreiser Weiher. Da hatte ich mal eine Freundin. Ist schon eine Weile her, mittlerweile ist sie ja auch tot. Tja, die Zeit vergeht.«

»Darf ich eine Pfeife rauchen?«

»Ja, machen Sie mal. Hoffentlich riecht der Knaster gut. Und Sie wollen über die Kleine schreiben?«

»Ja. Allerdings habe ich bis jetzt eigentlich noch nichts zu schreiben.«

»Das sehe ich aber anders.« Seine Augen waren blassblau und strahlten mich an. »Da hat doch der Toni Burscheid sich umgebracht. Weil die Leute gesagt haben, er wäre scharf auf Kinder. Dabei war der nur ein gemütlicher Onkel. Und dann dieser Mann, der in Wiesbaum ermordet worden ist. Äh, der Name ... der Name ...«

»Gustav Mauren.«

»Genau. Der hat doch wohl auch irgendwie damit zu tun ...«

»Kannten Sie die Kleine?«

»Sicher, wer kannte die nicht? Lief hier immer die Straße entlang. Schulweg und so. War immer lieb und brav, da konnten die Eltern stolz drauf sein. Grüßte auch immer. Doch, ein nettes Ding.«

»Als Sie zum ersten Mal von ihrem Tod hörten, was haben Sie da gedacht?«

Er sah zum Küchenfenster auf die Straße hinaus. »Was soll ich gedacht haben? Ich dachte: Hier doch nicht! Doch nicht so was!«

»Sie hatten also keinen Verdacht?«

»Nein. Habe ich bis heute nicht. Wer so was tut, der muss krank sein. Einem kleinen Mädchen den Kopf einschlagen!«

»War die Polizei auch bei Ihnen?«

»Klar. Die waren doch in jedem Haus. In jedem Haus hier in dieser Straße und in jedem Haus in der Stadt. Aber ich habe die Kleine an dem Donnerstag nicht gesehen. Nicht morgens und nicht mittags.«

Ich stopfte den Tabak in meiner Pfeife fest und zündete sie an.

»Hat Sie die Polizei auch gefragt, ob Sie manchmal Damenbesuch haben?«

»Ach, darauf wollen Sie hinaus.« Er war nicht im Geringsten verlegen, sondern grinste wie ein Honigkuchenpferd, ein wenig verschlagen und ein wenig stolz. »Tja, in so einer Kleinstadt hat man es aber auch schwer. Also, da war die Gertrude, die aus Betteldorf. Die ist so um die vierzig, die kannte ich schon als Kind. Irgendwann hab ich zu der gesagt: Du könntest einem alten Mann eine Freude machen und mich besuchen. Erst hat sie sich geziert. Ach, du lieber Gott, war das ein Theater! Sie sagte: Ich kann doch nicht einfach zu einem alten Mann kommen. So geht das nicht, Pitter! Also habe ich eine Decke über sie gelegt und wir sind striktweg bis in die Garage gerauscht. Irgendwer hat das aber doch gesehen, weiß nicht, wer. Jedenfalls haben die Leute geredet und geredet und ich hab mir einen Ast gelacht. Der Polizei habe ich natürlich gesagt, dass das die Gertrude war. Die halten ja den Mund. Müssen sie, haben sie gesagt. Und Sie – Sie schreiben das doch nicht?«

»Ich schreibe das nicht«, versprach ich.

»War ja auch nur zwei-, dreimal. Die Polente kam aber auch noch mit der Sache mit dem jungen Mädchen aus Köln. Davon haben Sie auch gehört, oder?«

Ich nickte.

»Das war ja alles ganz anders, aber diese Plappermäuler sind schlimm ... Nachts im Fernsehen laufen ja nun die wildesten Angebote, die wirklich teuren Nummern. Eine

Nummer gibt es, da heißt es immer: Frauen aus deiner Nachbarschaft wollen dich verwöhnen! Na ja, und ich habe dann da angerufen. Und was passiert?«

Er schnupperte. »Der Tabak riecht gut. Also, eine Frau fragt mich, wo ich denn wohne. In der Eifel, sage ich. Och, sagt sie, kein Problem! Dann geben Sie mir mal Ihre Telefonnummer. Und dann wollte sie auch die Nummer von meiner Plastikkarte für das Geld. Nee, habe ich gesagt, nicht mit mir. Na gut, sagt sie, es meldet sich jemand.« Er grinste wieder. »Natürlich habe ich das nicht geglaubt. Doch eines Tages steht ein Auto in meiner Einfahrt und zwei Männer bringen eine junge Frau herein. Sie sagen, ich kann sie für vier Stunden haben, das kostet dann die Kleinigkeit von dreihundert Euro. Aber vorher muss ich noch den Sprit bezahlen. Von Köln bis hierher kostet der zweihundert. Ich sage: Ihr habt wohl einen Sprung in der Schüssel, fünfhundert für ein so junges Ding? Die sah richtig verhungert aus, ich hätte der am liebsten erst mal ein paar Butterbrote geschmiert. Kein Fleisch am Arsch, kein Fleisch am Busen. Ich sage also: Nein. Sagen die Männer: Zweihundert für den Sprit oder wir machen Randale. Sage ich: Ja, gut, lasst mich das Geld holen. Stattdessen hole ich mein Flobert, Kaliber .22, noch von meinem Vater, und brülle: Raus hier! Und dann sind sie gegangen. Die waren plötzlich richtig schnell.«

»Und nun besucht Sie wieder die Gertrude aus Betteldorf?«

»Richtig!«, sagte er und schien für meine Einfühlsamkeit tief dankbar. »Bleibe daheim und nähre dich redlich. Gertrude macht es Spaß, mir macht es Spaß. Wir trinken ein Sektchen und dann ist alles gut. Ich meine, so richtig oft geht das bei mir ja gar nicht mehr.«

Griseldis Schmitz, dachte ich bei mir, du hast nicht richtig zugehört! Und du hast seinen Witz überhaupt nicht verstanden.

»Zurück zu Toni«, forderte ich grinsend. Der Alte gefiel mir. »Wie Sie ja selbst schon sagten, war sein Tod wahrscheinlich die Folge von übler Nachrede. Und Sie haben doch bestimmt manchmal mit den Frauen hier im Umkreis geredet. Waren da diese Gerüchte über Toni ein Thema?«

Er stand auf, drehte sich zu einem Küchenschrank, nahm zwei Gläser heraus, füllte sie mit Leitungswasser und stellte beide zwischen uns auf den Tisch. »Also, die Rederei der Frauen ist wirklich schlimm. Toni war dauernd ein Thema, das war richtig übel. Vor gar nicht allzu langer Zeit habe ich dann mal gefragt, woher die die ganzen Sachen wissen wollen. Da haben sie geantwortet: Ach, Pitter, du bist ein alter Mann, du hast gar keine Ahnung mehr vom Leben heute. Daraufhin habe ich gesagt: Dafür habt ihr keine Ahnung von euren Kindern! Ich gebe ja zu, ich war wütend. Die haben vielleicht geguckt! Richtig giftig.«

Ich war so elektrisiert, dass ich ihn anstarrte und nicht wusste, was ich darauf entgegnen sollte. Wie hatte Kischkewitz es formuliert? *Das geheime Leben der Kinder …*

»An welchem Tag war das genau? Wissen Sie das noch?«

»Klar. Das war an dem Samstag. Samstagmittag kurz vor dem Essen. Am Sonntag wurde Annegret dann gefunden.«

»Warum haben Sie das gesagt? Nur so?«

»Nein. Das ist so«, antwortete er gelassen. »Wenn ich an meine Kindheit denke, dann denke ich an Weihnachten mit ein paar Plätzchen und ein paar Bonbons. Und vielleicht mal ein kleines Spielzeug aus Blech oder Holz. Und wenn es ein Ball war, waren wir selig, nicht wahr? Und heute? Die Kinder sind wie … sind wie Heilige. Alles, was sie machen, ist richtig und gut. Alles, was sie wollen, kriegen sie. Und wenn der Nachbarsjunge ein Handy hat, dann muss mein Kind natürlich auch eins haben. Und dann kriegt das Nachbarskind einen Computer, also muss Mama mir auch einen Computer kaufen.« Der alte Mann lächelte mich an, er wirkte ein wenig verunsichert. »Stimmt schon, wir hatten nicht diesen Überfluss, wir hatten wenig und ich kann mich auch an Zeiten erinnern, da hatten wir Hunger, denn unsere Mütter hatten nichts zu essen für uns. Wenn Sie das heute erzählen, lachen die Kinder sich kaputt. Aber ob das richtig ist, dass diese Mütter heute so tun, als müssten sie den Kindern ein Paradies auf Erden bereiten? Ich weiß nicht, das ist nicht gut. Weil ... es stimmt nicht.«

Bleib still, Baumeister, verunsichere ihn nicht. Du musst viel Geduld zeigen und Einfühlungsvermögen.

Er saß da, trank einen Schluck Wasser und setzte leicht verlegen nach: »Ist doch so, oder?«

»Das ist so«, nickte ich. »Pitter Göden, Sie haben da eben etwas gesagt: Sie haben den Frauen deutlich machen wollen, dass sie von ihren Kindern wenig wissen. Haben Sie das so gemeint? Ich meine, wörtlich?«

»Na ja, schon. Vielleicht kann ich ja wirklich nicht mehr mitreden, aber ich weiß doch, was diese jungen Dinger so treiben, wenn ihre Eltern nicht dabei sind.«

»Was denn?«, fragte ich schnell und schalt mich sofort. Mach es langsam, nicht so aufgeregt!

»Die kommen nach Hause von der Schule. Dann wird gegessen, dann machen sie Schularbeiten, dann gehen sie raus und spielen oder treffen sich irgendwo. Das ist alles genauso wie damals bei uns. Und die Eltern haben überhaupt keine Ahnung, was die Kinder miteinander reden und treiben. Von den Träumen der Kinder wissen sie nichts und nichts von den Ängsten, nicht wahr? Das wussten Eltern noch nie. Guck mal, die kleine Annegret war ein hübsches Ding. Und die war oft oben im Amor-Busch. Die kannte da oben jeden Grashalm. Verdammt nochmal, ich war als Kind auch oft in dem Gehölz. Weißt du, um was es da geht? Da sagt der Junge zum Mädchen: Zieh dich untenrum aus, damit ich sehen kann, wie du aussiehst. So war das und so ist das doch, oder?«

»Ja«, stimmte ich mit trockenem Mund zu. »Ja, natürlich. Sie haben also Annegret da oben im Busch gesehen?«

»Ja, klar. So oft, dass ich es nicht mehr zählen kann. Ich bin doch Rentner, ich hab mein Auskommen. Ich kann sechsmal pro Woche Unkraut jäten oder zehnmal den Hof kehren. Das bringt doch nichts! Ich hab alles sauber genug. Also gehe ich viel spazieren. Und wenn ich gehe, gehe ich links rum und dann rauf in Richtung Busch. Da bist du nach zweihundert Metern in den Feldern und Wiesen. Da kenn ich mich aus, da fühl ich mich wohl. Und immer sehe ich Kinder dort, also ich meine jetzt solche wie die kleine Annegret. Wenn Sommer ist und die Sonne scheint, sind immer Kinder da oben. Wie oft habe ich welche gesehen, wie sie mit Körben da rauf sind. Da haben sie was zu essen drin und was zu trinken. Heutzutage haben sie auch so kleine Geräte bei sich. Mit denen hören sie Musik und tanzen dann rum. Und wenn sie mich sehen, dann rufen sie: Hallo Pitter! Und ich rufe zurück.« Er grinste wieder. »Da im Busch läuft das Leben in zwei Schichten ab, sage ich dir. Mittags und nachmittags die Kleinen und abends die Großen, bei denen es schon richtig zur Sache geht. Und unten stehen manchmal Mütter und starren hoch zum Busch, als würde da ein Drache hausen. Dabei waren diese Mütter genauso wie die Annegret, nur dass sie sich nicht daran erinnern wollen. Die waren alle oben im Busch. Und wenn nicht in dem hier, dann in einem anderen. Irgendein Schwein hat das Mädchen dort oben getroffen und sie totgeschlagen, und das kann ich nicht verstehen.«

»Welchen Weg nehmen die Kinder denn, um in den Busch zu kommen?«

»Meistens den über die Altstadtgrundstücke. Ich habe hinterm Haus einen großen Garten, den ich gar nicht mehr richtig bewirtschafte. Ist mir alles zu lästig. Da habe ich Stachelbeeren stehen und Johannisbeeren. Kirschen gibt es auch und jetzt werden die ersten Pflaumen reif. Und wenn die Kinder vorbeizockeln, sage ich denen: Nehmt euch von dem Obst mit, ich kann das selbst nicht alles essen. Je älter sie werden, desto öfter sind sie da oben.«

»Jungen und Mädchen?«

»Natürlich Jungen und Mädchen. Darauf kommt es doch an. Sie sind doch neugierig. Waren wir auch, kennen wir doch alles.« Er kicherte unvermittelt. »Der Frau vom Herbert Schmitz ging's genauso. Ich meine, die ganze Stadt weiß Bescheid und lacht sich kaputt. Ich kenne Annegrets Vater ja ganz gut. Der hat mir erzählt, er hätte die Griseldis mit dem Polen oben hinter der Lustbaracke im Stadtwald gesehen. So was hätte ich auch erzählen können. Ich habe die Griseldis oft gesehen. Und es war auch nicht immer nur der Pole.«

»Noch einmal zurück zu den Kindern. Wenn ich das richtig verstanden habe, haben die Suchmannschaften nach Annegrets Verschwinden im Busch nicht jedes Laubblatt umgedreht, weil jeder dachte: Hier wird sie wohl kaum sein.«

»Genau«, nickte er. »Dabei ist das im Sommer so was wie ein Zuhause der Kinder. Sogar Hausaufgaben machen die da. Aber in den Zeitungen entstand dann der Eindruck, als sei der Busch irgendwas Gefährliches.«

»Was halten Sie denn von der Überlegung, dass ein vollkommen Fremder dort zufällig auf Annegret gestoßen ist und sie getötet hat?«

Er wirkte überrascht. »Niemals. Mit dem Auto kommt man da zum Beispiel gar nicht hin. Du könntest höchstens den Feldweg nehmen. Aber wer fährt denn einen Feldweg, wenn er fremd ist und sich nicht auskennt? Hier unten kommst du bis zum Wendehammer, genau vor der Haustür von Annegret. Dann musst du die dreihundert Meter sacht bergan laufen. Du kommst in den Busch nicht rein, ohne gesehen zu werden. Und den Fußweg von oben muss man kennen, da geht kein zufälliger Spaziergänger lang.«

»Welche Kinder sind denn das, die sich da oben immer treffen?«

»Na, die Annegret und ihre Freundin, die Anke, der Bernard, Kevin und der Gerd Salm. Der ist schon ein bisschen älter, glaube ich. Das ist so der harte Kern, alles in allem sind das immer acht bis zehn Kinder, die da rumtoben und ihren Spaß haben. Die Kinder werden das der Polente doch genau erzählt haben, oder nicht?«

»Das wage ich zu bezweifeln«, meinte ich. »Das, denken sie vermutlich, geht nur sie was an. Ich habe noch eine etwas merkwürdige Frage: Haben Sie die Kinder da oben auch mal nackt gesehen?«

Er geriet ins Grübeln. »Nein«, sagte er dann. »Das nicht. Aber in Badehose und im Badeanzug, also so einem zweiteiligen Ding. Die Mädchen haben ja schon richtig Holz vor der Hütte.«

»Bikini«, half ich.

»Genau«, nickte er. »Guck mal, früher bei uns war so was sündhaft. Später hieß es dann: Die Kinder machen Doktorspiele ... Halt! Ich kann mich an den letzten Sommer erinnern. Da hatten sie ein Zelt oben. Und, stimmt ja, da waren sie nackt. Klar, jetzt fällt's mir wieder ein. Als ich dann näher kam, sind alle in das Zelt gerannt und mit einer Badehose wieder rausgekommen. Sie wollten mir wohl zeigen, dass es nix war mit den Sünden.«

»War in diesem Sommer auch ein Zelt im Spiel?«

»Oh, mein Gedächtnis. Kann sein, kann nicht sein. Ist aber eigentlich auch egal, oder?«

»Haben Sie mal mit den Müttern oder Vätern darüber geredet?«

»Warum sollte ich? Ich werde die Kleinen doch nicht verpetzen.«

»Jetzt mal ganz in Ruhe, Pitter Göden. Denken wir an jenen Donnerstag zurück. Annegret kommt mittags von der

Schule nach Hause, lässt die Schultasche im Haus und geht sofort rauf zum Busch. Sie muss einen Grund gehabt haben, da raufzugehen. Wollte sie jemanden treffen, hat da oben einer gewartet?«

»Davon würde ich ausgehen. Das ist doch immer so. Allein da oben zu sein ist doch langweilig, das macht so 'n junges Ding nicht. Da werden schon welche gekommen sein.« Ein Ruck ging durch seinen Körper, er starrte mich an und hauchte: »Ach, meinjeh!«

»Jetzt haben Sie verstanden, Sie wissen, was ich meine. Annegret war wahrscheinlich verabredet. Wer kann da oben gewartet haben?«

»Tja, das muss jemand gewesen sein, der entweder zwischen den Häusern lang oder von oben aus dem Stadtwald kam. Wenn er aus dem Stadtwald kam, konnte man ihn von hier unten nicht sehen. Und: Er konnte wieder in Richtung Stadtwald verschwinden.«

»Und wer könnte das gewesen sein?«

»Gerd Salm«, sagte er sofort.

»Geht nicht. Der hockte mit einem Russenmädchen irgendwo im Gras. Aber warum der?«

»Na ja, der war hinter Annegret her.«

»Woher wissen Sie das?«

»Hat sie mir selbst erzählt. Draußen auf der Straße. Vor zwei, drei Monaten.«

»Aber der scheidet aus. Was ist mit Bernard?«

Sein Mund wurde breiter. »Nee, der nicht. Das ist noch ein richtiges Jüngelchen. Der weiß wahrscheinlich noch nicht mal, dass sein Schniedelwutz stehen kann.«

»Und Kevin Schmitz?«

»Auch nein, würde ich sagen. Der Junge ist viel zu scheu.«

»Was ist mit Anke?«

»Wäre möglich. Aber dass die der Annegret einen Stein auf den Schädel schlägt? Das gibt es doch nicht!«

»Wollen Sie selbst zu den Kriminalbeamten gehen oder soll ich das für Sie erledigen?«

Er überlegte kurz und entschied: »Das kann ich selber machen. Ich habe ja sowieso nichts zu tun. Ist mal was anderes.«

Ich gab ihm die Nummer von Kischkewitz, er versprach, sofort anzurufen. Ich verabschiedete mich.

Den Wagen ließ ich stehen und ging nach links zum Wendehammer, zu den Wiesen und Feldern rund um Amor-Busch. Ich lief den Weg, den auch Pitter Göden nehmen musste, wenn er in die Felder wollte. Er führte mich an einem Wiesenzaun entlang die sanfte Steigung hoch, dann über ein Stoppelfeld auf die nächste Wiese, bis ich den Busch erreichte.

Es ist unglaublich, wie schweigsam die Natur ist. Nichts verriet Annegret. Wahrscheinlich hatte die Polizei gründlich aufgeräumt: keine Reste mehr von menschlicher Anwesenheit. Nur im Grenzbereich zur Wiese auf einem alten Baumstumpf, der fast ganz verfault war und eine weiße Pilzschicht zeigte, hatte ein Scherzbold zwei Kondome ausgebreitet. Wohl um anzuzeigen, dass das Leben erheblichen Spaß machen kann.

Ich hockte mich an den Rand des Busches und starrte mal wieder hinunter auf Annegrets Elternhaus, das jetzt in einer gleißenden Sonne lag.

Wovon hatte Annegret wohl geträumt? So zu sein wie Britney Spears? Oder vielleicht Norah Jones? Norah Jones wahrscheinlich eher nicht. Kleine Mädchen können in der Regel mit Jazz nichts anfangen, Jazz scheint eine Währung zu sein, die langsam ihren Wert verliert.

Mir wurde mit aller Schärfe bewusst, dass ich von Annegrets Welt keine Ahnung hatte. Wahrscheinlich war ich ohne Hilfe nicht einmal fähig, einen ihrer ganz normalen Alltage zu rekonstruieren. Hatte sie hier gesessen, wo ich jetzt saß? Was hatte sie von ihrem Vater gedacht? Was von ihrer Mutter?

Welchem Erwachsenen hatte sie vertraut? Hatte sie überhaupt irgendeinem Erwachsenen vertraut? Vielleicht Toni Burscheid, aber der spielte im Chaos der Überlebenden nicht mehr mit, der hatte Sünden gebüßt, die er niemals begangen hatte.

Ich stand auf und lief in den Busch hinein, dorthin, wo für Benecke die Zeltbahnen gezogen worden waren. Der kleine Geländebruch war deutlich. Er war nicht sehr lang und breit. Ich stapfte über die Stelle, wo Annegret erschlagen worden war, und plötzlich schien es mir unvorstellbar, dass irgendein durchreisender Serienkiller ihr hier aufgelauert hatte. Pitter Göden hatte wohl Recht, für Fremde war das ein Platz, der schlicht nicht zu entdecken war. Aber was hatte sich hier zugetragen?

Ich verließ den Schatten der Bäume und guckte hoch zum Stadtwald, der in ungefähr dreihundert Metern Entfernung begann. Wer von dort oben kam, hatte Pitter gesagt, war für die Leute unten in Hildenstein unsichtbar. Dann war doch ein Fremder denkbar, der dort oben zum Beispiel spazieren ging, Annegret entdeckte und zu ihr hinlief. Aber: Pitter Göden hatte auch gesagt, die Kinder seien nie allein im Busch gewesen, allein im Busch mache es doch keinen Spaß.

Ich rief Rainer Darscheid an und bekam seine Frau an den Apparat. Ich fragte nach ihm und sie antwortete, sie würde ihm ausrichten, dass er mich zurückrufen solle. Er sei nur eben etwas einkaufen. Sie wirkte sehr distanziert, wahrscheinlich verfluchte sie mich längst wegen meiner Neugier.

Ich setzte mich wieder ins Gras.

Es war nicht viel Zeit vergangen, als Rainer Darscheid mich zurückrief.

»Ich bin oberhalb deines Hauses am Busch. Hast du Zeit?«

»Ja, ich komme.«

Ich beobachtete, wie er aus dem Haus trat und zügig über die Felder und Wiesen schritt, wie jemand, der etwas zu erledigen hat.

»Was treibst du hier?«, fragte er und ließ sich neben mir nieder.

»Ich war beim alten Pitter Göden ... Rainer, du hast gesagt, dass deine Annegret ein ganz normaler junger Mensch war, der gern lachte. Nun hocke ich hier und weiß nicht weiter. Wenn Annegret mit anderen Kindern hier war, brauchte sie nur aus dem Schatten der Bäume hinunter auf dein Haus zu blicken. Sie konnte sehen, wer kam und wer ging. Sie war erreichbar, denn sie hatte doch bestimmt ein Handy. Streng genommen konnte sie ihr Elternhaus kontrollieren. Aber ich gehe jede Wette ein, dass es auch die umgekehrte Spur gibt. Damit meine ich, dass deine Frau nur aus dem Haus zu treten brauchte, um Annegret zu signalisieren, sie solle nach Hause kommen. Oder sie brauchte gar nicht aus dem Haus zu treten, sie konnte da oben eines der Fenster am Giebel öffnen. Was ist hinter den Fenstern?«

»Da ist unser Schlafzimmer«, sagte er tonlos.

»Weißt du, da entstehen doch Rituale. Annegret guckt von Zeit zu Zeit hinunter auf euer Haus. Dann wird das Schlafzimmerfenster aufgemacht und Annegret weiß, dass sie nach Hause kommen muss. Zum Abendessen zum Beispiel. Weiß du nichts von solchen Ritualen?«

»Nein«, er schüttelte den Kopf. »Weißt du, mein Job ist hart und ein Achtstundentag eine Erholung. Ich komme nach Hause, bin fertig, starre in den Fernseher, kriege aber nichts mit und manchmal schlafe ich sofort ein. Na klar, die beiden hatten eine besondere Art, miteinander umzugehen. Manchmal habe ich gedacht, sie benutzen bei ihren Unterhaltungen eine Art Code. Wahrscheinlich ist das immer so zwischen Mutter und Tochter.«

»Als ihr Annegret am Donnerstag vermisst und in der Nachbarschaft und bei den Eltern von Freundinnen und Freunden herumgefragt habt, was hat da deine Frau getan?«

Er starrte mich verwundert an. »Sie hat das getan, was ich auch getan habe. Sie ist zu den Nachbarn, sie hat rumtelefoniert, sie wurde immer hysterischer. Wie ich selbst.«

»Aber sie ist nicht zum Busch hochgelaufen?«

»Nein«, sagte er.

Ich ließ das stehen, ich ließ es wirken und mir war klar, dass ich ihm wehtat. Denn er würde plötzlich begreifen, er würde in das Begreifen hineingestoßen wie in einen grundlosen Sumpf.

Er drehte den Kopf zu mir, seine Augen waren weit geöffnet und sahen eigentlich nichts. »Oh, mein Gott!« Dann ließ er sich auf den Rücken sinken, legte beide Hände über sein Gesicht und begann lautlos zu weinen.

Ich ließ ihn in Ruhe und fluchte still über meine Hilflosigkeit. Links von mir stieg eine Lerche hoch und jubilierte über den Sommer, ein winziger Punkt reiner Musik.

Darscheid wischte sich über die Augen und zündete sich eine Zigarette an. »Du glaubst, sie hat etwas geahnt?«

»Ich weiß nicht, was ich glauben soll«, antwortete ich.

»Aber wir hätten Annegret eigentlich sofort finden müssen. Das meinst du doch, das steckt dahinter, oder?«

»Ja, möglicherweise. Das ist jetzt aber eigentlich egal, wichtig ist, dass deine Frau aus dem Schock auftaucht und dass sie zu verstehen beginnt, was geschehen ist.«

Er nickte. Langsam rappelte er sich hoch und lief den Hang hinunter. Er ging unsicher wie ein Träumer.

Ich rief Kischkewitz an und störte ihn offensichtlich, denn er stöhnte: »Nicht schon wieder.«

»Hat Pitter Göden dich angerufen?«

»Er sitzt mir gegenüber. Wir müssen die ganze Szenerie überdenken und neu ordnen.«

»Als du vom geheimen Leben der Kinder gesprochen hast, da hast du das gemeint, was der alte Pitter erzählt?«

»Genau. Ich ahnte die ganze Zeit, dass wir irgendetwas falsch machen, aber ich hätte dir nicht sagen können, was. Nicht nur die Mütter wissen viel mehr, als sie sagen oder ihnen überhaupt bewusst ist, mit den Kindern verhält es sich ganz genauso. Nur wissen wir viel zu wenig über die Kinder. Wem sollen wir was für Fragen stellen? Ganz abgesehen davon, dass wir kaum an die Kinder rankommen. Da sind Eltern und Psychologen vor. Aber es gibt Leute wie diesen Pitter Göden, denen die Kinder intuitiv trauen. Diese Leute müssen suchen.«

»Weißt du sonst was Neues? Was ist mit dem Mord an Mauren?«

»Das kann nicht mehr lange dauern. Ich habe Retterath verhaften lassen, um Schmitz weich zu kochen. Das Übliche.«

»Danke. Wir sehen uns.«

Ich stand auf, spazierte hangabwärts und die Straße entlang bis zu meinem Auto. Die Sonne stand steil und ich schwitzte. Der Wolkenberg von heute Morgen hatte sich verzogen.

Ich fuhr zur Tankstelle in Hildenstein, um zu tanken. Die Frau hinter der Kasse kannte ich sicher seit zehn Jahren und sie bemerkte freundlich: »Im Moment haben Sie ja genug zu tun.«

»Das kann man so sagen«, nickte ich und stopfte das Kleingeld in die Jeans. »Was spricht denn der Volksmund: Wer hat Annegret getötet?«

»Das weiß doch keiner, obwohl viele so tun, als wüssten sie mehr. Wichtigtuer, die immer alles besser wissen. Zuletzt hörte ich sogar das Gerücht, dass die Putzfrau von der Familie Schmitz hinter allem steckt. Das wird doch immer lächerlicher, oder? Wahrscheinlich nur, weil sie eine Russin ist.«

»Wie kommen Leute auf die Idee, eine russische Putzfrau könnte mit dem Mord etwas zu tun haben?«

Die Frau blinzelte unsicher. »Die Geschichte geht so, dass die Russen eigentlich als Erpresser auftreten wollten. Annegret gegen Lösegeld. Weil: Russen sind arm dran, Russen haben kein Geld, Russen sind geil auf Geld.«

»Aha. Wissen Sie, wie die Putzfrau heißt?«

»Ich kenne nur den Vornamen. Sie soll Olga heißen und nur zwanzig Worte deutsch können. Die wohnt hier um die Ecke rum an der Straße nach Üxheim.«

Da Baumeister schon mal in der Gegend war, nahm er die zwei Kurven und stand dann vor einigen Gebäuden, in denen die sozial Schwachen untergebracht waren, wie es im Beamtendeutsch so schön harmlos heißt.

Die Namen auf den Klingelschildern bildeten eine Mischung aus dem Vorderen Orient, Weißrussland und dem arabischen Raum. Ich wusste aber nur Olga. Daher schellte ich die erstbeste Familie an, bekam Einlass und erkundigte mich, wo Olga wohne. Die alte Frau, die freundlich wirkte, deutete mit dem Daumen nach oben und antwortete: »Zweites Etage, ganz einfach, ganz links. Kannst du sehen.«

»Danke«, sagte ich und marschierte die Treppe hinauf. Der Familienname war etwas, was ich nicht aussprechen konnte, also sagte ich in das Gesicht eines etwa vierzigjährigen, misstrauisch wirkenden Mannes, der mir öffnete: »Ist Olga da?«

»Ja«, nickte er. »Komm mit.«

Er ging vor mir her in ein Wohnzimmer, das sehr einfach eingerichtet war, mit Möbeln, die nicht mehr als funktionell waren. Alles wirkte düster, braun und streng. Auf einer Anrichte war so etwas wie ein Altar aufgebaut. Eine Gipsmadonna in lichtblauem Gewand wurde umrahmt von einer Unmenge an Schleifen aus Plastikband: rot, grellgrün, violett.

Ich bekam das Sofa angewiesen und setzte mich.

Der Mann fragte scheu: »Amt?«

»Nein, nein«, entgegnete ich hastig. »Nicht vom Amt. Ich bin Journalist. Ich schreibe für ein Magazin. Privat, nicht Amt.« Es ist erstaunlich, wie schnell man sich auf ein gebrochenes Deutsch einstellt, wie schnell man die eigene Sprache verkinscht.

»Und Olga? Soll kommen?«

»Ja, bitte«, nickte ich. Und weil ich wusste, dass Pfeifenraucher Gelassenheit und vor allem Gemütlichkeit ausstrahlen, fragte ich: »Darf ich rauchen?«

»O ja, o ja«, sagte er lächelnd, kramte in einem Schrank herum und stellte einen Plastikaschenbecher vor mich hin. Anschließend verschwand er für eine Weile und kehrte in Begleitung einer Frau zurück, die an Masse doppelt so viel aufbrachte wie er und deren Gesicht vor Aufregung und Eifer glänzte. Sie gab mir sehr förmlich die Hand und vollbrachte erstaunlicherweise so etwas wie einen Knicks.

»Mein Name ist Siggi«, sagte ich. »Sie arbeiten für die Familie Schmitz, habe ich gehört.«

»Ja. Manchmal«, antwortete sie etwas distanziert. »Sie kommen, sie sagen: Olga muss helfen. Dann komme ich.«

»Wie viel verdienen Sie denn bei Schmitz?«

Die beiden sahen sich schnell an, es war zu spüren, dass sie im Lügen absolut unprofessionell waren.

»Kein Geld«, sagte die Frau. »Nur Arbeit für Essen. Kein Geld.«

»Nie Geld«, echote ihr Mann. »Wir dürfen nicht arbeiten für Geld. Wir müssen warten auf Amt. Bis Amt sagt: Ihr dürft arbeiten.«

Ich entschied mich für Rücksichtslosigkeit. »Das glaube ich nicht«, sagte ich und schaute beide freundlich an. »Herbert Schmitz erzählte mir, dass er für die Arbeit zahlt.« Es war ein dämlicher Bluff, aber er funktionierte.

»Ja«, gab sie zu. »Aber nur wenige Euro.«

»Wie viele denn?«

»Drei Euro die Stunde. Nicht mehr.«

Wahrscheinlich stimmte das. Irgendjemand hatte einmal bemerkt, Deutschrussen seien die Gruppe der am meisten Ausgenutzten.

»Mir geht es um den Donnerstag«, erklärte ich. »Um den Tag, an dem die kleine Annegret getötet worden ist.«

»Mord«, sagte sie schnell. Es klang wie »Morrtth«.

»Ja, Mord. Sie waren an dem Tag bei Schmitz?«

»Ja. Aber nichts gesehen, nichts gehört, ich arbeiten.«

»Kevin kam aus der Schule«, half ich.

»Ja, kam zu Hause«, bestätigte sie. Sie machte den Eindruck, als wisse sie, was kommen würde. Und als habe sie nicht die Kraft zu lügen.

»Frau Schmitz war nicht zu Hause.«

»Nein. War weg. Weiß nicht, wo.«

»Was machte Kevin?«

»Ging in Wohnzimmer. Hat Fernsehen geguckt. Nicht lange, nur kurz. Dann ist gegangen.«

»Hat er nicht gegessen?«

»Nein. Hat sich nur Eis geholt aus Eisschrank, dann fernsehen.«

»Und dann ist er gegangen?«

»Dann ist er gegangen. Mit Fahrrad. Ich Arbeit fertig machen und dann nach Hause.«

»Um wie viel Uhr sind Sie nach Hause?«, fragte ich.

»Drei, halb vier. Weiß nicht genau.«

»Als Sie das Haus verlassen haben, ist Kevin da schon wieder zurück gewesen?«

»Nein. Hat gesagt, Fußball spielen.«

»Ach ja«, murmelte ich. Dann strahlte ich sie an und sagte: »Danke schön!« Wie hatte der kleine scheue Kevin das formuliert? *Dann hat Mama uns harte Eier in Senfsauce gemacht. Die esse ich so gern.* In einem guten sauberen Elternhaus geht nichts über gute, saubere Absprachen.

Ich stand auf. »Das war es auch schon.«

»Keine Schwierigkeiten?«, fragte der Mann verlegen. Er wirkte schrecklich hilflos.

»Keine Schwierigkeiten«, versicherte ich.

Als ich durch die Wohnungstür hinaustrat, hatte ich das bedrückende Gefühl, sie überrannt zu haben. Aber Kischkewitz würde sanft mit ihnen umgehen, wenngleich der Arbeitsplatz bei Herbert Schmitz für Olga auf immer und ewig verloren sein würde. Bis zur nächsten Russlanddeutschen, die für die Schäbigkeit von drei Euro die Stunde die Fliesen wienern würde.

Ehe ich den Wagen startete, rief ich Kischkewitz an. Er reagierte dieses Mal gelassener.

»Was haben die Schmitzens denn über ihre Haushaltsgröße erzählt?«, fragte ich.

»Was meinst du?«, sagte er. »Das ist ein ganz normaler Drei-Personen-Haushalt …«

»Es sind vier Personen. Die vierte ist eine Russlanddeutsche namens Olga. Sie war am Tattag bei Schmitz zum Putzen und sie sagt, Kevin ist mit dem Fahrrad weggefahren.«

»Wo bist du jetzt?«, fragte er.

»Noch in Hildenstein.«

»Dann komm zu mir. Ins Rathaus.«

»Ist gut.«

In dem Zimmer, in dem die Soko residierte, saßen um einen Tisch vier Männer, die mich neugierig und kritisch musterten, als ich hereinkam.

»Bei Schmitz verhält es sich wohl einwandfrei so, dass sie versucht haben, die Putzhilfe unter den Teppich zu kehren«, sagte ich. »Und die sagt, Kevin ist nach Hause gekommen, hat ein Eis geschleckt, ferngesehen und ist dann mit dem Fahrrad weggefahren. Es stimmt also nicht, dass er brav auf Mami wartete.«

Der junge Mann, der bei Mauren die Tochter betreut hatte, murmelte betreten: »Wie kann so etwas passieren? Wie konnte uns die Putzfrau durch die Lappen gehen?«

Kischkewitz meinte schnell und hart: »Wir haben jetzt keine Zeit, die Fehler der vergangenen Tage zu analysieren.« Er sah mich an. »Hast du Lust auf einen Spaziergang?«

»Ja, natürlich, warum nicht.«

»Dann mache ich hier Schluss. Bis nachher. Ich muss mal Bäume sehen.« Er stand auf und stürmte aus dem Raum, als sei er von Ekel und Wut erfüllt.

Wir stiegen in seinen Dienstwagen und er sagte kein Wort, sondern fuhr ein wenig verbissen aus Hildenstein hinaus in südliche Richtung. An einem breiten Waldweg stellte er den Wagen ab und atmete tief durch.

»Lass uns ein paar Schritte gehen.«

Ich schwieg, ich ging einfach neben ihm her.

»Der Fall ist schon in den ersten Tagen, als Annegret noch gar nicht gefunden worden war, versaut worden. Wir waren zu schnell. Das heißt, mein Stellvertreter war zu schnell. Er hat an einer Oberfläche gekratzt und ist dann zur nächsten Oberfläche übergegangen. Eine Putzfrau habe ich geahnt, aber, ehrlich gestanden, war ich mir unsicher, wie man an sie herankommen konnte. Dieser Adolf Klemm ist ein Seiteneinsteiger. Er wollte nie wirklich Kriminalist sein, er wollte immer nur Erfolg haben, um die nächste Stufe auf der Karriereleiter erklimmen zu können. Die Entscheidung, die Leiche nicht am Fundort liegen zu lassen, war nicht der erste Bockmist, den er in diesem Fall gebaut hat. Inzwischen hat ihn sein Vertrauter aus dem Innenministerium zurückgepfiffen. Wahrscheinlich wird er irgendwo eine Warteschleife ziehen und dann den nächsten Chef zur Verzweiflung treiben. Jetzt kann ich jede Spur nacharbeiten, verstehst du?! Mich macht das ganz verrückt, weil wir sowieso unter einem unheimlichen Druck stehen. Wir müssen einen Täter präsentieren, sonst schlägt uns die Öffentlichkeit tot, sonst kriegen wir noch mehr Druck vom Innenministerium und sämtliche Konservativen sagen, wir hätten versagt.«

»Ich habe mich immer wieder gewundert, weshalb ihr viele einfache Dinge nicht wusstet. Langsam wird mir klar, warum. Vieles deutet für mich darauf hin, dass Annegret freiwillig hoch in den Busch gelaufen ist. Und da muss jemand gewesen sein, mit dem sie verabredet war. Das kann Kevin gewesen sein oder Anke, aber das kann auch jemand gewesen sein, von dem wir noch gar nichts wissen.«

Frisch gefällte Buchenstämme lagen am Wegrand, Kischkewitz setzte sich auf einen, holte einen seiner Stumpen heraus und zündete ihn an. »Ich bin atemlos von den wenigen Schritten, ich bin in einer beschissenen Verfassung, ich müsste mal was für für mich tun. Aber ich weiß nicht, wie.«

»Mach Urlaub«, sagte ich, nur um etwas zu sagen.

»Das geht nicht. Ich muss erst einmal meine Mannschaft beruhigen und wieder einstielen.«

»Und Rodenstock? Hält der seine Drohung mit der Anzeige gegen diesen Klemm aufrecht?«

»Ja. Das ist gar nicht mal das Schlechteste, denn auf diese Weise bekomme ich vielleicht im Ministerium Gehör. Es heißt zwar verächtlich, Rodenstock sei längst pensioniert, aber sie wissen ganz genau, dass es Stunk geben wird, wenn die Öffentlichkeit von dem ganzen Mist erfährt.« Er lachte leise. »Immerhin habe ich den Pensionär Rodenstock auf meiner Seite. Zwei von meinen Männern waren schon echt irritiert. Klemm hat den Eindruck hinterlassen, dass er schneller und vor allem effizienter ist als ich. Nun muss ich vorsichtig taktieren, bis auch der Letzte kapiert hat, dass Klemms Art der Erledigung eines Falles Misserfolg bedeutet. Ich bin vollkommen verkrampft. Scheiß neue Welt.«

Ich hockte mich neben ihn. »Du hast vor ein paar Tagen einen Fall Binningen erwähnt. Erzählst du mir davon, damit ich mitreden kann?«

Er schloss die Augen und nickte. »Binningen war ein in jeder Beziehung klassischer Fall. Mit Pannen, Unstimmigkeiten, Angriffen auf die Kripo, es gab schlicht alles, was es eigentlich nicht hätte geben dürfen. Sehr vieles im Fall Annegret erinnert an Binningen.

Der Fall nahm in der Adventszeit 1987 seinen Anfang, präzise am 14. Dezember, also zehn Tage vor Weihnachten. Eine junge Frau aus Binningen fuhr mit ihren beiden Kindern, Tanja und Marco, in die Kreisstadt Cochem. Tanja war elf Jahre alt, ihr Bruder sechs. Die Mutter wollte mit Marco zu einem Kinderarzt. Sie standen auf dem Marktplatz in dem ziemlich regen Weihnachtsrummel und Tanja sagte plötzlich: Ich will noch ein Weihnachtsgeschenk für Marco kaufen. Die Mutter hatte nichts dagegen einzuwenden. Das Mädchen galt als schon recht erwachsen, weil sie sich für den kleinen Marco nicht nur zuständig, sondern auch verantwortlich fühlte. Mit der Bemerkung, sie sei in einer Viertelstunde wieder da, verschwand die Kleine in der Menge. Die Mutter und Marco warteten und wurden schließlich unruhig, als Tanja nicht zurückkehrte. Tanja sollte nie wieder zurückkehren.

Der Fall hatte von Beginn an eine außerordentliche Bedeutung, weil es um ein junges Mädchen ging, weil die öffentliche Stimmung angeheizt war und weil niemand die geringste Ahnung hatte, wohin Tanja verschwunden sein konnte.

Die Sonderkommission, die gebildet wurde, bestand aus fünfundzwanzig Beamten. Für damalige Verhältnisse ungewöhnlich viel Personal. Der Landrat setzte sofort dreitausend Mark Belohnung aus, die Staatsanwaltschaft zog nach und stellte ebenfalls dreitausend Mark zur Verfügung, als Belohnung für Hinweise, die zur Ermittlung des Täters führten. Das Ergebnis war gleich null.

Ich nenne dir den Beginn der Lösung, damit ich nicht zu weit ausufere. Genau einhundertacht Tage nach ihrem spurlosen Verschwinden wird Tanja hinter der Reichsburg Cochem in einem alten Gartenhäuschen gefunden. Erdrosselt. Zwei Spaziergänger waren aufmerksam geworden, weil in dem Gartenhäuschen eine Fensterscheibe zertrümmert war. Sie sahen hinein und entdeckten das Mädchen.

Die Gegend ist katholisch, streng katholisch. Tanja wurde ausgerechnet an einem Karfreitag gefunden, einem Tag, der in katholischen Gegenden voller Leidenssymbolik ist. Und es kam noch etwas Bitteres hinzu: An dem Tag, an dem sie gefunden wurde, hätte sie ihren zwölften Geburtstag gefeiert.

In fieberhafter Eile wurden Informationsblätter für die Bevölkerung gedruckt. Pfarrer verteilten diese Blätter an die Gläubigen an den Kirchenausgängen. Die Pfarrer baten sogar von den Kanzeln herunter um die Hilfe der Leute bei der Aufklärung des Falls.

In einhundertacht Tagen sprießen die Gerüchte. Wie ja auch hier in Hildenstein tauchten Wahrsager auf, die behaupteten, sie hätten Tanja gesehen, wie sie aus einem Auto herausgeholt wurde, um in Amsterdam in einem Kinderbordell angeboten zu werden. Dann hieß es, Tanja sei von einem international arbeitenden Gangsterring entführt worden, der pornografische Fotos von Kindern herstellte und anböte. Zeitungen und Yellowpress-Blättchen druckten diese Geschichten, dabei wurden die so genannten Wahrsager wahrscheinlich auch noch von ihnen bezahlt.

Tanja war uns als ein Kind geschildert worden, das niemals mit einem Fremden mitgehen würde. Völlig unvorstellbar, sagten alle, mit denen wir sprachen. Andererseits denken wir Kripoleute bei Verbrechen dieser Art sowieso immer zuerst an eine Beziehungstat. Also an den Vater, den Onkel, an sonst wen Vertrauten. Wir kamen aber nicht weiter mit diesem Ansatz.

Es kam Kritik, und zwar heftig. Uns wurde vorgeworfen, wir hätten Tanja sofort, schon bei der ersten Suche, im Gartenhaus finden müssen. Denn der Garten befand sich ja nicht weit entfernt vom Marktplatz. Wir verteidigten uns, wir wiesen auf Hubschrauberflüge hin. Und wir legten sogar offen, dass wir die Eigner der Gartenhäuschen aufgefordert hatten zu überprüfen, ob jemand in eines der Häuschen eingebrochen sei. Das ist übrigens der einzige Kritikpunkt, dem ich zustimme: Wir hätten die Kleine entschieden eher finden können, ja, finden müssen.

Wie auch immer: Die Obduktion der Kleinen ergab, dass im Mageninhalt Schokolade eine Hauptrolle spielte. Sie hatte am Tag ihres Todes aber keine Schokolade von der Mutter erhalten. Und wieder versicherten alle, dass Tanja niemals Schokolade von einem Fremden angenommen hätte. Das war so schrecklich trivial, weißt du. Sie hatte Schokolade angeboten bekommen und die Schokolade auch gegessen. Und doch taten die Leute so, als sei das unmöglich.

Manches nahm geradezu bizarre Züge an. Wir hatten bekannt gegeben, dass das Mädchen nicht sexuell missbraucht worden war. Aber die Stimmung in der Bevölkerung nährte sich noch wochenlang von dem Märchen, Tanja sei sexuell missbraucht worden, bevor der Täter sie erdrosselt hatte. Nach dem Motto: Die Polizei sagt uns sowieso nicht die Wahrheit, diskutierten Stammtische das Märchen vom brutalen sexuellen Überfall.

Zwei Tage nach dem Auffinden der Leiche nahm der Leiter der Soko einen verdächtigen Mann, einen Hilfskoch, fest, der in Cochem arbeitete. Der Richter erließ Haftbefehl, der Mann wanderte in Untersuchungshaft. Das hatte Folgen, von denen die Öffentlichkeit nie etwas erfahren hat.

Der Stellvertreter des Sokoleiters erklärte nämlich: Der Chef hat den falschen Mann verhaftet. Und dieser Stellvertreter stieg unter Protest aus der laufenden Soko aus. Das dürfte in Deutschland eine Premiere gewesen sein. Selbstverständlich kann es scharfe gegenteilige Meinungen in einer

Mordkommission geben. Im schlimmsten Fall zieht sich auch schon mal jemand still von den Ermittlungen zurück. Doch ein mit solcher Vehemenz vorgetragener Vorwurf eines Fehlschlusses, das war neu.

Nun muss man fairerweise erwähnen, dass der Leiter der Soko ein durchaus erfahrener Mann war, der sich bis dato selten geirrt hatte. Und: Er war ein Spezialist für schwierige Verhöre. So ein Kumpeltyp, der immer den lieben Bullen spielt. Man muss auch hinzufügen, dass der Mann unter gewaltigem öffentlichem Druck stand. Irgendwann ist der Druck so gewaltig, dass man nach jedem Strohhalm greift. Ich weiß, wovon ich rede, denn zurzeit stehe ich unter dem gleichen Druck. Ich muss auf Teufel komm raus beweisen, dass wir gute Kripoleute sind, die ihr Geschäft verstehen. Also brauche ich ganz schnell einen Täter.

In Cochem hatte der Stellvertreter Recht gehabt. Sie hatten den falschen Mann in den Knast gebracht. Sie mussten ihn laufen lassen und standen anschließend vor dem Nichts.

Sehr viel später tauchte plötzlich der Täter auf. Ein Mann um die Mitte vierzig. Er wurde in der Nähe von Ulm festgenommen, nachdem er sich einem fünfjährigen Jungen genähert und ihn gewürgt hatte. Er war der festen Überzeugung gewesen, dass der Junge schon tot war. Aber der Junge war nicht tot, sondern konnte den Beamten Hinweise auf den Täter geben. Nun saß dieser Mann im Verhör und sagte plötzlich, dass das damals in Cochem aber ganz anders verlaufen sei. Die Vernehmenden spitzen die Ohren, rufen hier an und kriegen zur Antwort: Festhalten! Den suchen wir!

Was war passiert?

Dieser Mann war Insasse eines Heims, das in einem sehr bekannten Kloster in unmittelbarer Nähe von Cochem untergebracht ist. Alle Insassen sind Männer, alle sind geistig gestört beziehungsweise geistig zurückgeblieben.

Die Sonderkommission war sich sicher, dass bei den Ermittlungen im Fall der verschwundenen Tanja dieses Kloster nicht übersehen worden war. Und tatsächlich waren dort Kriminalbeamte erschienen und hatten gefragt, ob einer der Insassen im Laufe des Tages möglicherweise außer Haus gewesen sei. Die Heimleitung war zusammen mit den Kriminalbeamten die Listen mit den Männernamen durchgegangen und hatte festgestellt, dass sich niemand außerhalb der Klostermauern aufgehalten hatte. Aber das war nur die so genannte Papierlage.

Der Mörder war morgens aus einem Hinterfenster des Klosters geklettert und dann nach Cochem gelaufen. Er war auf Tanja getroffen, hatte ihr Schokolade angeboten und sie war mit ihm gegangen. Er hatte sie getötet und war dann auf demselben Weg wie morgens zurück ins Heim gelangt.

Großer Gott, die Papierlage! Nun haben wir im Fall Annegret auch das Problem mit der Papierlage. Wenn nur dieser Klemm nicht so oberflächlich gewesen wäre!

Nach Papierlage umfasst der Haushalt Schmitz drei Personen. Tatsächlich gehört dazu noch eine vierte Person und Kevin war Donnerstagnachmittag nicht zu Hause, wie die vierte Person erklärt. Ich frage mich, was die Papierlage über die anderen Familien sagt. Die ganzen Lügen und dann auch noch unsere oberflächliche Herangehensweise! Alles muss nochmal überprüft werden. Mein Gott, ich muss zurück an die Arbeit!«

Sein Handy klingelte, Kischkewitz zog es heraus und sagte: »Ja?« Dann hörte er zu. Es dauerte ziemlich lange.

Als er das Handy zuklappte, teilte er mir mit: »Das war Manfred Tenhagen. Du weißt schon, der auch bei Mauren dabei war. Der Junge ist wirklich auf Zack. Er hat deine Aussage in Bezug auf Schmitz mitbekommen. Ist daraufhin sofort zu den Eltern der Anke Klausen. Was jetzt kommt, ist ein Witz. Deine russische Putzfrau namens Olga hat eine Schwester, die mit dem gleichen Transport nach Deutschland gekommen ist. Und die arbeitet bei Klausens. Und sie war am Donnerstagmittag da. Und sie sagt: Anke kam nach Hause, nahm ihr Fahrrad und fuhr weg.«

»Na, klasse«, sagte ich. »Jetzt stimmt gar nichts mehr.«

Er starrte auf die Erde. »Ich muss mit den Psychologen sprechen«, entschied er. »Sie sollen sich etwas zurückziehen. Die Kommission braucht eine psychologenfreie Szene. Sonst können wir keine normalen Befragungen durchführen. Ich habe einen Mord zu klären und kann keine Rücksicht mehr auf Kinder nehmen, deren arme Seelen seit irgendeiner furchtbaren Stunde ins Schlingern geraten sind.« Er drückte den Stumpen in der Erde aus. »Ich muss entschieden brutaler werden.«

ACHTES KAPITEL

Ich stieg in Hildenstein in meinen Wagen um und fuhr nach Hause. Von Klarheit in meinem Hirn zu sprechen wäre gelogen. Aus Erfahrung wusste ich, dass ich auf andere Felder ausweichen musste. Es war notwendig, nicht im Chaos zu verweilen und darüber zu grübeln, was ich hätte unternehmen können. Konjunktive sind grundsätzlich kontraproduktiv, sie wirbeln die Versatzstücke auf der Bühne durcheinander, sie vertiefen Unsicherheiten, sie machen striktes Recherchieren unmöglich.

Vera und Clarissa retteten mich.

Vera schob den Elektromäher durch den Garten, Clarissa rechte hinter ihr das Gras zusammen und stopfte es in die Biomülltonne. Merkwürdigerweise brachten sie es fertig, sich trotz des Lärms miteinander zu unterhalten. Jedenfalls lachten sie schallend.

Mein Kater hatte sich in den hintersten Winkel des Gartens zurückgezogen, mein Hund strich um den Mäher herum und bleckte die Zähne, wie er es immer tat, wenn das Ding seine Kreise störte.

Ich setzte mich auf die Terrasse und sah ihnen zu. Ich spürte, wie langsam Ruhe in meine Seele einkehrte. Plötzlich war ich hundemüde.

Vera ließ den Mäher stehen und kam zu mir. Sie beugte sich über mich und küsste mich auf die Stirn. »Wie geht es dir?«

»Eigentlich gut. Obwohl ich mit meinen Recherchen in einer Sackgasse stecke. Was verschafft mir die Ehre, meinen Garten gepflegt zu bekommen?«

»Wir hatten Lust dazu«, sagte sie. »In der Küche ist Kaffee.«

»Kein Kaffee, sonst wache ich auf.«

»Hallo, Väterchen«, rief Clarissa gut gelaunt. »Du siehst geschafft aus.«

»Das bin ich auch.«

»Tante Anni wird immer saurer, dass du nicht kommst.«

»Da kann ich nichts machen. Ich glaube, ich haue mich eine Stunde aufs Ohr.«

Ich schlich hoch ins Schlafzimmer, zog mich aus und war eingeschlafen, ehe ich wieder anfangen konnte, über Eventualitäten nachzugrübeln.

Ich wurde wach, weil die beiden Frauen im Haus herumjuchzten.

Clarissa schrie: »Nein!«

Vera brüllte: »Du Kanaille!«

Irgendetwas knallte gewaltig auf die Fliesen. Anscheinend waren sie dabei, das Haus auseinander zu nehmen.

Dann war eine ganze Weile Ruhe, bis Vera in der Tür stand, nur mit einem Handtuch bekleidet; sie legte sich neben mich. Sie vergrub sich in den Tiefen des Bettes und argumentierte vorwurfsvoll: »Du hast schon drei Stunden geschlafen.« Sie roch eindringlich nach frisch geduscht.

Ich antwortete nicht, sondern erinnerte mich mit Schrecken an zwei Fragen, die mir beim Aufwachen durch den

Kopf geschossen waren: Was ist, wenn es der Vater, Rainer Darscheid, gewesen ist? Oder wenn der Täter Pitter Göden heißt? Wie hatte Kischkewitz bemerkt? *Wir denken immer zuerst an eine Beziehungstat, wenn so etwas passiert …*

»Kommst du klar mit der Eifel?«, fragte ich.

»Ja. Das ist wie Urlaub. Ich werde aber wieder nach Mainz müssen, um die Dinge klarzuziehen.«

»Erzähl ein bisschen. Ich weiß gar nicht, was passiert ist.«

»Es ist eine banale Geschichte, Baumeister. Nichts Besonderes, nichts Heldenhaftes, einfach ganz banal.«

Ich drängte nicht. Ich spürte, wie sie einen Fuß an meine Füße schob, und fragte mich sekundenlang, ob ich das überhaupt wollte.

Sie murmelte: »Bist du bereit, bei einer so blöden Geschichte zuzuhören?«

»Aber ja.«

»Na schön. Zunächst ging es nur um den Job. Pressesprecher vom LKA sollte eine Frau werden. Das war so abgemacht mit dem Personenrat. Und plötzlich war ich die Kandidatin, weil meine beruflichen Vorgaben genau passten. Natürlich wollte ich den Job auch, das war schon verdammt gut.« Ihre Stimme kam ganz flach und nüchtern daher. »Anfangs lief alles gut. Systematisch knüpfte ich Verbindung zu den Medienleuten. Und ich lernte einen Kollegen kennen. Gut aussehend, passend im Alter und so weiter. Er sagte, er lebe in Scheidung. Und ich habe wirklich geglaubt, er wird die große Liebe. Er wollte mit mir leben, wenn seine Scheidung erst einmal durch wäre. Außerdem gab es noch zwei Frauen in der Presseabteilung, eine Sekretärin und eine andere Kriminalhauptkommissarin. Und diese Hauptkommissarin, das erfuhr ich nebenbei, hatte eigentlich meinen Job haben wollen, ihn aber nicht bekommen, weil sie nicht alle Vorgaben erfüllte. Das tat mir nicht einmal Leid. Sie ist so der Typ eiskalte Blondine, liebt schmutzige und schräge

Witze. Die anderen mögen sie aber ... Nun, der Typ, mit dem ich zusammen war, wohnte mittlerweile bei mir, jedenfalls abends und nachts. Irgendwann änderte sich dann was, das war so ein schleichender Prozess. Der Typ zog sich zurück. Und eines Tages erwischte ich ihn vor dem Kaffeeautomaten mit der schrägen Blonden. Also, sie standen da und knutschten herum. Ich sprach ihn an und er antwortete, das sei nur ein Scherz gewesen. Er sei eben so, da stecke nichts Schlimmes dahinter. Aber er kam schon sehr oft abends nicht mehr zu mir, sondern behauptete, er müsse bei seiner Familie sein, um die Scheidung und die Aufteilung des Haushaltes klarzumachen.« Sie schnaufte unwillig. »So was Blödes. Jedenfalls stellte ich fest, dass er tatsächlich mit der schrägen Blonden zusammen war. Aber da war alles schon zu spät. Dahinter steckte nichts anderes als der Angriff der Blonden auf meinen Job. Meine Vorgesetzten zitierten mich zu sich und sagten, einige Leute in meiner Abteilung hätten sich über mich beschwert. Ich fragte nach Namen und Fakten, aber sie blieben undeutlich – angeblich, um den Unfrieden nicht noch zu vergrößern. Das Nächste, was mich kalt erwischte, war die Nachricht, dass der Typ gar nicht in Scheidung lebte. Seine Frau hatte null Ahnung von den Umständen im Dienst, sie wusste weder von mir noch von der Blonden. Dann benahmen sich auf einmal andere Kollegen und Kolleginnen mir gegenüber so merkwürdig distanziert. Ich sprach sie einzeln an, die meisten wichen aus. Wieder ein wenig später erzählte mir eine Frau, es ginge das Gerücht, ich würde mich an verheiratete Kollegen heranschmeißen, um sie ihren Frauen auszuspannen. Das lief so nach dem Motto: Diese Polizistin ist männermordend! Ich habe noch eine Weile durchgehalten, den Typen abgeschafft und ihm gesagt, er sei ein Schwein. Aber tatsächlich war ich natürlich während all dieser Wochen untauglich für den Job und mittlerweile drangen auch wichtige Nachrichten nicht mehr zu mir durch. Schließlich ging ich zu meinen Chefs und sagte ihnen, ich gebe auf, denn es gebe in ihrem Laden einige Charakterschweine. Und ich sagte: Ich verschwinde jetzt für ein paar Wochen und erwarte, dass der Miststall ausgekehrt wird. Das ist eigentlich alles.« Sie zog ihre Füße zurück, drehte sich von mir weg und weinte.

Ich wusste nichts zu sagen, außer Floskeln.

»Wie war denn dein Leben in dieser Wohnung?«

»Klasse. Möbliert, billig und beziehungslos. Anfangs habe ich ziemlich viel getrunken, aber dann habe ich die Kurve gekriegt. Es war einfach furchtbar, Baumeister.«

»Warum hast du dich nicht mal gemeldet?«

»Ich war ja hier. Zwei Mal sogar. Ich habe vor deinem Haus gestanden und wollte klingeln. Und dann bin ich wieder nach Mainz gefahren. Ich habe mich einfach nicht getraut. Einmal ist sogar Satchmo gekommen und hat sich kraulen lassen.«

»Du warst weit über ein Jahr verschwunden ... Wie viele Monate dieses Jahres warst du glücklich?«

Sie antwortete zunächst nicht. Wahrscheinlich hatte sie nie jemand danach gefragt, wahrscheinlich hatte sie sich das selbst noch nie gefragt.

»Es waren siebzehn Monate«, antwortete sie schließlich stockend. »Zwei Monate davon war ich glücklich. Ganz zu Anfang.«

»Und du hast nicht gemerkt, was da ablief?«

»Nein. Es war eine Liebesgeschichte, dachte ich. Eine ganz normale, schöne Geschichte.«

»Aber die Liebe war getürkt?«

»Ja. Muss wohl. Es ging von Anfang an um meinen Job, darum, mich angreifbar zu machen und beiseite zu schieben.«

»Hat dieser Mann das zugegeben?«

»Natürlich nicht ... Ich hasse ihn. Ich hasse zurzeit ziemlich viele Menschen. Auch solche, die gar nichts damit zu tun hatten. Meine Seele weint ununterbrochen. Hass ist ein schlimmes Gefühl. Lass uns aufhören, Baumeister, das ist ein Scheißspiel.«

»Darf ich dich in den Arm nehmen?«

»Das ist nicht gut«, widersprach sie hastig. »Das ist gar nicht gut. Und außerdem kann ich sowieso nicht mit dir schlafen.«

»Ich habe nicht an schlafen gedacht.«

Wir lagen still beieinander. Ich starrte an die Zimmerdecke. Zwei Wespen kreisten da, wahrscheinlich suchten sie den Ausgang. Nach dem Licht hinter den Vorhängen zu urteilen, neigte sich der Tag dem Ende zu, die Schlafzimmerfenster lagen schon im Schatten. Ich schätzte es auf sieben, acht Uhr und verspürte plötzlich Hunger.

»Was habe ich nur gemacht?«, fragte sie mit einer Kleinmädchenstimme.

Ich horchte in mich hinein und spürte erschrocken, dass ich auf einmal wütend wurde. Ich dachte: Wenn ich jetzt den Mund aufmache, verscheuche ich sie für ewig. Aber ich erinnerte mich auch an meine Einsamkeiten ...

»Hör zu«, sagte ich. »Im Grunde wiederholen sich deine Geschichten. Alles, was du erzählt hast, kommt mir bekannt vor. Vera fällt auf irgendeinen Lover herein, bleibt nicht sachlich, sondern gibt sich Träumereien hin. Dann kommt eine Riesenenttäuschung und Vera steht hier vor einer Tür und sagt zittrig: Bitte, rettet mich!« Ich merkte, dass meine Stimme immer lauter wurde, mir nicht mehr gehorchte, aus mir herausbrach. »Was immer nun passiert ist, es passiert nicht zum ersten Mal. Und ich liege hier und frage mich: Wann wird es zum nächsten Mal passieren?«

Lange Zeit herrschte Schweigen.

»Das heißt, du traust mir nicht mehr.«

»So kann man es formulieren. Du hast mir wehgetan und die Wunde ist nicht verheilt. Ich weiß nicht mehr genau, wer du bist. Abgesehen davon – wenn du einen solch wichtigen Job annimmst, musst du damit rechnen, dass du Gegner hast. Du bist blauäugig auf die Schnauze gefallen.«

»Väterchen«, murmelte Clarissa in der offenen Tür. »Unten ist Rodenstock, er will mit dir sprechen.«

»Sag ihm, ich komme.«

Sie schloss die Tür wieder.

»Geh ruhig zu Rodenstock. Ich setz mich in den Garten.« Vera kletterte aus dem Bett und ging hinaus, ich atmete ihren Duft und war trotzdem glücklich, dass es sie wieder gab.

Ich fand Rodenstock auf der Terrasse. Er unterhielt sich mit Clarissa und trank Rotwein. Sein Gesicht war zerfurcht.

»Am helllichten Tag im Bett liegen ist eine Sünde und Schande«, scherzte er etwas gequält.

»Die Stimme meines Herrn«, sagte ich. »Was macht Mallorca?«

»Im Moment nichts«, antwortete er schroff. »Ich will mit dir über die Kinder reden. Ich steige jetzt endgültig ein. Keine Aussage der Kinder stimmt. Das ist jetzt klar.«

»Du steigst jetzt endgültig ein? Wie soll ich das verstehen?«

»Na ja, bis jetzt habe ich nur am Rand mitgespielt. Jetzt will ich ins Zentrum.«

»Und was meinst du mit: Keine Aussage der Kinder stimmt?«

»Auch Bernard hat gelogen. Wie Kevin und Anke war er nur kurz zu Hause und hat sich dann auf sein Rad geschwungen. Und alle drei behaupten, sie seien nur so rumgefahren. Jeder für sich.«

»Woher weißt du das mit Bernard? Was sagt denn seine Mutter?«

»Kischkewitz lässt ja jede Aussage nochmal überprüfen. Und ursprünglich hieß es: Wie immer kam Bernard gegen dreizehn Uhr nach Hause. Dann hat er sich hingesetzt und

Schulaufgaben gemacht. Später ist er dann zum Fußballspielen gegangen. Tatsächlich aber ist Bernard sofort aufs Fahrrad und abgedüst. Jetzt stellte sich heraus, dass die Mutter absolut keine Kontrolle hat. Bernard hat noch drei Geschwister, zwei sind älter, eine Schwester ist jünger. Die Mutter musste zugeben, dass niemand mitbekommen hat, wann der Junge verschwunden ist. Und niemand hat mitbekommen, wann er wieder zu Hause eintrudelte.«

»Das ist aber doch normal bei Kindern«, mischte sich Clarissa ein.

»Pass auf, das ist nicht dein Spielfeld«, sagte ich scharf.

»Ach, so ist das«, erwiderte sie spöttisch und lief die Stufen zum Garten hinunter.

»Sei nicht so schroff«, murmelte Rodenstock.

»Hör zu, Alter«, ich war sauer. »Ich habe im Moment jede Menge Probleme am Hals. Ich habe Clarissa, Vera, Anni und den Fall Annegret. Und ich habe dich, der du plötzlich auf die Idee gekommen bist, nach Mallorca auszuwandern, um dort dein Glück zu versuchen. Mein Programm reicht für eine wild gewordene Herde von Nachwuchstherapeuten. Und du sagst mir, ich soll nicht so schroff sein. Wo leben wir denn?«

»Aber Mallorca ist doch ein Sonnenland.« Das kam ganz sanft daher.

»Mallorca ist eine Ansammlung mittelmäßig funktionierender Gehirne, die bei Bedarf an der Garderobe abgegeben werden können. Ich habe in irgendeinem Programm einen so genannten Mallorca-Krimi gesehen. Da könntest du eine Hauptrolle kriegen.«

Er schwieg eine Weile und fragte dann: »War der Krimi so schlecht?«

»Noch viel schlechter«, entgegnete ich. »Was stellst du da bloß mit dir an? Und was stellst du mit Emma an?«

»Wenn ich ... Ach, na ja, ihr versteht mich alle nicht.«

Jemand hüstelte hinter uns, dann sagte Tante Anni: »Ich hoffe, ich störe nicht.«

»Du störst nie«, erwiderte Rodenstock und rückte ihr einen Stuhl zurecht.

Sie setzte sich, schielte auf Rodenstocks Rotwein und ich sagte hastig: »Ich besorge dir ein Glas.«

»Es ist schön, wieder zu Hause zu sein«, lächelte sie. »Und? Habt ihr die Welt auch schön in Ordnung gehalten, während ich weg war?«

»Wir haben den Abwasch gemacht, die Stube gekehrt, das Ungeziefer entfernt, die Kinder gebadet. Das Vieh ist im Stall, das Heu auf dem Boden.« Rodenstock war sichtlich erleichtert, dass er nicht mehr Thema war.

Anni legte mir eine Hand auf den Arm. »Du bist nicht zu mir gekommen, also komme ich zu dir. Wie steht die Mordsache?«

»Auf tönernen Füßen«, gab ich zur Antwort. »Niemand weiß, ob das Mädchen vielleicht mit jemandem verabredet war, und wenn ja, mit wem.«

Sie sah mich irritiert an und Rodenstock kam mir zu Hilfe. »Das Ganze verhält sich in etwa so ...« In altbewährter strikter Manier fasste er zusammen, was wir wussten, ließ nichts aus, was wir nicht wussten. Sein Vortrag war knapp, ersparte sich jeden Schnörkel und verharrte auf den Sachlichkeiten. Das Fazit war, dass niemand den Schimmer einer Ahnung hatte, wer Annegret getötet haben könnte und warum.

Anni hatte Schlitzaugen vor Konzentration. »Ist geprüft worden, ob sich die Jungen um sechzehn Uhr tatsächlich zum Fußball getroffen haben? Und waren diese beiden Jungen – wie heißen sie, Kevin und Bernard? – auch dort vertreten?«

Rodenstock nickte. »Zu diesem Zeitpunkt war Annegret seit etwa zwei Stunden tot.«

»Wie weit ist der Busch von Annegrets Elternhaus entfernt?«

»Dreihundert Meter«, sagte ich. »Die Kinder hielten sich oft dort auf. Der Busch war ihr gemeinsamer Garten, wenn man so will.«

»Ist es dann nicht seltsam, dass ein Teil der Kinder an diesem Nachmittag einfach so rumfährt? Sollten sie nicht zum Busch fahren, wo Annegret schon war?«

»Das wäre logisch. Aber: Es kann auch sein, dass Annegret gesagt hat: Ich treffe da wen und das geht euch nichts an!«, überlegte Rodenstock.

Anni grinste. »Dann wäre es aber noch viel logischer, dass die drei Radfahrer zum Busch geradelt wären, um dort heimlich zu spinxen, wen Annegret treffen würde. Oder?«

»Sehr richtig. Es ist gut, dass sie dir dein Gehirn im Krankenhaus wieder zurückgegeben haben«, kommentierte ich.

»Der Schluss ist«, fuhr Anni ungerührt fort, »dass die Kinder im Busch möglicherweise etwas gesehen haben, was sie erstens veranlasste, sofort wieder zu verschwinden, und was zweitens zur Folge hatte, dass sie den Anblick, den sie dort hatten, massiv verdrängt haben. Sie können mit einem solchen Anblick nicht leben, also kommt das scheußliche, furchtbare Bild in den tiefsten Keller ihres Bewusstseins. Und dann sagen sie aus: Wir sind nur rumgefahren. Jeder für sich. Das heißt, sie lügen!«

Rodenstock wirkte nicht überzeugt. »Möglich ist das. Aber es scheint mir doch sehr unwahrscheinlich, dass alle drei deckungsgleich die gleichen Reaktionen zeigen. Jeder sagt: Ich war nicht im Busch, ich bin nur rumgefahren. Das ist mehr als unwahrscheinlich.«

Anni überlegte eine Weile, dann erwiderte sie: »Mag sein, aber denkt an meine Worte: Kinder gehen eigene Wege und gebrauchen in kritischen Phasen oft einfache und deshalb sich ähnelnde Lügen.«

»Denkst du etwa an ein Kind als Täter?«, fragte ich.

Sie sah mich an, ihre Augen wirkten verschleiert. »Ich schließe nichts aus, das ist mein Beruf.« Sie lachte und verbesserte: »Das war mein Beruf.«

Von der Gartenmauer schallten Veras und Clarissas Stimmen herüber. Meine Tochter klang empört: »Ich weiß gar nicht, was dieser Macker sich einbildet.« Vera beschwichtigte: »Glaub mir, er versteht viel von Verbrechen.« Ich bin mir nicht sicher, ob ich in dieser Sekunde nicht ein fettes Grinsen auf meinem Gesicht hatte.

»Was tun wir jetzt?«, fragte Anni unternehmungslustig.

»Wir fahren zu Emma, Abendessen!«, bestimmte Rodenstock.

»Was ist mit deiner Eifel-Wunderwaffe Isabell Kreuter?«, fragte ich.

»Übermorgen ist Wahl«, strahlte er. »Und ihr werdet erleben, wie die Schwaden von altem Muff über die Hügel wegwehen.«

»Das ist Lyrik«, stellte Anni fest. »Da kennt eine alte Frau sich aus.«

»Rodenstock, der Dichter«, bemerkte ich. Dann rief ich: »Vera, Clarissa, wir fahren zu Emma auf den Hügel.«

So machten wir uns auf den Weg.

Es war Pfifferlingszeit und Emma hatte eine Köstlichkeit aus Bandnudeln und Sahne und eben Pfifferlingen gezaubert, die die Kraft einer süchtig machenden Droge hatte. Wir schlemmten unter fröhlichem Geschwätz und alle außer mir sprachen reichlich einem exzellenten Roten zu, den Emma irgendwo an der Mosel besorgt hatte.

Die Runde wurde immer lebhafter und lauter, die Augen begannen zu funkeln, das Gekichere nahm überhand und Tante Anni behauptete allen Ernstes, dass einige der bekanntesten Massenmörder Europas durchaus gemütliche Zeitgenossen gewesen seien, Hamann in Hannover zum

Beispiel. Rodenstock wollte sich nicht lumpen lassen und erzählte die Geschichte eines Sittlichkeitsverbrechers, der mit ihm gewettet hatte, Rodenstock werde ihn nicht überführen können. Und dann habe er ihn mithilfe eines Streichholzbriefchens überführt. Emma fragte daraufhin, wie er denn dieses Wunder vollbracht habe, und Rodenstock geriet in aufgeregte Wallungen und konnte sich an die Lösung nicht mehr erinnern.

Das war der Punkt, an dem ich die Runde verließ, weil das immer der Punkt ist, an dem sich jemand wie ich, der keinen Alkohol trinkt, absolut fehl am Platz fühlt.

Es war 22.30 Uhr, als ich aufstand, und ich dachte, dass Annegret sehr viel mehr war als irgendein Fall, den es zu lösen galt. Annegret war eine Obsession geworden. Ein gefährlicher Punkt im journalistischen Leben.

Mein Hund hatte es mal wieder bis Heyroth geschafft, sprang an mir hoch, japste vor Freude und legte sich auf den Rücken, um gekrault zu werden. Von Westen strichen Böen flach und scharf über das heiße Land.

»Hör zu, mein Alter, ich muss jetzt unhöflich werden. Annegret lässt mir keine Ruhe und ich denke, dass wir auf die Höflichkeiten dieser Zeit keine Rücksicht mehr nehmen können. Ja, du darfst mitfahren, ja, wir werden irgendeinen Durchbruch erzielen.«

Ich rief die Darscheids in Hildenstein an. Rainer Darscheid meldete sich. »Ja, bitte?«

»Siggi hier. Ich weiß, es ist verdammt unhöflich, weil viel zu spät. Wie geht es euch?«

»Schweigsam«, sagte er. »Gibt es was Neues? Habt ihr das Schwein?«

»Nein. Was macht deine Frau?«

»Ich erlebe sie wie ein Kind, wie jemand, der plötzlich dreizehn Jahre alt ist. Wie Annegret.«

»Kriegt sie irgendwelche Medikamente?«

»Ja. Ein Beruhigungsmittel. Das kann sie nach Bedarf nehmen, das macht nicht süchtig.«

»Schläft sie jetzt?«

»Nein. Ich mache uns gerade eine Kleinigkeit zu essen. Du kannst dir ja vorstellen, dass es keinen Tag und keine Nacht gibt in diesem Haus.«

»Ich würde gern nochmal mit euch reden. Gleich, wenn es möglich ist.«

»Sollen wir kommen? Ich meine, wir können auch hier reden. Aber ... aber dieses Haus geht mir auf den Geist. Ich kriege keine Luft mehr, verstehst du, ich muss hier raus. Ist es denn irgendetwas ..., ist es eine Sache, die sie aufregen wird?«

»Das weiß ich nicht, das kann ich vorher nicht sagen. Ich werde jedenfalls versuchen, sanft zu sein.«

»Dann essen wir erst und kommen dann.«

»Ich danke dir.«

Da stand ich auf einem Hügel in Heyroth und vereinbarte einen Termin für Mitternacht. Die Böen kamen noch schärfer, Cisco japste hell, weil er das Gewitter fühlte.

Während wir die zweitausend Meter bis nach Hause fuhren, riss der Wind am Auto. Wir schafften es gerade ins Haus, dann legte das Unwetter explosionsartig los. Wie hatten die Klimaforscher gesagt: Wir werden Unwetter erleben, wie wir sie bisher in diesen Breiten nicht gekannt haben.

Ich setzte mich unter das Terrassendach und wartete. Der Regen fiel nur eine Minute lang ruhig, dann fing er an zu peitschen und das dünne Abflussrohr der Bedachung genügte der Beanspruchung nicht, das Wasser pladderte in breiten Strömen auf die Steine. Cisco verzog sich sicherheitshalber ins Wohnzimmer.

Plötzlich knallte es hell und scharf, die Lichter fielen aus. Ich hatte den Blitz nicht gesehen, aber er konnte nicht weit entfernt eingeschlagen sein. Jetzt gab es keine zeitliche Differenz mehr zwischen Blitz und Donner. Der Regen war durchmischt mit schweren Hagelkörnern. Sie prasselten wie ein unendlicher Trommelwirbel auf die Kunststoffbedachung. Der Wind stürmte so heftig von Westen her, dass meine Beine nass wurden.

»Okay, ich mache uns eine Kerze an«, sagte ich.

Ich tastete mich ins Wohnzimmer. Satchmo strich um meine Beine und Cisco stellte sich an mir hoch. Ich erreichte den Esstisch und fand den Kerzenleuchter. Eine einzelne Kerze stellte ich ins Fenster, damit die Darscheids nicht glaubten, ich hätte mich unter der Bettdecke vergraben.

Das Dorf lag im Dunkeln.

Ganz unvermutet hörte der Hagel auf, ganz unvermittelt ebbte auch der Regen wieder ab. Dafür herrschte für einen Moment eine Stille, die mit den Händen zu greifen schien.

Der Augenblick war wirklich nur kurz, dann setzte erneut mit Hagel durchmischter Regen ein. Blitz und Donner kamen scharf und lärmten im Crescendo. Zwischen mir und dem Kirchturm funkte etwas Grelles und ich fragte mich, ob es möglich war, dass der Blitz den Kirchturm verfehlt und stattdessen meinen Teich getroffen hatte.

Der nächste scharfe Knall veranlasste mich, auf die Terrasse zu gehen. Die Birke neben dem Teich war abgeknickt, sie lag auf dem Dach des Nachbarn und wirkte wie ein riesiger, nutzlos gewordener Wedel. Ich konnte nur hoffen, dass sie das Dach nicht durchschlagen hatte.

Endlich kamen die Darscheids. Geschickt zog Rainer den Wagen unmittelbar vor die Stufen am Eingang und ich öffnete ihnen die Tür.

»Schön, dass ihr kommen konntet.« Ich reichte ihnen die Hand und sie schoben sich an mir vorbei ins Wohnzimmer.

»Es gibt nur Kerzen«, erklärte ich.

»Das ist doch sehr schön«, sagte Elisabeth. »In Hildenstein ist es pulvertrocken.«

Sie setzten sich nebeneinander auf das Sofa und wirkten wie verlorene Kinder.

Ich holte Wein und Wasser. »Ich will noch einmal mit euch reden, weil mich der Amor-Busch immer noch beschäftigt. Ich habe mit dem alten Pitter Göden gesprochen, der in eurer Straße wohnt. Er sagte, dass Annegret und ihre Schulkameraden dauernd im Busch waren. Dass sie dort sogar Schularbeiten gemacht haben, Musik hörten und manchmal ein Zelt aufbauten.«

»Das ist richtig«, nickte Rainer Darscheid. »Da hat der alte Pitter Recht. Der geht ja dauernd da spazieren.«

»Elisabeth, wenn du gewusst hast, dass Annegret im Busch war, und wenn du wolltest, dass sie heimkam, um zu essen oder so, was hast du da gemacht?«

»Ich bin vors Haus und habe sie gerufen.«

»War das die Regel?«

»Ja, zumindest in der warmen Jahreszeit.«

»Nahm Annegret auch schon mal ihr Rad mit?«

Rainer antwortete: »Von der abgelegenen Seite des Busches führt ein Weg rauf zum Stadtforst. Den benutzten die Kinder häufig. Und wenn sie zu Anke oder zu einem anderen Kind nach Hause wollten, dann fuhren sie über den Feldweg nach links.«

»Elisabeth, du kannst dich wahrscheinlich gar nicht daran erinnern, dass du Annegrets Schultasche in ihr Zimmer getragen und unter das Bett geschoben hast. Kein Mensch macht dir deshalb einen Vorwurf. Aber hast du eine Idee, warum du das getan hast?«

»Nein, wirklich nicht. Vielleicht weil ich dachte: Gott sei Dank, sie ist heimgekommen. Wahrscheinlich war das irgendwie automatisch.« Ihr längliches Gesicht verzog sich ein wenig in die Breite, sie schloss die Augen.

»Kann es sein, dass du etwas verstecken wolltest? Einen Gedanken, der dich störte, eine Ahnung, die du nicht mochtest?«

»Das verstehe ich nicht«, meinte Rainer Darscheid.

»Entgegen ihren sonstigen Gewohnheiten versteckte deine Frau Annegrets Tasche. Sie versteckte vielleicht die Ahnung, dass Annegret im Busch war. Und ich frage mich, ob das etwas mit Vorgängen dort oben zu tun hat? Die Kinder waren doch ständig dort ...«

»Jetzt kapiere ich«, sagte er. »Eli, da ist auch noch die Sache mit dem Fernglas, die ich gern von dir erklärt hätte.«

Ihr Rücken wurde steif, sie saß aufrecht wie ein Zinnsoldat. »Wieso Fernglas?«, fragte sie tonlos.

Er erklärte: »Kürzlich habe ich in unserem Schlafzimmer auf der Fensterbank ein Fernglas gefunden. Ich wusste gar nicht, dass wir ein Fernglas im Haus haben. Ich wollte dich fragen, wozu du es gebraucht hast, aber ich habe es vergessen. Und später war es dann auch wieder verschwunden.«

»Das habe ich von meinem Vater«, antwortete Elisabeth tonlos. »Das ist ein altes Ding, er brauchte es nicht mehr.«

»Was hast du denn damit beobachtet?«, fragte ich.

»Nichts. Die Wiesen und Felder. Was man halt so guckt.« Ihr Gesicht blieb vollkommen ausdruckslos, nichts verriet ihre Gedanken oder Befürchtungen.

Rainer Darscheid räusperte sich. »Du hast damit doch sicher den Busch betrachtet. Bestimmt hat das irgendwie mit dem Gerd Salm zu tun. Den hasst du doch wie die Pest.«

»Gerd Salm ist der Fünfzehnjährige, der mit der kleinen Russin im Gras lag, oder?«

»Genau der.«

»Warum hasst du ihn?«, fragte ich Elisabeth.

»Er ist irgendwie dreckig«, stieß sie hervor. »Ich weiß nicht genau, warum.«

»Rainer, du hast mal erwähnt, dass du vermutest, dass dieser Gerd Salm in Annegret verliebt war.«

»Richtig. Er ist hinter ihr her gewesen.«

»Aber sie wollte den nicht. Sie mochte ihn überhaupt

nicht!«, stieß Elisabeth heftig hervor. »Annegret hat mir gesagt, dass sie den nicht ausstehen kann.«

Einen Moment war es still.

»Das glaube ich dir nicht«, murmelte Rainer. »Zu mir hat sie mal gesagt, Gerd sähe schon toll aus. Wie ein Sänger von irgendeiner Gruppe, für die sie schwärmte.« Eine leichte Verärgerung klang in seiner Stimme mit. »Der Junge ist ein stinknormaler Fünfzehnjähriger. Vielleicht nicht sanft, vielleicht nicht lieb, aber eigentlich ein guter Typ. Allenfalls manchmal etwas jähzornig. Aber das kommt in dem Alter vor.«

»Warum ist dieser Junge für dich schmutzig, Elisabeth?«

»Weil er von meiner Tochter nur das eine wollte!«, antwortete sie aggressiv.

»Und was ist das eine?«, insistierte ich weiter.

»Er wollte sie befummeln!«, erklärte sie.

»Das hat sie dir erzählt?«, fragte ihr Mann.

»Genau das!«

»Sie hat dir gesagt, der Gerd will mich befummeln?«, fragte ihr Mann scharf.

»Ja, sage ich doch.«

Wieder Schweigen.

»Das glaube ich dir nicht«, wiederholte er dann leise. »So hat sie nicht geredet.«

»Also gut, akzeptieren wir mal, dass sie das so gesagt hat. Akzeptieren wir weiter, dass dieser Junge schmutzig ist, weil er deine Tochter befummeln wollte. Was sollte das mit dem Fernglas?« Ich zündete mir die Pfeife an.

Elisabeth antwortete nicht. Sie griff nach ihrem Glas und trank durstig.

»An dem Tag, an dem Annegret verschwunden ist, lag da das Fernglas auf der Fensterbank im Schlafzimmer?«, fragte ich.

»Nein«, behauptete sie.

»Doch«, sagte ihr Mann. »Natürlich. Das war der Tag, an

dem ich dich danach fragen wollte. Jetzt erinnere ich mich wieder ganz genau.«

Der Regen hatte aufgehört, das Gewittergrummeln kam nur noch aus weiter Ferne.

»Ich unterstelle, dass du mit dem Fernglas den Busch abgesucht hast. Du hattest nämlich Angst, dass Annegret mit Gerd Salm oben im Busch war. Und das wolltest du nicht, das machte dir Angst. Aber es ist ja nun keine Schande, Angst um die eigene Tochter zu haben.«

»Ja, vielleicht. Vielleicht habe ich nach Gerd Salm geguckt«, gab Elisabeth leise zu.

»Deine Tochter hatte keine Angst vor ihm«, sagte ich.

»Hatte sie wohl!«

»Wenn sie Angst gehabt hätte, wäre sie nicht allein in den Busch gegangen«, hielt ich dagegen. »War es nicht so, dass deine Tochter Annegret vielmehr fasziniert von diesem Gerd war?«

»Sie war doch noch viel zu jung, um das alles zu begreifen!« Elisabeth schrie hoch und grell.

»Wieso soll sie zu jung gewesen sein?«, fragte ihr Mann fassungslos.

»Sie hatte doch keine Ahnung von all dem Dreck!« Sie griff wieder nach dem Glas und trank es aus. »Warum hackt ihr eigentlich so auf mir herum?«

»Das tun wir nicht«, sagte ich ruhig. »Wir versuchen bloß herauszufinden, was du alles wusstest und worüber du geschwiegen hast.«

Rainer Darscheid nahm die Flasche mit dem Rotwein und goss seiner Frau und sich nach.

»Hör zu, Eli«, sagte er liebevoll und strich ihr über den Arm. »Warum gibst du nicht zu, dass Sexualität für dich etwas Schmutziges ist? Warum sagst du das nicht einfach?«

»Die Kinder haben doch alle keine Ahnung, auf was sie sich da einlassen«, sagte sie stockend und begann zu weinen.

»Das sind ganz normale Kinder«, stellte er fest. »Sie fummeln gern, sie sind neugierig aufeinander. Sie probieren etwas aus, von dem sie fasziniert sind. Das ist doch auch was Schönes.«

»Im Grunde geht es mich nichts an, ihr müsst mir nicht antworten. Aber warum ist Sexualität etwas Schmutziges?«

»Elisabeth hat es nie so gesagt«, murmelte ihr Mann. »Aber wenn wir miteinander schlafen, steht sie anschließend eine halbe Stunde unter der Dusche. Das war immer so, das hat sich nie geändert. Von Anfang an war das so. Sie muss diesen Schmutz abwaschen.« Er schwieg, den Kopf tief gesenkt. Dann setzte er hinzu: »Wir haben seit Jahren nicht mehr miteinander geschlafen.«

»Du hast also mit dem Fernglas geguckt, ob Gerd im Busch war?«, fragte ich schnell, um sie nicht zu einer Entgegnung auf die Schilderung ihres Mannes zu zwingen. Und ich ergänzte: »Was hast du zu Annegret über Gerd gesagt?«

»Dass er nichts taugt. Dass er sowieso nur das eine will. Und dass sie vorsichtig sein muss, weil sie sonst allein zurückbleibt auf dieser Welt.«

»Mein Gott!«, hauchte ihr Mann.

»Elisabeth, hast du am Donnerstag, als Annegret nicht nach Hause kam, mit dem Fernglas in den Busch geschaut?«

»Ja, habe ich. Und?«

»Hast du denn etwas gesehen?«

»Nein, habe ich nicht. Wenn die Kinder zu tief im Busch stecken, kannst du nichts erkennen.« Sie bemühte sich um Sachlichkeit.

»Als du Annegret gesagt hast, dass der Gerd nichts taugt: Wie hat sie reagiert?«

»Na ja, wie immer. Sie hat gesagt: Was du immer meinst, Mami!«

»Das heißt, sie ist nicht darauf eingegangen?«

»Auf solche Sprüche nie«, sagte Rainer Darscheid. »Sie

war ein normales Mädchen mit normalen Ansichten und ... und ... na ja, Sehnsüchten. Und sie mochte Gerd.«

»Sie wollte nicht von ihm befummelt werden!«, beharrte Elisabeth.

Er blieb still und blickte zur Seite.

Es schleppte sich, Elisabeth litt, aber ganz langsam wurde ein Vorhang weggezogen und gab eine Szene frei, die ganz anders war als jene, von der ich bisher ausgegangen war. Elisabeth Darscheid hatte eindeutig gewusst, dass Annegret im Busch war. Und sie hatte befürchtet, dass Gerd Salm auch da war. Deshalb der Griff zum Fernglas, deshalb diese peinigenden Ahnungen, diese Angst.

»Elisabeth!«, sagte ich eindringlich. »Hast du je Spuren von Sperma an Annegrets Kleidern oder an ihrer Unterwäsche gefunden?«

Rainer Darscheid starrte mich verblüfft an, aber ich konnte ihm in diesen Sekunden nicht helfen.

Sie antwortete nicht, sie legte ihre weißen Hände ineinander und knetete sie.

»Antworte doch«, bat ihr Mann vorsichtig.

»Ja«, sagte sie knapp. Es war kaum zu hören.

»Ist das öfter vorgekommen?«, fragte ich weiter.

»Ja.«

»Und hast du mit deiner Tochter darüber gesprochen?«

»Das hatte doch keinen Zweck«, sie warf die Arme nach vorn.

Wieder herrschte Schweigen.

»Du hast ihre Kleidung nach Flecken durchsucht«, stellte ihr Mann fest. »Wie kann man so was machen? Wenn sie das mitbekommen hat, hast du alles Vertrauen verspielt.«

»Beantwortest du mir die Frage, wer dir als Mädchen Schmutziges angetan hat?«, fragte ich.

Sie reagierte zunächst überhaupt nicht, dann legte sie beide Hände vor das Gesicht.

»Was ist denn?«, fragte Rainer sie beunruhigt.

»Mein Bruder«, sagte sie mit hoher Stimme. »Drei Jahre lang. Es war mein Bruder. Und ich konnte mich nicht wehren. Und meine Mutter meinte, ich solle nicht so ein Theater machen.«

Nach einer Weile sagte ich: »Es ist, glaube ich, besser, wenn ihr jetzt heimfahrt.«

Rainer nahm sein Frau an den Schultern und zog sie in seine Arme. »Eli«, sagte er sanft. »Eli, komm, es geht nach Hause.«

Draußen hatte es sich abgekühlt. Als die beiden weg waren, setzte ich mich auf die Terrasse, starrte in die Dunkelheit und hörte zu, wie die Tropfen von den Bäumen fielen.

Der Motor von Veras kleinem Opel tuckerte durch die Nacht. Das Auto passierte die Kurve vor meinem Haus und verschwand hinter der Kirche. Vera brachte Tante Anni nach Hause und wahrscheinlich fuhr sie, obwohl sie ein wenig betrunken war. Nach fünf Minuten war der Motor erneut zu hören. Der Kleinwagen rollte auf meinen Hof. Die Türen schlugen zu und Clarissa sagte glucksend: »Wir wollen Väterchen nicht stören.« Es folgte das übliche Gefummel mit dem Hausschlüssel.

Ich rührte mich nicht. Ich wollte unentdeckt bleiben, ich wollte ein wenig nachdenken. Aber ich hatte keine Chance.

Nach ein paar Minuten kam Vera auf die Terrasse. »Ich gehe gleich wieder. Ich habe nur deine Tochter gebracht.«

»Du kannst hier schlafen, wenn du magst. Das ist kein Problem.«

»Das ganze Dorf hat kein Licht«, sagte sie. »Willst du eine Kerze?«

»Ja, hol uns eine. Das mit dem Licht dauert erfahrungsgemäß ein paar Stunden. Es hat mächtig reingehauen.«

Sie verschwand und kehrte kurz darauf mit einem Kerzenständer zurück.

»Im Wohnzimmer steht Wein.«

»Keinen Wein mehr.« Sie setzte sich auf einen Stuhl, kramte in den Taschen ihrer Jeansjacke und förderte Zigaretten zu Tage. Sie zündete sich eine an. »Als ich abgehauen bin, habe ich die Gewissheit aufs Spiel gesetzt, zu Hause zu sein. Ich habe gar nicht mehr gewusst, wie sich das anfühlt.«

»Das kann man reparieren«, entgegnete ich träge. »Du wirst wieder Menschen finden, unter denen du zu Hause sein möchtest.«

Im gleichen Moment wusste ich, dass ich sie schwer gekränkt hatte. Ich hatte sie gewissermaßen des Landes verwiesen, ich hatte gesagt: Irgendwo wirst du zu Hause sein, nur nicht hier.

Ihr ganzer Körper schnellte vor, leichthin murmelte sie: »Ich fahre zurück nach Heyroth.«

»Ich wollte nicht schroff sein«, versuchte ich zu erklären. »Ich wollte nur sagen, es liegt an dir, irgendwo vor Anker zu gehen. Du wählst den Platz aus, niemand kann dir dabei helfen.«

»Nein, nein, ich habe das schon verstanden.« Sie wirkte hastig und wäre offensichtlich am liebsten geflohen.

»Das hast du nicht«, widersprach ich. »Sieh mal, du kommst hierher, weil es dir dreckig geht, weil du nicht mehr weißt, wo du zu Hause bist. Das ist schmerzhaft, ich weiß das aus eigener Erfahrung. Aber du musst diese Schmerzen akzeptieren, du musst dir einen neuen Platz suchen. Und wenn du dann entscheidest, dass es die Eifel sein soll, bist du herzlich willkommen.« Das wirkte elend gekünstelt, das war reine Schwafelei, das war niemals das, was sie hören wollte. Lieber Himmel, Baumeister, du wirst es nie lernen!

»Hast du einen Schnaps für mich?« Veras Stimme klang immer noch gleichgültig.

»Aber sicher«, sagte ich, »einen Moment.« Ich holte ihr ein Glas und goss es voll mit Birnenschnaps.

»Ich will gar nicht hierher zurück«, erklärte sie nach dem ersten Schluck. »Ich weiß, ich habe dir sehr wehgetan.«

»Menschen leben mit ihrer Erinnerung«, sagte ich. »Das kann ich nicht ändern, das ist so. Aber ich will jetzt nicht darüber sprechen. Der Mord an Annegret hat so viel aufgewirbelt, so viel Schlimmes gezeigt, schweigende Familien, kaputte Ehen, das Verharren in quälenden Zuständen. So viel Tod. Das nimmt mich mit. Ich kann dir in dieser Nacht keine Hilfe sein, fürchte ich.«

»Hast du denn inzwischen zumindest eine Ahnung, wer es war?«

»Nein, immer noch nicht. Eben war die Mutter der Kleinen da. Sie ist als Kind missbraucht worden und hat ihr ganzes Leben lang darüber geschwiegen. Das macht nachdenklich.«

»Weißt du, ich hatte dich ganz anders in Erinnerung. Viel zielgenauer. Ist das das richtige Wort? Ja, ist es. Und positiver. Ein bisschen großer Junge, ein bisschen: Was kostet die Welt? Mehr Biss, mehr Witz.«

»Das ist wohl vorübergehend abhanden gekommen.«

Das Festnetztelefon klingelte. Ich lief ins Haus.

»Nur zur Vervollständigung deiner Unterlagen«, sagte Kischkewitz trocken. »Retterath ist mit seinem schönen BMW auf der B 410 in der Kurve zwischen Kelberg und Gerolstein geradeaus gefahren. Er kam von Kelberg und ist in der Serpentine bei der Einfahrt nach Brück, also quasi bei dir nebenan, mit Vollgas geradeaus geschossen. Guck es dir an!«

»Ich dachte, ihr hättet ihn kassiert?«

»Nein, es bestand keine Fluchtgefahr. Er hat zugegeben, in der Nacht bei Mauren gewesen zu sein, aber an Einzelheiten konnte er sich angeblich nicht mehr erinnern. Beweisen konnten wir ihm den Mord also noch nicht. Kommst du?«

»Selbstverständlich.«

»Ach ja, fahr besser erst gar nicht zur B 410 hoch, bleib

auf der schmalen Straße zwischen Brück und Dreis. Da unten liegt er.«

»Was ist los?«, fragte Vera.

»Schwerer Unfall beziehungsweise Selbstmord. Ein Mann namens Retterath hat sich getötet. Nur ein paar hundert Meter von hier.«

»Kann ich mitfahren?«

»Aber ja.«

Ich ließ den Wagen langsam rollen, bis wir die Stelle vor uns hatten. Die Rettungswagen waren schon wieder abgezogen. Zwei Streifenwagen unter Blaulicht, Kischkewitz' Mercedes und der Wagen eines Beerdigungsunternehmers standen da sowie drei, vier Pkw von Neugierigen.

Kischkewitz sagte gerade scharf: »Ich will unter allen Umständen eine Obduktion.«

Jemand antwortete: »Okay, Chef.«

Wir gingen zu ihm hin.

In einem bitteren Tonfall sagte er zu uns: »Ich frage mich, was noch alles passiert. Das hier sieht so aus, als habe er es gewollt. Mein Fachmann sagt, Retterath muss mit etwa einhundertachtzig auf die Betonsperren in der Linkskurve der Serpentine aufgeprallt sein. So eine Betonsperre wiegt anderthalb Tonnen. Der Wagen hat sie schräg getroffen und ausgehebelt. Anschließend ist der BMW zwischen den beiden Bäumen da oben durchgesegelt und zwölf Meter tiefer hier auf dem Asphalt gelandet. Retterath selbst muss nach Ansicht des Experten beim Aufprall herausgeschleudert worden sein. Er ist da gegen die Stirnwand der alten Scheune geknallt, gute dreißig, vierzig Meter von da oben. Aber da muss er längst tot gewesen sein. Nun liegt er dort unter der Plane. Beziehungsweise das, was wir aufgesammelt haben. Vielleicht war es Panik, vielleicht Absicht, ich weiß es nicht. Herrgott, dieser Fall nimmt kein Ende.« Er nahm Vera wahr und sagte: »Schön, dich zu sehen.«

»Hast du einen Job für mich?«, fragte sie lächelnd.

Einen Moment wirkte er irritiert, dann grinste er. »Lass uns darüber sprechen, wenn ich ausgeschlafen habe.«

»Darf ich ein paar Fotos machen?«, fragte ich aus reiner Pflichtübung.

»Kein Problem.« Er nickte mit dem Kopf in Richtung auf das, was von Retterath übrig geblieben war. »Wir haben die Ehefrau benachrichtigt. Es war furchtbar. Sie öffnet uns die Tür und ist grün und blau geschlagen und kann kaum laufen. Er hat sich betrunken und sie quer durch das Haus geprügelt. Anschließend hat er sich die Tochter vorgenommen und die Glasscheibe der Haustür zerdeppert. Dann ist er in sein Auto gestiegen und durch die Eifel geheizt. Als mein Mitarbeiter sagte: Ihr Mann ist leider tödlich verunglückt, da guckte ihn die Frau nur leicht erstaunt an und erwiderte: Hat er es endlich geschafft? Retterath muss vollkommen verrückt gewesen sein.«

»Und? Hat er Gustav Mauren definitiv umgebracht?«

»Davon bin ich überzeugt. Und das Ganze hat mit dem Fall Annegret nichts zu tun.«

Ich fotografierte das Wrack, bei dem nicht mehr unterschieden werden konnte, was vorne und was hinten gewesen war. Der Vollständigkeit halber knipste ich auch die Plane, unter der Retteraths sterbliche Reste verborgen lagen.

Unter gelb wischendem Licht kam ein Laster um die Kurve.

»Der holt das Wrack«, erklärte Kischkewitz.

Wir verabschiedeten uns. Es war drei Uhr, der Himmel war wieder klar, Sterne funkelten. Ich dachte, dass die Art seines Todes zu Retterath gepasst hatte: mit Pauken und Trompeten in die Ewigkeit.

»Kann ich mich auf dein Sofa hauen?«, fragte Vera, als wir wieder auf meinem Hof standen. »Ich möchte Emma jetzt nicht mehr stören.«

»Klar. Du warst hier zu Hause, du bist hier zu Hause.«

»Das klingt schon besser«, sagte sie hell. »Ich mache auch das Frühstück.«

Auf dem Weg zum Bett streifte ich meine Kleidung ab und legte mich auf den Rücken.

Wenige Sekunden später stand Vera in der Tür und fragte: »Darf ich mich an dich anlehnen?«

»Ich würde gern deine Haut atmen«, antwortete ich. In diesen Sekunden war ich endlich glücklich, Glück ist wohl immer nur eine Frage von Sekunden. Ich möchte ein Sekundenfänger sein, dachte ich.

Der Wecker schrillte um neun, Vera lag neben mir und schlief noch tief. Ich bewegte mich vorsichtig, um sie nicht zu wecken, und schlich mich aus dem Zimmer. Im Bad summte Clarissa.

Also ging ich hinunter und setzte eine Kanne Kaffee auf. Während ich ein Stück trockenes Brot aß, dachte ich über das nach, was ich mir für heute vorgenommen hatte. Ich wollte mich an einen Jungen heranrobben, der möglicherweise etwas erzählen konnte. Cisco kam, Satchmo kam, ich stellte ihnen Futter hin. Satchmo hatte am linken Ohr eine klaffende Wunde.

»Hast du wieder die Konkurrenz vertrimmen wollen und dir selbst was eingefangen?«

Satchmo antwortete nicht, auf solche Fragen reagiert er grundsätzlich mit Verachtung.

Um halb zehn griff ich das Telefon.

Mit gelassener Stimme meldete sich ein Mann: »Salm.«

»Sie sind sicher der Vater vom Gerd«, sagte ich.

»Ja«, antwortete er.

»Mein Name ist Siggi Baumeister, ich bin Journalist und lebe in Dreis-Brück. Ich recherchiere die schlimme Geschichte mit der Annegret. Und ich habe erfahren, dass Ihr Sohn Gerd ein Freund der Annegret gewesen ist. Daher möchte ich Sie bitten, mir zu gestatten, mit Ihrem Sohn zu reden.«

Er antwortete erst nach vielen Sekunden. »Ich weiß nicht, ob das eine gute Idee ist. Sehen Sie, die Zeitungen und Magazine und das Fernsehen haben einen derartigen Scheiß zusammengetragen, dass wir alle unser Hildenstein nicht mehr wiedererkennen. Was die Presse sich da zusammenlügt, geht auf keine Kuhhaut. Ich habe Gerd gesagt, er soll niemals irgendwelche Fragen beantworten.«

»Sie können dabei sein, wenn ich mit ihm spreche. Und für den Fall, dass ich etwas schreibe, werde ich Ihnen den Text vorlegen. Ich weiß, was meine Kollegen abgesondert haben, und ich weiß auch, dass das nicht das Gelbe vom Ei gewesen ist.«

»Es war eine Katastrophe«, stellte er kühl fest. »Sie leben in der Eifel?«

»Ja, nur ein paar Kilometer von Ihnen entfernt. Seit vielen Jahren schon.« Der Hinweis auf eine Spur von Tradition hilft in der Eifel so gut wie immer, anscheinend auch dieses Mal.

»Wann soll das Gespräch denn stattfinden?«

»Am besten gleich.«

»Hm, na gut. Dann kommen Sie her.«

Ich lief in mein Schlafzimmer und zog mir an, was mir gerade in die Hände fiel. Dabei passierte, was mir öfter passiert: Der Socken links war dunkelblau, der rechts schwarz. Ich entschied, dass das einen gewissen Chic hatte, und startete in den Tag.

Das Haus der Salms lag an einem Hang, der nach Süden ausgerichtet war. Es war ziemlich groß mit einem Garten, in dem vieles blühte. Vor der Garage standen zwei Mittelklasseautos, zwei Mopeds und ein schweres Motorrad. Das alles verströmte Gelassenheit, wirkte nicht protzig, sondern roch eher ein wenig nach den praktischen Dingen im Leben.

Ich schellte.

Der Mann, der mir öffnete, sagte nicht Guten Tag oder willkommen, sondern fragte: »Kaffee oder sonst was?«

»Kaffee. Das wäre gut.«

»Gerd! Kaffee!«, brüllte der Mann in das Haus. »Kommen Sie rein.«

Ich ging hinter ihm her durch einen breit angelegten Flur in ein großes Wohnzimmer.

»Setzen Sie sich!« Er deutete auf einen schweren Esstisch von beachtlichen Ausmaßen, um den acht Stühle gruppiert waren.

Er sah mich an und fragte: »Sie werden ihn aber nicht schocken? Oder ihn durch Tricks etwas sagen lassen, was er nicht sagen will?«

»Das verspreche ich.«

»Sonst würde ich eingreifen«, stellte er sachlich fest. Er hatte Hände wie ein Berufscatcher.

»Keine Sorge.«

»Und meine Frau will auch dazukommen. Sie sagt, sie kennt Sie.«

Die Frau entpuppte sich als eine blonde Walküre, fast so breit wie hoch. Ihr Gesicht hatte etwas Strahlendes.

Sie reichte mir die Hand und sagte: »Herr Baumeister, wir kennen uns aus dem Golfclub. Da helfe ich manchmal beim Servieren.«

Ich war leicht irritiert, weil ich mit Golf nun gar nichts zu tun habe. Immerhin hatte ich im Clubhaus ein paarmal gegessen. »Freut mich«, sagte ich.

Sie setzte sich neben ihren Mann und blieb beim Lächeln.

Dann erschien Gerd mit einer Kanne Kaffee.

»Das ist unser Sohn Gerd. Das ist Herr Blaumeiser.«

»Baumeister«, korrigierte ich grinsend. »Macht nichts. Grüß dich, Gerd.«

»Hallo«, sagte er und wirkte nicht im Geringsten verunsichert. Er goss Kaffee ein und setzte sich auf den noch freien Stuhl neben seinen Vater.

»Sie können anfangen«, sagte der Vater freundlich.

»Mir wäre es lieber, ich bekäme erst einmal zwei Stück Zucker«, sagte ich.

Die Mutter lachte und schob mir die Zuckerdose herüber.

»Gerd, ich will dir ein paar Fragen stellen. Ein paar meiner Fragen werden wahrscheinlich ziemlich naiv sein. Das hat etwas damit zu tun, dass ich keinen Sohn habe, der so alt ist wie du. Und ich will betonen: Wenn du irgendeine Frage nicht beantworten willst, dann sag es einfach. Ich kann das gut verstehen.«

Er nickte. »Das ist schon okay.«

»Lass uns beim Donnerstagmittag anfangen. Du bist alt genug, bei ein paar Lügen nicht mitzumachen, nehme ich an. Du weißt von den Lügen der Mütter?«

»Sicher.« Eine Strähne seines blonden Haares wischte ihm vor den Augen vorbei und er strich sie beiseite.

»Die haben nicht in schlechter Absicht gelogen, sondern um zu verstecken, dass sie eigentlich gar nicht wussten, ob ihre Kinder zu Hause waren oder nicht. Und nun ist herausgekommen, dass Kevin, Anke und Bernard tatsächlich nicht zu Hause waren. Sie sagen, sie haben sich nach der Schule auf ihre Fahrräder geschwungen und sind rumgefahren, wie sie das öfter tun. Ist das so?«

»Korrekt«, sagte er. »Das ist so. Man setzt sich auf die Karre und fährt rum. Manchmal trifft man einen, manchmal isst man ein Eis, fährt zum EDEKA, um was Süßes zu kaufen, oder so. Wenn es langweilig wird, dann fährt man wieder nach Hause. Das ist normal.« Sein Gesicht war ruhig, seine Hände absolut nicht fahrig, seine Augen sehr stet.

»Gut. Anke, Bernard und Kevin sind also unterwegs und fahren rum. Annegret ist schnell zu Hause reingesprungen, hat die Schultasche dagelassen und geht dann hoch zum

Busch. Ihre Mutter ist bei ihrer Freundin in der gleichen Straße und bekommt gar nicht mit, dass Annegret nach Hause gekommen ist. Ganz sicher war Annegret mit irgendwem verabredet. Hast du eine Ahnung, wer das gewesen sein könnte?«

»Ehrlich nicht«, sagte er. »Die Kripo hat mich das auch schon gefragt, aber ich habe keine Ahnung.«

»Du hast das beste Alibi«, stellte ich fest. »Du warst mit der kleinen Russin zusammen ... Ich weiß gar nicht, wie sie heißt.«

»Nastassia«, sagte er und grinste unbeschwert.

»Natascha!«, verbesserte sein Vater.

»Ach, Papa, wie oft muss ich dir das noch sagen? Nastassia mit Doppel-s.«

»Weißt du noch, wann du wieder zu Hause warst?«

»Ja, klar. Das muss so um halb vier gewesen sein. Um vier war Fußballspielen angesagt. Mama hat geschimpft, weil ich noch keine Schulaufgaben gemacht hatte.«

»Kommen wir jetzt mal auf Annegret zu sprechen. Ich habe den Eindruck, dass deine Eltern sehr liebevoll und wahrscheinlich auch großzügig sind. Wissen sie, dass du in Annegret verliebt warst?«

Beide Eltern hatten ein fast dümmliches Lächeln im Gesicht.

Die Fassade des Sohns bekam Risse, trotzdem antwortete er: »Klar wussten die das. Ich habe es erzählt.«

»Das stimmt«, sagte der Vater leise. »Und ich denke, es hatte ihn schwer erwischt.«

Der Junge senkte im Bruchteil einer Sekunde sein Gesicht, Tränen traten in seine Augen.

»Das wollte ich nicht«, sagte ich hastig.

»So ist das Leben«, meinte der Vater bekümmert. »Manchmal spielt es falsch.« Er legte Gerd den Arm um die Schulter, es war eine leichte, gehauchte Geste des Vertrauens.

Die Mama reichte ihm ein Papiertaschentuch.

»Wir können aufhören, wenn es zu sehr schmerzt«, sagte ich.

»Schon okay«, murmelte der Sohn.

»Annegrets Vater wusste, dass du in sie verliebt warst. Und er mag dich. Das ist vielleicht wichtig für dich zu wissen. Die Mutter von Annegret aber ...«

»Sie hat was gegen mich«, unterbrach Gerd trocken. »Sie wollte mich nicht. Ich kam mir vor wie ... ja. Sie hat mich mal vor der Schule abgefangen und mir gesagt, ich soll die Finger von Annegret lassen. Annegret wollte mir das nicht glauben.«

»Die Frau hat es schwer«, sagte ich. »Sie hat ihre Tochter verloren.«

»Schon okay«, nickte er.

Ich entschied mich für Offenheit. »Die Mutter ist als Jugendliche missbraucht worden. Das ist erst gestern Abend rausgekommen. Bitte redet mit niemandem darüber. Aber ich denke, das erklärt vielleicht, wieso die Mutter sich so merkwürdig benommen hat. Sie hat nämlich mit einem Fernglas dauernd den Busch beobachtet. Das Fernglas lag auf dem Fensterbrett vom Elternschlafzimmer.«

Es war plötzlich sehr still.

»Das mit dem Fernglas wussten wir«, erklärte Gerd mit gesenktem Kopf. »Annegret hat das erzählt. Und einmal ist Kevin extra splitterfasernackt vor dem Busch rumgehüpft, während Annegrets Mutter mit dem Fernglas hinterm Fenster stand. Die war immer ganz komisch. Jedenfalls nicht so wie andere Mütter.«

»Wenn du sagst, das wussten wir – wer ist dann mit ›wir‹ gemeint?«

»Na ja, Annegret, Kevin, Bernard und Anke. Unsere Clique eben.«

»Ich habe mit einem netten alten Mann gesprochen, dem

Pitter Göden. Der geht viel spazieren und hat euch oft im Busch gesehen. Der sagt: Die Kinder haben im Sommer da gelebt.«

»Das ist korrekt«, sagte Gerd. »Wir hatten Musik und was zu trinken und was zu essen dabei und manchmal ein Zelt. Es war mein Zelt. Wenn es warm und trocken war, dann haben wir es über Nacht einfach stehen lassen.«

»Obwohl später die Älteren kamen?«

»Warum nicht, die tun doch nichts. Manchmal haben sie unsere Cola ausgetrunken. Aber meistens haben die Bier dabei. Jedenfalls haben sie nichts kaputtgemacht.«

»Ich möchte noch einmal auf Annegret zurückkommen. Dass sie hübsch war, habe ich auf den Fotos gesehen. Und ihr Vater hat mir erzählt, dass sie gern lachte, ein fröhliches Mädchen war.«

Gerds Mutter rutschte auf ihrem Stuhl vor und sagte energisch: »Es wird erzählt, dass Sie Rainer Darscheid davon abgehalten haben, sich umzubringen.«

»Das ist mal wieder nur ein Teil der Wahrheit«, erklärte ich. »Er war verschwunden und es wurde befürchtet, dass er sich etwas antun könnte. Ich habe ihn dann an einem Waldrand aufgetrieben und nach Hause gebracht. Aber ich glaube nicht, dass er sich töten wollte. Ich mag ihn, er wirkt sehr ehrlich.« Ich wandte mich wieder Gerd zu. »Mir ist klar, dass Kinder ihr eigenes Leben leben. Sehr viel von dem, was sie unternehmen, was sie träumen, was sie beschäftigt, sagen sie ihren Eltern nicht. Antwortest du mir auf die Frage, welches Thema gegenüber Eltern ein besonderes Tabu ist?«

»Ganz klar: was so läuft zwischen Jungen und Mädchen. Und natürlich auch, wo man sich trifft und was man für Musik mag und was man an scharfen Videos guckt.«

»Was meinst du mit ›scharfen Videos‹?«

»Na, so Softpornos. Manchmal auch härtere Streifen. Aber ich mag die nicht, das ist Mistzeug.«

»Was war mit Annegret? Guckte die auch Softpornos?«

»Korrekt.«

»Sie hat sich also wie alle anderen verhalten, ganz normal?«

In seinem Gesicht zuckte es wieder, dann beugte er den Kopf. »Normal war sie nicht. Sie war anders als alle anderen. Sie war schön und …«

»Darf ich hier rauchen?« Ich musste unterbrechen, er rührte mich. Er hatte geliebt und jemand hatte ihm diese Liebe einfach weggenommen.

»Dürfen Sie«, antwortete der Vater. Dann wandte er sich an seinen Sohn: »Willst du eine Pause machen? Dir was zu trinken holen?«

»Eine Cola«, murmelte Gerd, stand auf und lief hinaus.

Ich stopfte mir eine gebogene Dublin von Peterson mit einem eindrucksvollen Silberbeschlag zwischen Kopf und Mundstück.

»Sie haben einen netten Sohn«, sagte ich.

»Wir haben nette Kinder«, sagte die Mutter. »Man kann es sich ja nicht aussuchen. Gerd hat Annegrets Tod brutal getroffen. Er war hinten im Garten, als ich es ihm sagte. Er starrte mich an und fing an zu weinen und hörte nicht mehr auf. Es war furchtbar, wir wussten nicht, wie wir ihm helfen sollten.«

Gerd kehrte zurück, trug ein großes Glas in der Hand und setzte sich wieder zu uns. »Schon okay«, sagte er.

»Annegret hat dich auch sehr gemocht, nicht wahr?«

»Ja.«

»Wenn ich mich an meine Jugend erinnere, als ich so alt war wie du – da war ich sehr neugierig auf Mädchen. Ich wollte alles über sie wissen, wie sie aussehen, sie anfassen, ihre Brüste fühlen und so was. Ich nehme an, das geht dir auch so.«

Gerd nickte.

»Dann hat sich wohl nichts verändert. Ihr habt Petting gemacht, wie wir früher auch. Wir haben jetzt die Situation, dass Annegret am Donnerstagmittag nach Hause kommt, die Schultasche auf den Boden schmeißt, sich den Hausschlüssel nimmt und das Haus wieder verlässt. Die Mutter merkt von all dem nichts, die ist vier Häuser weiter bei einer Freundin. Es ist klar, dass Annegret in Eile ist. Denn sie ist verabredet. Irgendwann zwischen dreizehn und vierzehn Uhr an diesem Donnerstagmittag erschlägt jemand das Mädchen. Die Frage ist also: Mit wem war sie im Busch verabredet?«

Er hockte da und sein hübscher Kopf schwang leicht hin und her.

»Sag es«, drängte der Vater. »Du weißt, dass du es sagen kannst.«

Gerd atmete tief durch: »Schon okay. Sie war mit mir verabredet.«

NEUNTES KAPITEL

»Das ist neu«, murmelte der Vater ohne Vorwurf.

»Das ist logisch«, schob ich schnell ein. »Er wollte nicht riskieren, mit der traurigen Tat in Berührung zu kommen.«

»Korrekt«, bestätigte der erstaunliche Junge.

»Willst du darüber reden, was passiert ist?«, fragte ich.

»Ja, klar. Am Donnerstag in der Pause nach der zweiten Stunde kam Annegret und sagte, sie würde mich treffen wollen. Mittags im Busch. Ich sagte, okay, das geht klar. Aber dann kam mir mittags in der Stadt Nastassia entgegen und sagte, sie hätte Schwierigkeiten mit den Eltern und sie wollte mit mir reden. Sie weinte sogar, sie war unheimlich schlecht drauf. Deshalb bin ich mit ihr losgezogen zum Uhlenhorst. Sie hat sich ausgekotzt und dann ging es ihr auch besser. Sie ist dann nach Hause. Und ich habe versucht, Annegret auf dem Handy zu erreichen, aber sie hat sich nicht gemeldet.«

»Moment, Moment, nicht so schnell. Weißt du noch, wie spät es war, als du Annegret angerufen hast?«

»Das muss nach zwei gewesen sein. Weil Nastassia sagte: Mein Gott, ich muss heim, es ist schon zwei.«

»Gut, also um vierzehn Uhr etwa trennt ihr euch. Wie ging das weiter?« Ich dachte etwas fiebrig: Da war Annegret schon tot.

»Ich war in Sorge, dass Annegret sauer auf mich war. Als sie nicht an ihr Handy ging, habe ich sogar bei ihr zu Hause angerufen. Ihre Mutter war am Telefon. Ich habe gesagt, ich muss Annegret sprechen, es sei wichtig. Und sie sagte: Du bist niemals wichtig!, und hängte wieder ein.«

Er trank von seiner Cola, er wirkte wieder sehr gefasst. Er hatte sich zu etwas durchgerungen und wusste, er tat das Richtige. Er würde noch oft in seiner unfassbaren Traurigkeit versinken, aber Zweifel an sich selbst würde er in dieser Sache nicht mehr fürchten müssen.

»Hat das eine Bedeutung?«, fragte sein Vater etwas unsicher.

»Das weiß ich nicht. Ich bin mit dem Leiter der Mordkommission befreundet und werde ihm Bescheid geben. Sag mal, Gerd, glaubst du, dass noch jemand außer Annegret und dir gehört oder gewusst hat, dass ihr euch im Busch treffen wolltet?«

»Nein«, sagte er. »Das hatten wir so abgesprochen. Annegret sagte Anke und den anderen, dass sie keine Zeit hätte. Anke wusste zwar, dass wir uns trafen, aber nie wann. Außerdem war sie die beste Freundin von Annegret. Die hätte sowieso nie was gesagt.«

»Gerd, noch eine Frage: Wenn ihr euch auf die Räder setzt, um herumzufahren, fahrt ihr dann wirklich allein, also jeder für sich, oder sucht ihr euch ein gemeinsames Ziel? Was meinst du, wie war das am Donnerstag mit Anke, Kevin und Bernard?«

»Das ist schon korrekt, dass sie vielleicht allein rumgefahren sind. Aber davon weiß ich nichts, da war ich nicht dabei.«

Mir kam eine Idee. Sie war ein wenig verrückt, dass ich mich einen Augenblick lang nicht traute, darüber zu sprechen. Aber vielleicht würde es dazu führen, dass Gerd noch mehr erzählte.

»Pass mal auf. Vielleicht kannst du noch mehr helfen bei der Suche nach Annegrets Mörder. Aber dazu musst du mit mir zum Busch gehen. Wir setzen uns dort ins Gras und reden miteinander, über euer Leben im Busch. Vielleicht wird es schmerzhaft für dich sein, aber vielleicht fällt dir dort noch etwas ein, was wichtig ist. Dein Vater oder deine Mutter können selbstverständlich dabei sein. Du würdest Annegret einen Riesengefallen damit tun. Meinst du, dass das geht?«

»Schon okay.«

»Gut. Dann fahre ich jetzt erst zu Kriminalrat Kischkewitz und unterrichte ihn über unser Gespräch. Und wir treffen uns wieder um zwei Uhr am Busch. In Ordnung?« Ich sah den Vater an.

Der nickte. »Geben Sie mir Ihre Telefonnummer, falls was dazwischenkommt.«

Ich gab ihm meine Karte, dann verließ ich das Haus. Ich hatte zum ersten Mal das Gefühl, ein Stück weitergekommen zu sein. Es war eine große Erleichterung, obwohl ich immer noch keine Vorstellung davon hatte, wie das Ganze enden würde.

Ich fuhr zum Rathaus, aber das Zimmer, in dem die Kommission tagte, war verschlossen. Ich erreichte Kischkewitz per Handy. »Hast du eine Minute?«

»Ja, aber nicht mehr.«

»Du wirst mehr haben müssen. Gerd Salm war mit Annegret am Donnerstagmittag im Busch verabredet.«

»Wer sagt das?«

»Der Junge selbst. Er sitzt zu Hause bei seinen Eltern. Fahr am besten sofort hin. Der Junge ist im Augenblick offen wie ein Scheunentor.«

»Schon verstanden. Bis später.«

Ich war ein wenig erschöpft, setzte mich in mein Auto und rollte gemächlich Richtung Heimat. Der Sommer schien sich mal wieder zu verstecken, der Himmel war ein graues Meer, es war kühl, der Wind kam aus Nordost und trieb abgerissene Blätter vor sich her.

Auf der Kreuzung hinter Niederehe, wo es links nach Nohn geht, lag rechts der Fahrbahn ein Dachs. Ich hielt an und ging neben ihm in die Knie. Wahrscheinlich war er nachts schnüffelnd, in seinem typischen Gang und mit gesenktem Kopf umhergestrichen und dann von einem Autofahrer erwischt worden. Als ich meine Hand auf ihn legte, glaubte ich, seine Körperwärme sei noch nicht erloschen. Aber das war wohl eher Hoffnung als Tatsache.

Ich beschloss, in Heyroth Stopp zu machen.

»Habt ihr einen Kaffee für mich?«, fragte ich Emma.

»Ich mache dir einen«, sagte sie mit der Beamtenstimme, die sie hören ließ, wenn irgendetwas schief gelaufen war. »Rodenstock grummelt, er findet die Welt öde.«

Rodenstock saß an seinem Tisch, hatte schon wieder eine Unmenge von Zetteln vor sich liegen, ein Handy und das Festnetztelefon. Er nickte mir wortlos zu.

»Ich dachte, du willst in den Fall einsteigen. Stattdessen sieht das hier nach einer mallorquinischen Buchhaltung aus.«

»Ich fühle mich nicht gut«, stellte er muffig fest. »Kommst du voran?«

»Ich vermute, dass die Kinder tatsächlich was wissen.«

Emma kam mit der Kaffeekanne und goss mir ein.

»Morgen ist Wahl und Isabell Kreuter wird gewinnen«, sagte Rodenstock wahrscheinlich in dem Versuch, seine Laune zu verbessern.

»Trink einen Kognak und iss ein bisschen Schokolade«, murmelte ich. »Was macht denn Mallorca?«

»Die Insel dümpelt vor sich hin«, erklärte Emma bissig.

»Ihr seid alle Ignoranten«, schimpfte er. »Wenn ich das Rad zurückdrehe und keinen Ersatzmann für meinen Vertrag finde, verliere ich vierzigtausend Euro!«

»Oha!«, sagte ich. »Wie konnte es denn so weit kommen?«

»Ich weiß nicht genau«, sagte er in einem Anflug von Nachdenklichkeit.

»Er weiß es sehr wohl!«, widersprach Emma scharf. »Er hat angefangen zu schweigen. Wahrscheinlich Altersmelancholie. Und dann erschien ihm auf einmal Mallorca wie die Lösung aller menschlichen Probleme. Aber gesagt hat er immer noch nichts.«

Einen Moment herrschte Schweigen, dann gab Rodenstock zu: »Ich komme mir manchmal furchtbar einsam vor.« Er warf beide Hände in die Luft. »Emma hat ihre Familie, sie braucht niemanden. Emma telefoniert mit London, mit Washington, mit Buenos Aires, Emma redet mit Tante Walburga, mit Onkel Sam, mit Nichte Nicole in Stockholm, mit Großonkel Meierseel in Neuseeland. Immer ist irgendetwas los und sei es auch nur die Bronchitis von Tante Wiltrud in New York. Daneben kommst du dir schnell beschissen vor, dein Leben zerrinnt dir zwischen den Fingern.«

»Warum hast du nicht mit mir darüber gesprochen?«, fragte sie.

»Weil ... weil ich das nicht konnte«, sagte er. »Ich kriege einfach die Zähne nicht auseinander.«

»Wow«, murmelte ich ehrfurchtsvoll. »Der Herr Kriminalrat a. D. gibt eine Schwäche zu.«

Unvermittelt erinnerte ich mich an etwas, was eigentlich immer Rodenstocks Part gewesen war. »Darf ich die zwei Bilder da vorübergehend abhängen?«

»Was soll das werden?«, fragte Rodenstock misstrauisch.

»Klar, kein Problem!«, rief Emma hell und stellte fest: »Du brauchst wahrscheinlich Packpapier.«

»Richtig. Und einen dicken Filzschreiber. Vor allem brauche ich eure Gehirne, falls sie sich nicht noch auf Mallorca befinden.«

Emma brachte das Gewünschte und eine Rolle schmales Klebeband. Sie werkelte schnell und gezielt.

»Wir kleben mal zwei Bahnen nebeneinander. Ja, so ist das schon gut. In das linke untere Viertel schreiben wir Innenstadt. Dann rechts in der Mitte der Bogen der Straße Am Blindert. Dreihundert Meter darüber, also ungefähr hier, ist der Amor-Busch. Dahinter der Stadtforst. Links, ungefähr auf gleicher Höhe wie Annegrets Zuhause befinden sich nebeneinander die Elternhäuser von Bernard Paulus, Anke Klausen und Kevin Schmitz. Dann hier das Durcheinander der alten Stadtmitte mit den verrückt geschnittenen Grundstücken, mit dem Pfad, den die Kinder immer nehmen.«

»Wann ist sie getötet worden?«, fragte Emma.

»Zwischen dreizehn und vierzehn Uhr. Wahrscheinlich eher gegen vierzehn Uhr«, sagte Rodenstock.

Ich notierte vierzehn Uhr.

»Ich will jetzt den Status um vierzehn Uhr festhalten. Hier, auf der anderen Seite der Stadt, am Uhlenhorst, redet der fünfzehnjährige Gerd Salm mit einer jungen Russin, die Zoff mit der Familie hat. Er wird dabei gesehen von einem Mann, der gefälltes Holz ausmisst. Zur gleichen Zeit misst auch Annegrets Vater Holz aus. Das findet hier statt, hinter einer Blockhütte, die der Familie Schmitz gehört. Und da ist Mama Schmitz im hellen Sonnenschein und verlustiert sich mit einem netten, muskulösen Polen, der im Alltag die Gärten der gut betuchten Bürger auf Vordermann bringt. Währenddessen verlassen die Kinder Anke, Bernard und Kevin ihre Elternhäuser. Sie setzen sich auf ihre Räder und fahren rum, wie sie das nennen. Und sie sagen, jeder ist für sich gefahren. Das können wir glauben oder nicht. Jetzt muss man noch wissen, dass Gerd Salm eigentlich mit Annegret im Busch verabredet war, er redete aber zu diesem Zeitpunkt mit Nastassia am Uhlenhorst. Weiter: Kevins Mutter war also oben am Blockhaus, Ankes Mutter befand sich auf einem Feldzug gegen die Geliebte ihres Mannes und Bernards Mutter war mit Bernards drei Geschwistern beschäftigt. Nun zeichne ich noch die Bundesstraße ein, die zwischen Annegrets Straße und den Häusern der drei Kumpane am gegenüberliegenden Hang verläuft, so ungefähr. Und jetzt warte ich auf eure klugen Kommentare.«

»Sind diese drei Radfahrer in das Städtchen gedüst oder da oben im Bereich des Waldes geblieben?«, wollte Emma wissen.

»Das ist nicht klar. Wenn sie rumfahren, fahren sie wohl ganz gern den EDEKA-Markt an, um sich ein Eis oder eine Süßigkeit zu kaufen. Der Markt liegt hier, mittendrin, kurz vor dem Wirrwarr des Schleichweges zwischen den alten Häusern.« Ich stopfte mir eine dreißig Jahre alte Kommodore von Oldenkott aus Rees am Niederrhein, ein echtes antikes Schätzchen.

»Wir dürfen aber eins nicht vergessen«, hob Rodenstock einen Zeigefinger. »Es ist möglich, dass ein Durchreisender die Bundesstraße nahm, dann in den Feldweg auf den Busch zu fuhr, Annegret entdeckte und sie tötete.«

»Ja«, nickte ich. »Aber bleiben wir mal im Lande und nähren uns redlich.«

»Wie verhielt sich Gerd Salm? Er war doch eigentlich mit Annegret verabredet, während er mit der Russin rummachte. Hat er Annegret angerufen? Diese Kinder haben doch alle ein Handy, oder?«

»Er hat sie angerufen«, bestätigte ich. »Aber ich gehe davon aus, dass Annegret zu diesem Zeitpunkt schon tot war.

Auf jeden Fall meldete sie sich nicht mehr. Ach ja, noch etwas: Die engste Freundin von Annegret war zwar nicht wirklich informiert, hat aber todsicher geahnt, dass Annegret sich mit Gerd im Busch treffen wollte. Sie ist wohl die weltberühmte beste Freundin, die grundsätzlich den Mund hält.«

»Heißt das, dass die Annegret in dieser kleinen Clique die Handelnde war und die anderen ihr verehrend zugeschaut haben?«, fragte Emma.

»So ähnlich muss man sich das wohl vorstellen. Annegret war bildhübsch. Sie lachte gern und war neugierig auf das Leben. Und sie war nach den Schilderungen ein offensiver Typ. Die Mutter hat gesagt, sie habe Annegrets Kleidung heimlich inspiziert und dabei Spuren von männlichem Samen festgestellt. Gerd Salm und die Kleine, die sich wohl beide mochten oder sogar liebten, haben miteinander all das gemacht, was Jugendliche in diesem Alter miteinander so machen. Das heißt, dass Annegret hungrig war, dass sie genau wusste, wie ein erigierter Penis aussah, aber sie ist auf eine gewisse anrührende Weise unschuldig geblieben. Übrigens hatte sie in ihrer Mutter eine Gegnerin, die der Ansicht ist: Männer wollen immer nur das eine, und das ist schmutzig!«

»Ach, du lieber Gott«, murmelte Rodenstock angewidert.

»Was ist mit dem Vater?«, fragte Emma.

»Er ist meines Erachtens ein netter Kerl. Die Ehe war längst tot und er wusste das. Aber er liebte seine Tochter über alles.«

»Wir haben also Annegret, die in diesem Busch auf Gerd wartet, während der sich mit einer Russin trifft. Dann haben wir drei Fahrradfahrer, die rumgefahren sind und nichts gehört und gesehen haben.« Emma starrte auf die Papierbahnen. »Da würde ich ansetzen, da stimmt was nicht.«

»Das sagte Anni auch. Anni sagte, es wäre eigentlich viel logischer, dass die Radfahrer rauskriegen wollten, mit wem

Annegret verabredet war. Und dann müssten sie jemanden gesehen haben. Denn jemand tauchte auf und tötete Annegret.« Der Tabak war zu feucht, ich zündete ihn nochmal an.

»Vielleicht waren die Radfahrer aber auch scharf darauf, Gerd Salm und seine kleine Russin auszuspionieren«, sagte Emma.

Langsam nickte ich. »Aber dann hat er davon nichts bemerkt. Und auch der Zeuge, der Gerd Salm beobachtet hat, hat niemanden sonst gesehen.«

Rodenstock fragte: »Ist denn eindeutig erwiesen, dass Gerd Salm und die kleine Annegret ein Paar waren?«

»Für die Kinder todsicher«, meinte ich. »Möglich ist auch, dass Annegret vor Eifersucht tobte, weil sie ahnte, dass Gerd mit der Russin zusammen war. Das würde heißen, sie war stinksauer, als sie starb.«

»Hat Benecke Spuren von Dritten gefunden?«, fragte Emma.

»Ja und nein«, sagte Rodenstock. »Er fand Spuren von so vielen Menschen, dass es schwierig war, die Spuren auszusortieren, die er nicht im Zusammenhang mit der Tat in dem Bild unterbringen konnte. Jetzt ist ja klar, warum: Dieser Busch war tagsüber das Spielfeld der Kinder und abends der Treffpunkt der älteren Jugendlichen.«

»Sollen wir davon ausgehen, dass die Radfahrer den Mord gesehen oder die tote Annegret entdeckt haben?«, fragte Emma.

»Können wir nicht«, widersprach ich. »Annegret war gut unter tiefem Laub und alten Zweigen in einer Bodenfurche versteckt, dass die Suchtrupps sie nicht gesehen haben. Diesen Zustand müssen wir für die Kinder auf den Rädern auch annehmen. Für wahrscheinlicher halte ich, was Anni vermutete: dass sie vor dem Mord etwas gesehen haben, was ihre Seelen verschließt. Andererseits ist auch das fraglich, weil es kaum möglich ist, dass alle drei das furchtbare Bild gleichermaßen verdrängen. Und jetzt muss ich nach Hause und duschen. Ich habe das Gefühl, ich rieche streng.«

Ich wandte mich an Rodenstock und riet ihm: »Schreib die vierzigtausend in den Wind, vergiss Mallorca. Wir waren alle zu sehr mit uns selbst beschäftigt, das war ein beschissener Zustand.«

»Aber im Prinzip war die Idee gut«, sagte er störrisch wie ein Esel.

»War sie nicht«, motzte Emma böse. »Ich habe dich geheiratet, weil ich dich liebe. Und du überlegst, auszuwandern, ohne mit mir darüber zu sprechen. Du bist der letzte Ehemann meines Lebens, ich will noch etwas von dir haben.« Sie schlug mit der Faust auf den Tisch. »Verdammt, verdammt, verdammt!«

Vera kam aus den Tiefen des Hauses und betrachtete uns: »Konferenz? Störe ich? Bin ich im Wege? Soll ich mich verdrücken?«

»Schon gut«, beschwichtigte Rodenstock sie. »Ich begrabe gerade meinen Traum von der Sonneninsel.«

»Wie schön«, sagte Vera. »Kennst du übrigens den? Bei welchem Spiel hat die Blondine gewonnen, deren Skelett am Heiligen Abend unter der Treppe einer Pension in Palma gefunden wurde? Da ihr sowieso nicht auf die Antwort kommt, gebe ich sie euch: beim Versteckspiel.« Dann betrachtete sie die Papierbahnen. »Habt ihr den Mörder entdeckt?«

»Nein«, sagte Emma. »Aber ich verspreche meinem lieben Mann, dass ich seinen blöden Apartmentvertrag innerhalb der nächsten vierzehn Tage an den erstbesten Ahnungslosen verkaufen werde. Wir Juden sind in dieser Beziehung einfach unschlagbar, sagt man uns nach. Obwohl das nicht stimmt, in den letzten Jahrhunderten wurden wir von den Chinesen eindrucksvoll überholt. Aber wen interessiert in der Eifel schon der schnöde Ferne Osten?«

»Baumeister, kann ich mit dir kommen?«, fragte Vera und setzte hinzu: »Ich liebe dein Haus, weißt du.«

»Aber ja«, sagte ich. »Ich muss allerdings gegen halb zwei nochmal weg.«

So fuhren wir denn nach Brück, liefen durch das Gartentor auf die Terrasse und plötzlich fasste mich Vera hart am Arm und flüsterte: »Sieh dir das an!«

In meinem Teich stand ein Graureiher und tat, was Reiher so tun. Er stand bewegungslos und starrte in das Wasser. Es konnte nur Sekunden dauern, bis einer meiner Koikarpfen oder einer der dämlichen Goldfische sich ahnungslos an seine langen, staksigen Beine schmiegen würde.

Ich sagte: »Pst!«, aber da war es auch schon passiert. Mit einem blitzschnellen Hieb hatte der Reiher einen rot leuchtenden Fisch im Schnabel und ging damit um, wie er es gelernt hatte. Er warf ihn leicht hoch, um ihn, Schnauze voran, verzehren zu können. Das gelang beim ersten Versuch nicht richtig. Also warf er den Fisch ein zweites Mal hoch, dann ein drittes Mal, und jetzt passte alles zusammen. Der Besucher hatte keinen Grund wegzufliegen, denn es war ersichtlich, dass noch mindestens weitere dreißig dumme Fische zu seiner freien Verfügung standen.

Aber Vera machte eine hastige Bewegung. Der Reiher stieg senkrecht hoch und verschwand zwischen den Häusern.

»Das ist nochmal gut gegangen«, seufzte ich.

»Der Fisch war so schön rot«, murmelte Vera traurig.

»Die Fische sind nicht mein Problem«, stellte ich fest. »Mein Problem sind die Krallen an des Reihers Füßen. Er könnte problemlos schwere Schnitte in die Teichfolie einbringen und ich würde mich morgen früh sehr wundern über Kröten, die traurig aussehen, und Fische, die kein Wasser mehr haben und im Modder verreckt sind.«

»Daran habe ich gar nicht gedacht«, gab sie sachlich zu.

Clarissa trat aus dem Wohnzimmer und sah verwegen aus. Sie trug ein rosafarbenes Oberteil, das etwa zwanzig Zentimeter zu kurz war und einen wunderbar gebräunten Bauch freiließ, der nach unten hin mit einer Jeans bedeckt war, die mein Vater Arschbetrüger genannt hätte.

»Chic!«, lobte Vera. »Nur zu kühl.«

Meine Tochter erwiderte obenhin: »Macht nichts, ich will, dass Sommer ist. Väterchen, ich bin mit Tante Anni verabredet, wir wollen spazieren gehen. Und ich soll dich von deiner früheren Frau grüßen, die sehr beunruhigt darüber ist, dass ich die Eifel gut finde und meinen Vater auch. Im Ernst, sie hat gesagt, ich würde schon noch herausfinden, dass deine Versprechungen nichts taugen.«

»Alles wie gehabt«, sagte ich. »Bestell deiner Mutter schöne Grüße von mir und lass sie einfach in ihrem Urteil verharren. Das werden wir zwei nicht mehr ändern.«

Clarissa zögerte, dann sagte sie: »Es heißt, dass du viele Versprechungen gemacht hast, die du nicht eingehalten hast.«

»Das ist wohl richtig«, nickte ich. »Süchtige sind so, Suffköppe erst recht. Wir wissen, dass wir täglich versagen, und können doch nichts dagegen machen. Wir sind krank. Und irgendwann werden die, mit denen wir leben, auch krank. Das ist unvermeidlich.«

»Bin ich also auch krank?«

»Das ist die Frage, wie du mit mir umgehst. Du musst nicht krank werden, du kannst begreifen, was mit mir los war und mit dir. Du hast alle Chancen, ein ganz normales Leben zu leben. Jedenfalls hoffe ich das.«

»Manchmal, nachts, denke ich, dass du uns loswerden musstest, um gesund werden zu können.« Sie knabberte an ihrer Unterlippe und sie sah sehr hübsch aus.

»Ein höchst unangenehmer Gedanke«, gab ich zu. »Aber er ist richtig. Ich musste gehen, um mich selbst zu finden. Und die Tatsache, dich zurücklassen zu müssen, hat mich viele tausend Nächte gekostet. Ich habe geheult wie ein Schlosshund, aber es gab keinen anderen Weg.«

Dann fragte ich mich verwirrt, ob ich es zu weit getrieben hatte. Clarissa stand vor uns und weinte lautlos. Und in Veras Augen standen ebenfalls Tränen.

»Himmel, Arsch und Zwirn«, schnauzte ich. »Werdet endlich erwachsen!«

Ich stapfte an den Frauen vorbei ins Haus und war froh, dass ich mir selbst ausweichen konnte.

Unter der Dusche ließ ich eiskaltes Wasser über meinen Körper laufen und verfluchte diesen Fall, weil er so große Schwächen bloßlegte – bei anderen, aber auch bei mir. Dann drehte ich das Wasser ein wenig wärmer, um mein Bibbern zu verscheuchen.

Als Vera ins Bad kam und sich wie selbstverständlich zu mir unter die Wasserstrahlen stellte, erinnerte ich mich daran, dass wir schon einmal – ein paar Stunden nach unserem Kennenlernen – so unter einer Dusche gestanden hatten. Damals war etwas ganz Neues, etwas Großes geboren worden. Bis sie eines Tages gegangen war.

»Du nimmst mir mein Wasser weg«, sagte ich.

»Es reicht für zwei«, lachte sie. »Kannst du dich an damals erinnern? Mein Gott, waren wir verrückt.«

»Na ja, wir hatten es verdient«, sagte ich. »Etwas wärmer, bitte, ich bin ein alter Mann, ich habe keine Temperatur mehr.«

»Der Meinung bin ich nicht«, gluckste sie. »Und mir bitte ein Handtuch, ich will eine Erklärung abgeben, damit du hinterher nicht sagen kannst, du hättest es nicht gewusst.«

»Ich hasse Erklärungen«, sagte ich und griff nach einem Badetuch. »Raus damit!«

»Hast du etwas dagegen, wenn ich um dich kämpfe?«

Das erstaunte mich, denn ich dachte nicht, dass ich jemand sei, um den zu kämpfen sich lohnte.

»Ist das dein Ernst?«

»Ja«, nickte sie und nahm mir das Badetuch ab.

»Ich werde versuchen, nichts dagegen zu haben«, sagte ich und so etwas wie Frieden senkte sich in meine Seele.

Plötzlich war Cisco da und bellte uns an, als seien wir Einbrecher. Wir scheuchten ihn raus, weil er an den Handtüchern zu zerren begann.

»Aber wenn dir wieder in den Sinn kommt, einsame Bahnen ziehen zu müssen, musst du es rechtzeitig mitteilen«, sagte ich.

»Das verspreche ich«, sagte sie.

»Und ich will, dass du vorsichtig mit mir umgehst, weil ich befürchte, dass ich impotent geworden bin.«

Sie starrte mich verwundert an. »Das glaube ich nicht. Wenn du mal die Güte hättest, südwärts zu blicken, würdest du verstehen, warum meine Zweifel sehr groß sind.«

Ich blickte südwärts. »Nicht weit entfernt ist ein Bett«, stellte ich mit trockenem Mund fest.

»Ja, das ist mir bekannt«, sagte sie.

Wir benahmen uns nicht gerade wie Kunstturner, aber wir hatten das Gefühl, allein für uns da zu sein und das Glück ein wenig in uns einzuschließen.

»Es war so ein langer Weg«, sagte sie.

»Ja. Jetzt sind wir angekommen.«

Irgendwann musste ich den Sündenpfuhl verlassen, mein Termin mit Gerd Salm nahte. Ich hoffte, dass kein Regen fiel. Aber draußen hatte sich die Sonne durchgekämpft und vielleicht würde es im Gras vor Amor-Busch ganz behaglich sein. Behaglich für Dinge, über die Gerd niemals geredet hatte, von denen ich aber überzeugt war, dass es sie gab.

Ich nahm in Hildenstein den Feldweg, der von der Bundesstraße abzweigte und den ich zum ersten Mal gefahren war, als sie Annegret gerade gefunden hatten.

Vater und Sohn waren schon da, saßen im Gras vor dem Busch und starrten hinunter auf die Stadt.

»War Kriminalrat Kischkewitz zu ertragen?«, fragte ich.

»Er war sehr freundlich«, sagte Gerd. »Ich glaube, er hat verstanden, warum ich das mit Annegret nicht gleich gesagt habe.«

»Du warst oft hier oben, nicht wahr?«

»Ja, und es war immer sehr schön«, antwortete er. Dann schluckte er hart und ich befürchtete, dass er dichtmachen könnte. Aber sein Gesicht entspannte sich wieder.

»Habt ihr die Softpornos hier oben geguckt?«

»Ja, klar. Wenn wir ein Gerät hatten, in dem die Batterien okay waren. Das mit den Batterien war immer blöde, weil sie so schnell verbraucht waren. Mit Akkus ging es besser. Irgendwann hatte Kevin mal die Idee, ein Verlängerungskabel bis runter zu Annegrets Haus zu legen, damit wir Strom hatten. Aber Annegret sagte, das könnten wir ihrer Mutter nicht antun. Die würde uns bestimmt die Strippe rausziehen.« Gerd lachte behaglich, anscheinend war es eine gute Erinnerung.

»Die Mutter von Annegret stand da unten hinterm Schlafzimmerfenster und hatte das Fernglas vor den Augen?«

»Korrekt«, nickte er. »Das hat uns aber nicht gestört. Na ja, immerhin wussten wir dann auch, wo sie war.«

»Habt ihr mal über Toni Burscheid gesprochen?«

»Ja, klar.« Er strich sich wieder die Locke aus der Stirn. »Ob der schwul war oder auf Kinder stand, war uns eigentlich egal. Also, mir ist egal, wenn jemand, also, wenn er nichts tut. Und Annegret und die anderen fanden das auch egal. Toni war derjenige, der uns den alten Laptop schenkte. Er sagte: Ihr braucht doch den Spaß.«

»Sag mal, war Anke eigentlich eifersüchtig auf Annegret, weil die schon irgendwie weiter war?«

»Nein«, antwortete Gerd langsam. »Oder ich weiß nicht. Annegret hat nie so was erwähnt. Außerdem hatte Anke ja

Kevin. Der ist scharf auf Anke, das weiß sie. Ist ja auch korrekt. Nee, Anke und Annegret waren die besten Freundinnen, Anke hat nie einen dicken Hals gehabt. Die beiden hatten nie Zoff, sie haben immer nur gelacht und manchmal hat sich Anke dann Kevin geschnappt und ist mit ihm da hinten in die Haselnusssträucher gegangen. Dann hat sie geschrien: Wir machen Liebe! Wir haben alle gelacht und sie in Ruhe gelassen.«

»Kannst du mir den Busch zeigen?«

Gerd stand auf, ging langsam vor uns her und deutete auf einen prächtigen Haselnussbusch, drei Meter hoch mit rot gefärbten Blättern. »Da drunter lagen sie. Und manchmal war ich auch mit Annegret hier.«

»Als ich hier war, gab es die Haselnuss noch nicht«, sagte sein Vater versonnen. »Wir hatten einen Busch tiefer drin. Wir hatten immer Angst, man könnte uns sehen.«

»Hier sieht dich keiner, egal aus welcher Richtung«, erklärte ihm sein Sohn freundlich.

»Was war mit Bernard? Ich meine, war der nicht immer das fünfte Rad am Wagen?«

»Manchmal schon«, antwortete der Junge. »Dann haben wir ihn nach Hause geschickt oder er durfte sich allein einen Pornostreifen reinziehen. Er sieht die Teile gern.«

»Er war der Lehrling«, kommentierte der Vater.

»Korrekt«, bestätigte der Sohn.

»Hast du was dagegen, wenn wir hochgehen zum Stadtforst?«, fragte ich.

»Das ist schon okay«, nickte er.

Also machten wir uns gemächlich auf den Weg.

»Und Kevin?«, fragte ich weiter. »War der wirklich nur scharf auf Anke oder vielleicht doch manchmal eifersüchtig auf dich, weil du Annegret hattest?«

»Bestimmt nicht. Wir waren eine Clique, wir haben zusammengehalten. Kevin ist voll okay.«

»Woher hattet ihr eigentlich die Pornos?«

»Wir haben sie entweder kopiert, manchmal lagen sie zu Hause ja einfach so rum. Also, nicht bei uns, aber zum Beispiel bei Schmitz. Kevin hatte immer die besten. Oder wir haben sie gekauft.«

»Das ist keine Schwierigkeit, sie zu kriegen?«

Er bedachte mich mit einem Blick, der so etwas wie ›Armer Irrer!‹ bedeuten konnte.

»Nein. Die Dinger bekommst du überall und kein Mensch fragt dich, wie alt du bist. Die besten kriegst du in Trier und in Koblenz.« Dann bückte er sich, brach einen trockenen Grashalm ab und steckte ihn sich in den Mund. »Dabei sind die meisten Filme wirklich blöd und es macht keinen Spaß, sie anzuschauen. Annegret meinte immer, das sind Wichsvorlagen für Erwachsene.«

Ich sah, wie der Vater schnell seinen Kopf wegdrehte, um nicht laut loszulachen.

»Wenn ihr mit dem Rad unterwegs wart, seid ihr da auch oben im Stadtforst rumgekurvt?«

»Korrekt. Je nachdem, wo wir gerade hinwollten.«

Wir waren jetzt nur noch fünfzig Meter vom Waldrand entfernt. Fichten standen dort, gute dreißig bis fünfzig Jahre alt, schnurgerade Stämme. Es war die Nordseite des Berges, also war das Holz langsam gewachsen und sehr wertvoll.

»Ist das nicht ein wenig langweilig, hier im Stadtforst?«, fragte ich.

»Stimmt schon, viel los ist hier nicht. Aber manchmal wollte eben einer von uns hier oben hin und dann sind wir andern mitgefahren, bis alles klar war.«

Baumeister, jetzt reiß dich am Riemen und scheuche ihn nicht. Er muss selbst auf die Geschichten kommen, die er zu erzählen hat. Und er wird darauf kommen und er wird erzählen.

»Seid ihr hergekommen, weil jemand zu dieser Blockhütte

wollte?«, fragte ich nach einer Weile, als wir einen Weg erreicht hatten, der zwischen die Bäume führte.

»Ach, die Liebeslaube!«, lachte der Vater. »Kennen Sie die Geschichte?«

»Nein, keine Ahnung.«

»Das muss jetzt zwanzig Jahre her sein, da gehörten noch acht oder zehn Morgen des Waldes einem alten Bauern aus Hildenstein. Er war verwitwet, aber er wollte noch ... – Sie wissen schon. Er baute sich diese Blockhütte und angelte sich eine junge Frau. Die musste sich dann immer auf den Radkasten seines Treckers setzen und dann sind die beiden zur Laube gejuckelt. Ganz Hildenstein hat darüber gelacht. Aber dem Alten war das egal, und da er beliebt war, gönnte ihm auch jeder den Spaß. Seit damals heißt die Hütte Liebeslaube. Der alte Bauer ging sogar so weit, dass er sich einen Kamin aus Feldsteinen an die Hütte gesetzt hat, damit er sie auch im Winter benutzen konnte. Na ja, irgendwann war es vorbei und der Alte wollte den Wald und die Hütte verkaufen. Weil sich niemand sonst dafür interessierte, kaufte der Herbert Schmitz das Ganze für einen Appel und ein Ei und schenkte die Hütte seiner Frau. Und was dann passierte, also in den letzten zwei Jahren, das wissen Sie aber?«

»Nur, dass sie was mit einem Polen hat, oder so.«

Vater Salm grinste. »Ich selbst kenne ja auch nur die Gerüchte. Aber ich kenne jemanden, der wirklich etwas weiß. Wenden Sie sich an meinen Sohn Gerd, der hat echt Ahnung.« Schallend lachte er.

»Also, junger Mann, was weißt du?«

Im Wald war es dämmrig, dicht und kühl.

»Na ja, es fing damit an, dass Anke völlig neben der Spur war. Sie hatte gehört, dass irgendwer ihren Vater mit einer fremden Frau hier im Forst gesehen hatte. Und sie sagte: Ich will in diese Liebeslaube, ich trete ihm in die Eier! Wir lachten und sagten, das sei gar nicht möglich, ihr Vater käme gar nicht in die Liebeslaube rein. Drei schwere Sicherheitsschlösser hängen an der Tür, die Fenster sind dicht, da kann niemand einfach so rein. Wir sagten zu Anke, vielleicht trifft dein Vater diese Frau ja auf dem Parkplatz. Der ist da vorne, nur hundert Meter von hier.«

Unser Weg führte zu einer Kreuzung von fünf Waldwegen und linker Hand erstreckte sich tatsächlich ein großer Parkplatz. Zwei Pkw standen dort, einer aus Dortmund, der andere aus Kaiserslautern.

»Ihr habt Ankes Vater aufgelauert?«

»Korrekt. Er traf die Frau immer mittwochnachmittags und freitagmittags. Aber es passierte nichts, sie machten keine Liebe, sie redeten bloß miteinander. Annegret sagte schließlich: Das ist langweilig, das macht keinen Spaß.«

»Hat Anke ihrer Mutter davon erzählt?«

»Weiß ich nicht, aber ich glaube eher nicht. Annegret sagte nämlich auch, das geht uns sowieso nichts an. Wenn mein Vater hier jemanden treffen würde, würde ich das auch gar nicht wissen wollen.«

Das schien mir irgendwie verrückt: Da hatten die Eltern Affären, ihre Kinder entdeckten es und beschlossen, darüber zu schweigen.

»Und was ist nun mit der Liebeslaube? Wenn ich das richtig verstanden habe, trifft sich da doch Kevins Mutter mit dem Polen.«

»Das ist da vorne«, sagte der Vater. »Zweihundert Meter noch.«

Also spazierten wir weiter und schwiegen, bis zwischen den Bäumen grellgelbes Laub auftauchte.

»Das sind Goldulmen«, erklärte Vater Salm. »Kevins Mutter hat sie dicht an dicht setzen lassen. Genauso wie die Brombeerpflanzen. Um das ganze Grundstück herum. Nach zwei Jahren war der Verhau so komplett, dass man jetzt nicht mehr rankommt. Richtig raffiniert. Sehen Sie?«

Ich nickte. Die Bahn der Brombeeren um das Grundstück war inzwischen sicher mehr als sechs Meter tief.

»Die sind mit genau der richtigen Erde und mit viel Kunstdünger angesetzt worden. Die wachsen wie verrückt«, murmelte der Vater. »Also, ich mag die Frau ja, aber manchmal denke ich, die treibt's zu doll. Na ja, der Herbert wird wissen, was sie hier macht. Aber er muss die Schnauze halten.«

»Wieso das?«, fragte ich.

»Weil die Frau das Geld mitgebracht hat«, entgegnete er. »Herbert Schmitz stand irgendwann mal kurz vor der Pleite. Dann lernte er Griseldis kennen und heiratete sie. Sie hatte mächtig viel an den Füßen, von den Eltern her, und hat ihn gerettet. Wahrscheinlich haben sie eine Abmachung, deren wichtigste Regel lautet: Ich halte die Schnauze und du hältst die Schnauze.«

»Sieh mal einer an«, sagte ich erheitert. »Zu Hause hat sie ihren Herbert und hier ihr Sommerreich, in das niemand reingucken kann.«

»Das stimmt so nicht«, stellte Gerd fest. Er ging auf die Längsseite des Grundstücks zu. Vor ihm waren nur Goldulmen und Brombeeren zu sehen.

»Man muss auf den Boden, dann kommt man dicht an den Zaun ran.« Er griff vor sich und zog an einem Haufen Zweige, die sich mühelos rausziehen ließen. Dann war er zwei Meter näher am Zaun, packte nach rechts und entfernte den nächsten Haufen abgeschnittener Zweige. So ging es weiter im Zickzack, bis er sagte: »Ihr könnt nachkommen, alles klar.«

»Als Indianer ist der Junge nicht zu schlagen«, sagte ich und kroch tapfer voran.

Wir erreichten Gerd und legten uns neben den Jungen.

Nun hatten wir einen freien Blick auf das Grundstück, das im Grunde nichts anderes war als eine Wiese. Links befand sich die Blockhütte mit Liegestühlen und Tischen unter einer Art Vorbau.

»Wenn sie hier sind«, erklärte Gerd sachlich, »dann liegen sie auf den Liegestühlen da. Die stellen sie auf den Rasen. Sie hat aber immer was an und es passiert nie was. Wenn sie Liebe machen, dann gehen sie rein und du kriegst nichts mit.«

»Wie hat denn Kevin darauf reagiert, wenn er seine Mutter mit einem anderen Mann sah?«

»Na ja, beim ersten Mal hat er geweint. Er hat so laut geweint, dass wir schon dachten: Jetzt haben sie uns gehört. Aber irgendwann interessierte ihn das nicht mehr richtig.«

»Hat er darüber geredet?«

»Ja, schon. Aber Annegret hat gesagt: Die Erwachsenen sind alle ein bisschen pervers, die muss man in Ruhe lassen. Liebe muss man selber machen, hat sie gesagt.«

»Das kann ich mir gar nicht vorstellen, dass er nicht zumindest wütend war, wenn er seine Mutter hier sah ...«

»Das war er nur einmal, da hat seine Mutter mit dem Polen auf dem Rasen rumgebalgt und Kevin kroch ganz schnell zurück durch den Tunnel. Als wir anderen auch wieder draußen waren, habe ich gesagt: Leider machen die es immer drinnen, man sieht gar nichts! Da hat Kevin nach mir geschlagen. Er hat mich voll auf dem linken Auge erwischt. Ich habe mich nicht gewehrt, ich dachte, er ist sowieso eine arme Sau.«

»Wieso meinst du, dass Kevin eine arme Sau ist?«

»Na ja, ist er doch. Dazu kommt ja auch noch die Geschichte mit seinem Vater.«

»Und wie geht die?«

»Kevins Vater hat natürlich eine Sekretärin. Und eines Tages ist Kevin mit dem Fahrrad zum Betrieb seines Vaters gefahren und hat gesehen, wie sein Vater und diese Sekretärin rumgemacht haben. Die haben gar nicht gemerkt, dass er in der Tür stand. Das hat ihn echt fertig gemacht. Annegret hat ihn in den Arm genommen. Zum Trost. Immer wenn er schlecht drauf war, ging er zu Annegret und sie hat ihn in den Arm genommen und getröstet. Ich hatte nichts dagegen, das war korrekt.«

»Ich hab es im Kreuz«, stöhnte Vater Salm gepresst. »Ich kann nicht länger so liegen. Ich krieche zurück.«

»Gibt es noch andere Stellen, wo man an den Zaun kann?«

»Genau gegenüber ist noch eine.«

»Dann mal zurück«, sagte ich.

Wir robbten den Zickzackweg zurück und Gerd machte hinter uns den Gang dicht.

Als wir wieder unter den Fichten beieinander standen, fragte ich: »Ist es möglich, dass die drei an dem Donnerstag hierher gefahren sind?«

»Das weiß ich nicht«, antwortete Gerd. »Wie gesagt, ich war ja nicht dabei.«

Fehlt noch etwas, Baumeister? Hast du was vergessen? Du bekommst wahrscheinlich keine zweite Chance.

»Ich danke dir sehr. Wenn du Fragen hättest an die anderen drei, wen würdest du fragen?«

»Bernard.« Das kam wie aus der Pistole geschossen. »Der ist nicht so wie die Anke und Kevin.«

»Ja, das scheint mir auch so. Macht es gut. Ich glaube, ich muss mich jetzt beeilen.«

Ich lief zu meinem Wagen zurück, es war schon halb vier und ich hatte aus keinem benennbaren Grund den Eindruck, nicht mehr viel Zeit zu haben.

Bernard Paulus, anders als die anderen. Noch nicht so weit entwickelt, aber ein starkes Interesse an Softpornos, das fünfte Rad am Wagen, die dünnste Stelle der Verteidigungsanlage.

Das Haus der Paulus' wirkte freundlich. Vor der Garage standen einige Fahrräder, zwei Pkw, ein Rasenmäher. Ich schellte.

Die Frau, die mir öffnete, war groß, blond und hatte die Züge einer Frau, die die Nase vom ständigen Haushalt voll hat.

»Mein Name ist Siggi Baumeister, ich bin ein Journalist aus der Eifel. Kann ich mit Ihrem Sohn Bernard sprechen?«

»Was wollen Sie denn? Die Kinder sind doch sowieso schon durcheinander genug. Und Bernard kann Ihnen keine Auskunft geben. Die Kripo hat schon alles gefragt. Bernard ist noch viel zu jung. Er begreift doch gar nicht richtig, was da passiert ist.«

»Ich würde gern die Stimmung in der Clique einfangen. Und ich würde nicht mit ihm sprechen, ohne dass Sie dabei sind. Das dauert nur ein paar Minuten und ich werde keine Fragen stellen, die ihn irgendwie in Bedrängnis bringen.«

»Er ist in seinem Zimmer, er geht kaum noch aus dem Haus.« Die Miene der Frau wirkte nun kummervoll. Schließlich murmelte sie: »Meinetwegen, kommen Sie.« Dann wandte sie sich zurück ins Haus und rief: »Bernie!«

Wir betraten ein großes Wohnzimmer, in dem zwei Jugendliche vor dem Fernseher saßen und einen Film anschauten.

»Raus«, bestimmte die Mutter. »Ihr könnt in zehn Minuten weitergucken. Aber jetzt erst mal raus.«

Die beiden sagten nichts, standen auf und verließen den Raum. Dafür kam Bernard rein und fragte: »Was ist denn?«

»Der Herr will dich etwas fragen«, sagte seine Mutter in einem Ton, als sei das Ganze ein kleiner Spaziergang.

Der Junge war blond und schmal und erweckte den Anschein, als sei ihm jedes Kleidungsstück zu groß. Sein Gesicht war ernst und er hatte Mühe, mich anzublicken. Er war wohl jemand, der sich dauernd in seine Verlegenheiten zurückzog.

»Tag, Bernie. Ich bin der Siggi. Nur ganz kurz, dann gehe ich wieder. Ihr fünf wart eng befreundet, das war eine gute Clique, nicht wahr?«

»Ja«, nickte er.

»Ich weiß jetzt die Wahrheit. Am Donnerstag habt ihr euch auf die Räder gesetzt und seid rumgefahren, oder? Wohin seid ihr denn gefahren?«

»In den Forst hoch«, sagte er mit ganz leiser Stimme.

»Davon hast du bisher noch nichts gesagt«, stellte die Mutter nicht ohne Vorwurf fest.

»Das hat ja auch keiner gefragt«, erwiderte er.

»Ihr wart zu dritt. Du, Anke und Kevin, richtig?«

»Richtig«, nickte er.

»Dann seid ihr durch die Brombeeren und habt ein bisschen geguckt.«

»Ja.«

»Und dann?«

»Da war nichts Besonderes.«

Die Augen der Mutter wurden plötzlich groß. Sie sagte empört: »Das können die Kinder doch noch gar nicht begreifen.«

»Sehen Sie, Frau Paulus, das ist ein Irrtum. Die Kinder wissen alles. Es ist Teil ihres Alltags. Sie beobachteten Frau Schmitz, Griseldis Schmitz, zusammen mit dem jungen Mann aus Polen. Das taten sie schon seit Monaten. Wenn ich das richtig verstanden habe, taten sie das sogar schon im vorigen Sommer. Das stimmt doch, Bernie, oder?«

»Ja«, sagte er mit gesenktem Kopf.

Ich dachte: Ich werde dich schonen, kein Wort von den Softpornos, kein Wort vom Nacktsein im Amor-Busch.

»Also, ihr seid da oben bei der Liebeslaube gewesen. Was ist dann passiert?«

Er überlegte einige Augenblicke. »Mir war bald langweilig, ich fand das blöde. Ich habe gesagt, ich fahre zurück und kaufe mir ein Eis.«

»Aber die beiden anderen, also Anke und Kevin, wollten noch bleiben?«

»Ja.«

»Und du bist dann zurück zu deinem Rad und bist losgefahren in die Stadt.«

»Ja.«

»Lieber Himmel«, seufzte die Mutter. »Kevin hat bei seiner eigenen Mutter zugeschaut?«

»Ja«, sagte ihr Sohn.

»Ja«, sagte auch ich. »Und Anke hat ihren Vater beobachtet, wie der eine Frau traf. Auf dem Parkplatz oben im Forst. Für die Kinder war das ein Abenteuer, Alltag, Frau Paulus, aber auch ziemlich desillusionierend. Sag mal, Bernie, was hat denn Kevin gesagt, als ihr an jenem Donnerstag oben vor der Liebeslaube lagt?«

»Er hat gesagt, er fährt jetzt nach Hause, holt eine Zange, Schneidet den Zaun durch und sagt seiner Mutter die Meinung.«

»Hat Anke was darauf erwidert?«

»Sie hat gesagt, das kann er nicht machen. Und das lohnt nicht. Aber er hat gesagt, er hätte die Schnauze endgültig voll. Und ich bin dann weggefahren und habe mir ein Eis gekauft.«

»Mein Gott«, hauchte die Mutter.

»Das wollte ich wissen«, sagte ich. »Vielen Dank, Bernard.«

Ich stand auf, Bernards Mutter begleitete mich zur Tür und schien völlig verwirrt. Sie sagte noch einmal: »Mein Gott!«

Die fünfzig Schritte bis zum Elternhaus der Anke Klausen lief ich zu Fuß. Wie die anderen Häuser war auch dieses die Demonstration rechtschaffender Bürgerlichkeit, die stete Aussendung des Signals: Wir gehören zu den Guten.

Ein Mann öffnete mir. Er steckte in einem dunkelbraunen Trainingsanzug, war hager, wirkte misstrauisch.

»Mein Name ist Siggi Baumeister, ich bin Journalist und hier aus der Eifel. Ich bitte Sie, Anke ein paar Fragen stellen zu dürfen. Es geht um diese kleine Clique, zu der auch Ihre

Tochter gehört.« Mich widerte mein eigener Vorstellungsspruch langsam an.

»Meine Tochter ist in keiner Clique«, antwortete der Mann aggressiv.

»Ihre Tochter war die Letzte, die Annegret lebend gesehen hat.« Das war ein Bluff, aber einer, der wirkte.

»Das höre ich zum ersten Mal«, sagte er verächtlich.

»Es war so«, stellte ich fest. »Ich will Anke keine miesen Fragen stellen, ich will nur ein paar Auskünfte, wie diese kleine Clique funktionierte.«

»Was glauben Sie wohl? Wie jede Clique«, sagte er. »Meine Tochter will keine Auskunft geben, Herr ... Herr ...«

»Baumeister«, sagte ich sanft. »Sie können ja dabeibleiben.«

»Ich will nicht dabei bleiben.«

Ich bekämpfte meinen Zorn. »Herr Klausen, es geht um Fragen, die mit dem Verbrechen wahrscheinlich überhaupt nichts zu tun haben.«

Auch er war wütend, und er war hilflos und hatte Angst. »Reichen Sie die Fragen schriftlich ein. Vielleicht beantworten wir sie dann.«

»Wie Sie wollen. Auf Wiedersehen.« Ich drehte mich um und lief die vier Stufen wieder hinunter.

Plötzlich sagte eine Frau in meinem Rücken: »Nicht so schnell. Warten Sie, vielleicht können wir Ihnen ja doch helfen.«

Ich wandte mich erneut zur Tür. Der Mann war verschwunden. Die Frau war klein, zäh und drahtig. Sie war diejenige, die ihre Nebenbuhlerin an die Wand geredet und ihren Ehemann in die Ecke gestellt hatte.

Ich sagte: »Danke.«

»Meine Tochter ist in ihrem Zimmer. Wir können sie ruhig stören. Entschuldigung, aber mein Mann ist letzter Zeit etwas nervös.« Eindeutig lag eine gewisse satte Zufriedenheit in ihrer Stimme.

Wir stiegen in den Keller hinab. Da das Haus am Hang lag, befand sich Ankes Zimmer trotzdem im Erdgeschoss.

»He«, sagte die Mutter und schob die Tür auf. »Hier ist jemand, der dich etwas fragen will. Ein Herr von der Presse.«

Das Mädchen lag auf dem Bett. Auch sie trug einen Trainingsanzug. Ihr blondes Haar war kurz geschnitten, ihr Gesicht wirkte offen, ihre Augen waren blau.

»Ich heiße Siggi«, sagte ich. »Ich muss über die furchtbare Sache mit Annegret schreiben. Und mich interessiert, wie eure Clique funktionierte, ob ihr euch gut vertragen habt.«

Sie sah mich ohne Scheu an. »Klar, das ist eine gute Clique.«

»Entschuldigung, natürlich ist es noch eine gute Clique. Am Donnerstag seid ihr rumgefahren, nachdem ihr von der Schule nach Hause gekommen seid?«

»Ja. Jeder für sich.«

»Nur Annegret war im Busch und wartete auf Gerd.«

Das traf sie, das traf sie hart.

»Das weiß ich nicht«, sagte sie und starrte gegen die Decke.

»Ich weiß das aber und ich weiß auch, dass ihr andern drei zusammen bei der Liebeslaube gewesen seid. Kevin, Bernard und du.«

»Wer erzählt denn so was?«, fragte sie schnippisch.

»Bernard«, sagte ich.

»Der kann viel erzählen«, kommentierte sie.

»Kevin war traurig und stinksauer, weil er mal wieder seiner Mutter zusehen musste, die mit diesem Polen rummachte. Irgendwann ist Bernard gegangen, weil es ihm zu öde wurde. Und Kevin hat gesagt, er holt eine Zange und schneidet den Zaun durch, geht zu seiner Mutter und macht Terror. Du hast Kevin beruhigen müssen.«

»Sag, dass das nicht wahr ist!«, meinte die Mutter schroff. »Sag sofort, dass das nicht stimmt!« Wahrscheinlich hatte sie keine Vorstellung von dem, was folgen würde, aber sie wurde panisch.

»Das stimmt nicht«, sagte Anke gelangweilt. Sie hatte sich geradezu meisterhaft im Griff. Allerdings verschränkte sie die Arme vor der Brust und drehte ihren Kopf zur Seite.

»Also gut«, fuhr ich gemütlich fort und setzte mich auf einen Stuhl, der vor einem kleinen Schreibtisch stand. »Es geht darum, einen Mörder zu finden. Wir wollen doch alle, dass er gefunden wird, wir wollen doch, dass die Sache mit Annegret geklärt wird. Ihr seid eine Gruppe von Freunden, die genau wissen, was mit ihren Eltern los ist. Ihr habt ja nicht nur der Frau Schmitz zugeguckt, sondern du hast auch von der Geschichte mit deinem Vater und der anderen Frau gewusst. Ihr habt auch deinen Vater beobachtet. Oben auf dem Parkplatz im Stadtwald.« Ich nahm den Tabaksbeutel und eine Pfeife aus der Tasche und stopfte sie in aller Ruhe.

»Das ist alles nicht wahr!«, sagte Anke.

Im Haus war es sehr still, die Fenster des Raumes waren gekippt und von draußen hörte man das Brummen einer Hummel. Es klang ärgerlich.

Das Gesicht der Mutter war bleich geworden. Sie sah mich an und fragte: »Woher wissen Sie das alles?«

»Ich habe einfach darauf gesetzt, dass die Kinder mehr wissen, als sie zugeben. Eine schlechte Absicht ist bei den Kindern sicher nicht vorauszusetzen. Sie schützen nur sich und ihre Freunde. Ich bin also zuerst zu Gerd Salm gegangen. Und der hat begriffen, um was es ging.«

Das Mädchen war zusammengezuckt. Sein Oberkörper kam hoch, Anke setzte sich auf die Bettkante.

»Kind, ich hatte doch keine Ahnung ...«, begann die Mutter.

»Ihr habt nie eine Ahnung«, stieß das Mädchen zornig hervor. »Und ihr meint immer, wir kriegen nichts mit.«

»Kein Mensch macht dir Vorwürfe«, sagte ich vorsichtig.

»Ich sage jedenfalls nichts«, beschloss sie.

»Das wird nicht gehen«, sagte ich.

»Mädchen, nun rede doch«, seufzte die Mutter. »Das packen wir auch noch. Wir haben schon andere Sachen erledigt.« Sie ließ sich auf einen Hocker neben mich sinken, holte eine Schachtel Zigaretten hervor und zündete sich eine an.

»Du sollst hier nicht rauchen«, sagte Anke mit leichtem Vorwurf.

»Pfeif drauf«, erwiderte die Mutter.

Das Brummen der Hummel wurde noch lauter.

»Also, ich habe mit Gerd Salm geredet. Er ist der Meinung, dass es besser ist, wenn ihr alles erzählt. Wenn du mir nicht glaubst, ruf ihn doch an.«

»Ja, frag ihn doch«, nickte die Mutter.

»Was hast du eigentlich?«, blaffte die Tochter.

Eine Weile herrschte Stille.

»Ich will, dass endlich wieder Ruhe ist in diesem Haus, verstehst du? Ich habe keine Lust mehr, dauernd die Fehler der Familie zu korrigieren. Ich habe die Schnauze voll von euren Eskapaden. Und ich bin der Meinung, auch du solltest klar Schiff machen und damit rausrücken, was wirklich passiert ist.«

Das Mädchen schwieg

»Ich vermute, es war so: Kevin ist aus dem Brombeertunnel rausgekrochen, hat sich auf sein Fahrrad gesetzt und ist schnurstracks zum Busch gefahren. Weil er wusste, dass Annegret da den Gerd treffen wollte. Und du bist hinterher.«

Anke kaute auf ihrer Unterlippe und knetete unruhig ihre Hände. Schließlich beugte sie sich seitwärts, zog ein Handy unter dem Kopfkissen vor und ging hinaus.

Die Mutter flüsterte: »Ich hatte die ganze Zeit ein Scheißgefühl. So eine Ahnung, dass da was schief gelaufen ist. Die hocken doch dauernd zusammen, die machen alles gemeinsam. Aber ich hätte nicht gedacht, dass sie so viel über ihre Eltern wissen. Glauben Sie, Anke hat im Busch was gesehen?«

»Kinder werden dauernd unterschätzt«, stellte ich fest.

Anke kehrte zurück, steckte das Handy wieder unter das Kopfkissen und setzte sich.

»Was hat Gerd gesagt?«, fragte die Mutter.

»Es stimmt. Er meint, ich soll alles sagen.«

»Du hast gesehen, wie sie getötet wurde, nicht wahr?«

Sie starrte mich an und ihre Augen wurden plötzlich riesig. Ihre Hände kamen fahrig nach vorn. »Nein«, sagte sie. Dann begann sie zu weinen.

Die Mutter stand auf, nahm sie in die Arme und flüsterte: »Mein liebes Ankelein.«

Ich merkte, dass ich meine Pfeife noch immer in der Hand hielt. Ich zündete sie an, ich war jetzt sehr ruhig.

»Wenn du nichts gesehen hast, ist doch alles in Ordnung«, sagte ich. »Du brauchst doch keine Angst zu haben ...«

»Ich habe keine Angst«, fauchte Anke, schüttelte die Arme ihrer Mutter ab und richtete sich auf. »Ich habe es nicht gesehen«, wiederholte sie.

Wir warteten, und es erschien mir wie eine Ewigkeit.

»Also, es war so, dass wir, also Kevin, Bernard und ich, erst mal rauf sind zur Liebeslaube. Es war sehr heiß und Frau Schmitz lag da auf einer Liege ... Der Pole hatte ein Feuer angemacht und grillte irgendetwas. Jedenfalls roch es so. Auf einmal sagte Kevin: Ich schlag ihn tot! Und ich sagte: Das ist doch Quatsch! Und er sagte: Sie bescheißt meinen Vater. Ich erwiderte: Dein Vater bescheißt deine Mutter doch auch. Da war Kevin still. Aber nicht lange. Dann merkte ich, dass er weinte. Er schlug immer mit der Faust auf den Boden und kriegte sich gar nicht mehr ein. Und dann kroch er zurück, aus den Brombeeren raus. Er schnappte sich sein Fahrrad und strampelte los wie ein Verrückter. Und ich hinterher.«

»Er nahm den Weg zum Amor-Busch, nicht wahr?«

»Ja. Er fuhr runter, weil wir ja wussten, dass Annegret mit

Gerd da war. Ich konnte ihn nicht mehr einholen, er war viel zu schnell.«

»Du hast dein Rad abgestellt und bist hinter ihm in den Busch rein, oder?«

»Ja. Ich war erstaunt, dass Gerd nicht da war. Annegret war stinksauer und ich dachte noch: Sie hatte Streit mit Gerd. Aber Gerd war gar nicht da gewesen, sagte Annegret. Sie wusste genau, dass er wieder mit dieser Russin zusammen war.«

»Was war mit Kevin?«, fragte ich.

»Der hatte sein Fahrrad hingeschmissen und weinte immer noch.«

»Und dann bist du weggegangen?«, fragte ihre Mutter.

»Doch, ja. Aber nicht sofort. Annegret sah natürlich auch, dass Kevin nicht gut drauf war. Er sagte sogar, dass er eigentlich keinen Vater und keine Mutter mehr hätte. Annegret nahm ihn daraufhin in die Arme, aber er weinte weiter und wollte gar nicht mehr aufhören. Da habe ich dann tschüss gesagt, mein Fahrrad geschnappt und bin nach Hause gefahren.«

»Was glaubst du, was danach passiert ist? Oder hast du noch irgendetwas gehört?«

Sie fuhrwerkte mit den Schuhspitzen im Teppichboden herum. »Ich habe noch etwas gehört. Ich habe gehört, wie Kevin schrie: Ihr seid alle Scheißweiber! So habe ich ihn noch nie schreien hören. Ich fuhr nach Hause, weil ich ..., ich hatte Angst.«

»Du hast keine Vorstellung, wie das weiterging?«

Sie schüttelte den Kopf. »Annegret war doch immer so lieb zu Kevin. Wie eine Mutter ... Ich weiß nicht, was dann passiert ist. Nur dass Annegret dann tot war.« Sie schluchzte auf und weinte hemmungslos. Ihre Mutter nahm sie wieder in die Arme und drückte sie an sich.

»Dank dir«, sagte ich beklommen. Ich konnte mir nicht

vorstellen, einfach aufzustehen und aus dem Haus zu laufen. Es schien mir, als würde ich Anke im Stich lassen. Ich dachte, das Beste wäre weiterzufragen, um die Traurigkeit nicht so entsetzlich hochsteigen zu lassen. Doch mir fiel nichts mehr ein.

Also nickte ich der Mutter zu und ging so leise wie möglich hinaus. Als ich auf der Straße stand, versuchte ich, Kischkewitz zu erreichen. Doch sein Handy war abgeschaltet. Der nächste Versuch galt wie immer Rodenstock.

»Ich muss an Kischkewitz ran, ich weiß, wer Annegret erschlagen hat.«

»Kischkewitz ist hier. Ich gebe ihn dir.«

»Ja?«, meldete sich Kischkewitz.

»Ich weiß, wer Annegret erschlagen hat. Du musst herkommen und weitermachen. Das ist Polizeiarbeit, das ist nichts für mich.«

»Zu wem?«

»Zu Kevin Schmitz. Ich stehe vor seinem Haus.«

ZEHNTES KAPITEL

Er war in weniger als zwanzig Minuten da und blieb unten in einer Kurve der Straße stehen. Ich lief zu seinem Wagen und setzte mich neben ihn. Ich zündete meine Pfeife an und fühlte mich atemlos erregt.

»Ich habe erst mit Bernard gesprochen, dann mit Anke. Und ich bin mir sicher, Kevin war der Letzte, der Annegret lebend gesehen hat. Was genau passiert ist, weiß ich nicht. Kevin ist wohl ausgeflippt, weil er vorher seiner Mutter und dem Polen zugeguckt hat. Er hatte das Gefühl, weder Vater noch Mutter zu haben. Und Annegret war immer diejenige, zu der er geflüchtet ist, wenn die Welt über ihm zusammenschlug. Also hat er sich wohl vollkommen verzweifelt an ihre Brust gelegt und sie dann erschlagen. Er hat zuletzt ›Scheißweiber!‹ gebrüllt. Das hat Anke noch mitgekriegt.«

Kischkewitz sagte eine ganze Weile nichts. Dann meinte er: »Na gut. Wahrscheinlich bekomme ich jede Menge Ärger, weil ich jetzt eigentlich einen Psychologen hinzuziehen müsste – aber das will ich nicht. Die stören nur. Also, was soll's. Auf ins Finish. Du hältst dich aber zurück, übernimmst nur den Anfang. Das kriegst du besser hin, weil du mehr weißt. Dann bin ich dran.«

Er fuhr den Wagen hundert Meter weiter, wir stiegen aus und schellten. Es war Griseldis Schmitz, die kurz darauf in der Haustür stand. Sie hatte keinen Humor mehr im Blick, sie ahnte wohl etwas.

»Wir müssen mit Kevin sprechen«, sagte Kischkewitz direkt.

»Gibt es was Neues?«, fragte sie beunruhigt.

»Das wird sich herausstellen«, sagte Kischkewitz.

Plötzlich tauchte hinter ihr Herbert Schmitz auf und polterte: »Ich denke, dass mein Sohn schon genug gelitten hat. Was wollen Sie denn noch?«

»Mit ihm reden«, erklärte Kischkewitz freundlich. »Selbstverständlich können Sie teilnehmen.«

»Und wenn ich meinen Anwalt anrufe?«

Kischkewitz atmete laut aus. »Dann bin ich gezwungen, Ihren Sohn mitzunehmen. Die Sache verträgt keinen Aufschub.«

Die Eltern schwiegen sekundenlang, dann entschied der Herr der Vulkanschlacken: »Also gut, kommen Sie rein.«

Er führte uns wieder in sein Büro, griff zum Telefon und sagte: »Kevin, kommst du bitte mal zu mir?« Dann wies er uns Stühle an. »Wollen Sie einen Kaffee oder was anderes?«

»Nein, danke«, lehnte Kischkewitz ab.

Griseldis Schmitz war hinter uns stehen geblieben und fragte: »Wieso haben Sie einen Vertreter der Presse dabei?« Es klang scharf.

»Herr Baumeister ist als Zeuge hier«, stellte Kischkewitz fest. »Das hat mit seinem Beruf nichts zu tun.«

»Zeuge wofür?«, fragte Schmitz.

»Warten Sie es ab.«

Der Junge kam herein und es war seinem Gesicht anzusehen, dass er einen Sturm erwartete. Seine Augen glitten unruhig hin und her, seine Bewegungen waren stockend. Er setzte sich auf einen Stuhl rechts von uns.

»Die Herren wollen dir ein paar Fragen stellen«, sagte der Vater. »Bitte, meine Herren.« Er stellte in seiner Unsicherheit eine ungeheure Arroganz zur Schau.

»Kevin«, begann ich so sanft wie möglich, »wir wollen noch einmal auf den Donnerstag zurückkommen. Ihr habt erzählt, ihr seid nach der Schule jeder für sich mit dem Rad rumgefahren. Inzwischen habe ich erst mit Gerd Salm gesprochen, anschließend mit Bernard und Anke. Ich weiß jetzt, was wirklich gewesen ist.«

Wir warteten, was geschehen würde, aber es geschah nichts.

»Bist du einverstanden, dass ich dir erzähle, was ich weiß?«

Kevin sah kurz hoch und nickte.

»Gut. Also, ihr seid zu dritt losgefahren. Du, Bernard und Anke, nicht allein, wie ihr erst erzählt habt. Ihr seid direkt rauf in den Stadtwald geradelt. Wenn ich überlege, was Anke und Bernard gesagt haben, wart ihr gar nicht lange dort oben bei der Liebeslaube, vielleicht nur eine Viertelstunde.«

»Moment«, sagte die Frau hinter uns heftig. »Ich möchte doch darum bitten, dass das ...«

»Frau Schmitz«, sagte Kischkewitz scharf, »Sie müssen sich damit abfinden, dass die Kinder, Ihr Sohn eingeschlossen, Sie die ganze Zeit beobachtet haben. Und zwar schon seit langem. Seien Sie nun bitte still, sonst kann Ihr Sohn nicht erzählen, wie er die Sache erlebt hat. Und es geht um Ihren Sohn, nicht um Sie!«

»Aber es geht Kinder nichts an, was Erwachsene tun. Die

Kinder können doch damit gar nichts anfangen.« Herbert Schmitz hatte einen hochroten Kopf und wedelte mit dem rechten Arm, als dirigiere er ein Orchester.

»Sagst du es oder soll ich es sagen?«, fragte mich Kischkewitz sanftmütig.

Ich musste grinsen. »Ich mach es. Wissen Sie, Herr Schmitz, es ist geradezu grandios, wie sehr Sie am tatsächlichen Leben Ihres Sohnes vorbeireden. Ihr Sohn hat seine Mutter und ihre Liebhaber in ihrer Liebeslaube beobachtet. Ihr Sohn hat Sie im Betrieb gesehen, wie Sie mit einer Sekretärin herumspielten. Es heißt, Sie haben gar nicht gemerkt, dass Ihr Sohn in der Tür stand. Sie machen mich ärgerlich, wenn Sie sich anmaßen zu entscheiden, was man Kindern sagen kann und was nicht. Die Kinder, die ganze Clique, hat gewusst, was Sie und Ihre Frau treiben. So, und jetzt einmal ganz vorsichtig weiter. Kevin, ihr seid also oben bei der Liebeslaube gewesen. Du bist erst traurig und dann furchtbar wütend geworden. Und du bist durch diese blöden Brombeerranken zurückgekrochen, hast dich auf dein Fahrrad gesetzt und bist losgefahren. Direkt zum Amor-Busch. Du hast nämlich gewusst, dass die Annegret da war, weil sie mit Gerd Salm verabredet war. So war es doch, oder?«

Er nickte.

»Was ist passiert, Kevin, als du zu Annegret gekommen bist?«

»Sie hat mich in den Arm genommen. Das hat sie oft gemacht. Immer wenn ich nicht gut drauf war.«

»Warum, um Himmels willen, hat es denn Streit gegeben? Streit war doch gar nicht nötig, es war doch alles wieder in Ordnung.«

»Ich war so schrecklich wütend, ich weiß auch nicht warum. Ich hab gesagt, ich schneide dem Polen die Eier ab.«

Der Vater zuckte zusammen. Griseldis Schmitz hinter uns ließ ein erschrockenes »Oh« hören.

»Aber Annegret hat dir gesagt, das sei keine Lösung. Annegret war der Meinung, dass man die Erwachsenen in Ruhe lassen sollte. Hatte Annegret nicht mal gesagt: Liebe müssen wir selbst machen?«

»Ja.«

»Wie ging es weiter, Kevin?«

»Sie hat gesagt, ich geb dir was zum Trösten. Und dann hat sie sich ... dann hat sie sich ausgezogen. Und sie hat gesagt, ich dürfte meinen Kopf in ihren Schoß legen und dann würde alles wieder gut.«

»Das ist Vergewaltigung!«, sagte Herbert Schmitz erregt. »Die Kleine hat unseren Sohn vergewaltigt.«

Das wirkte so grotesk, dass selbst seine Frau empört schnaufte. Kischkewitz betrachtete den Unternehmer mit erstaunten Augen.

»Niemand hat Ihren Sohn vergewaltigt«, stellte ich fest. »Oder hat Annegret dich vergewaltigt, Kevin?«

»Nein«, sagte er. »Das hat sie nicht. Sie hat nur gesagt, ich sähe auch gut aus.«

»Du warst auch nackt?«, fragte ich.

»Ja.«

»Und du warst so aufgeregt, dass es dir passierte, nicht wahr?«

»Ja. Sie hat mich gestreichelt.«

»Und dann hat sie etwas gesagt, was dich verrückt gemacht hat?«

»Ja.«

»Was war das, was hat sie gesagt?«

»Sie hat gesagt, ich wäre noch klein und harmlos und sollte Gerd nichts erzählen, weil eigentlich nur Gerd gut für sie wäre. Und sie hat gesagt, mein Penis sei ... also, sie hat gesagt ...« Er brach ab.

»Rede ruhig weiter«, bemerkte Kischkewitz. »Das ist nicht wirklich wichtig. Aber es wäre gut, wenn wir es wüssten.«

»Mein Schwanz sei noch ziemlich klein, hat sie gesagt. Und dann sagte sie: Auch für deine Mutter reicht der nicht.« Er sah sich nach seiner Mutter um, die mit einem erstickten Wort reagierte, das niemand verstehen konnte.

»Dann kam der Stein«, stellte Kischkewitz fest.

Die Stille dröhnte.

Der Junge sagte tonlos: »Ja, dann kam der Stein.«

Kischkewitz stand auf und bewegte nickend den Kopf, als sei diese Szene eine ewige Wiederholung in seinem Leben. Wahrscheinlich war das so.

»Ich nehme Ihren Sohn mit.«

»Um Gottes willen!«, schrie die Mutter. »Kein Gefängnis.«

»Ihr Sohn wird kein Gefängnis von innen sehen. Aber er muss zu Leuten, die sich um seine Seele kümmern. Das ist wichtiger als alles andere.«

»Aber er hat keinen Verteidiger«, sagte der Vater. Sein Gesicht war bleich und von Schweißperlen überzogen.

»Er braucht keinen Verteidiger«, sagte Kischkewitz. »Es wäre gut, gnädige Frau, wenn Sie ihm ein paar Sachen einpackten.« Das ›gnädige Frau‹ kam daher wie ein Peitschenhieb.

»Ich gehe dann mal, mein Alter. Ich sehe dich später«, murmelte ich.

»Ja«, sagte er. »Du musst als Zeuge aussagen. Das weißt du?«

»Sicher. Ich bin daheim und erreichbar.«

Ich fand mich dann hinter dem Steuerrad wieder, ich weinte. Es dauerte eine ganze Weile, ehe ich losfahren konnte.

Ich musste in Hamburg Bescheid sagen, dass ich eine wunderbare Geschichte hatte. Nicht sagen würde ich, dass ich beinahe darin versackt wäre.

Ich rannte durch mein Haus, das zum Glück verwaist war, und war in großer Hektik. Schließlich fand ich eine Naturmedizin, die ich irgendwann einmal gekauft hatte, als es mir schlecht ging. Auf der Packung stand: *Die Einschlafkapseln fördern auf natürliche und bewährte Weise den gesunden und erholsamen Schlaf und geben somit Kraft für den nächsten Tag ... Nebenwirkungen sind nicht bekannt.* Ich weiß nicht, wie viele ich nahm, wahrscheinlich eine ganze Hand voll. Irgendwann, als der neue Tag schon vorsichtig in meinen Garten lugte, schlief ich ein und wurde erst wieder wach, als Rodenstock mich anrief und jubilierte: »Sie hat gewonnen.«

»Wer hat gewonnen?«

»Na, Isabell. Sie hat den Muff von tausend Jahren Filz aus der Eifel geblasen. Ich bin richtig glücklich.«

»Und du wolltest auswandern! Welchen Tag haben wir denn?«

»Es ist Sonntagabend, neunzehn Uhr. Komm her, wir wollen feiern.«

Es war schon ein seltsames Gefühl, eine Frau zu feiern, die ich noch nie im Leben gesehen hatte.

Ich habe vielen Menschen Dank zu sagen. Vor allem den Spezialisten des K 11 in Trier um den Ersten Kriminalhauptkommissar Bernd Michels. Den Mord an einem Kind zu schildern war ein Plan, der sich sehr schwierig gestaltete. Morde an Kindern spülen mit ungeheurer Gewalt das absolut Mieseste in Erwachsenen hoch und auch das absolut Beste. Im Grunde ist der gewaltsame Tod eines Kindes der übelste Tabubruch, den eine Gesellschaft kennt. Ich hoffe, ich bin dieser Realität gerecht geworden.

J. B. im August 2004

Jacques Berndorf/Christian Willisohn

Otto Krause hat den Blues

CD, 73 Minuten
ISBN 3-89425-497-1
€ 15,90/sFr 30,50

»Er ist nicht nur einer der besten Blues- und Boogie-Pianisten und -Sänger weit und breit, Christian Willisohn setzt sich auch mit Notenbüchern für den Nachwuchs und mit einem eigenen Label für Kollegen ein. Und er hat sich jetzt mit Jacques Berndorf, dem bekannten Eifel-Krimi-Autoren, auf ein spannendes literarisch-musikalisches Experiment eingelassen. Auf der Hörbuch-CD ›Otto Krause hat den Blues‹ erzählen die Reibeisenstimmen der beiden ein Bluesmärchen. Willisohns eigens dafür komponierte Stücke gehen nahtlos in die mal witzigen, mal traurigen Episoden rund um eine große Liebe über.«
Süddeutsche Zeitung, SZ Extra

»Kein Krimi diesmal von Jacques Berndorf, sondern ein Märchen, ein Bluesmärchen. Nichts fehlt darin: die große Liebe und die bittere Enttäuschung, Verlust und Hoffnung, Depression und Durchhaltevermögen, Mülltonnen und Fische im trüben Teich, Momente des Glücks und lange Phasen der Einsamkeit, Riesenschlangen und ein Happy End.«
Jazz Podium

»Das Zusammenspiel von Krimiautor Jacques Berndorf und dem Jazzer Christian Willisohn macht diese Scheibe zu einem schauerlich schönen Hör-Erlebnis.«
Neues Deutschland

Krimis von Felix Thijssen

»Felix Thijssen ist ein guter Erzähler, er nimmt sich Zeit für seine Figuren und für die Motivationen der Bösen wie der Guten; nichts gerät ihm aus den Fugen und nichts gibt er zu früh preis. Dafür hat man ihm völlig zu Recht den holländischen Krimipreis gegeben.«
Heilbronner Stimme

»Max Winter ist ein sympathischer Privatdetektiv vom Typ Matula, der sich selbst nicht allzu ernst nimmt und mit einer gehörigen Portion Selbstironie ausgestattet ist.« krimi-couch.de

»Max Winter und CyberNel sind ein tolles Gespann, und was die beiden ... herausbekommen, ist verdammt spannend.« WDR

Cleopatra
Max Winters erster Fall
Aus dem Niederländischen von Stefanie Schäfer
Deutsche Erstausgabe ISBN 3-89425-504-8

Isabelle
Max Winters zweiter Fall
Aus dem Niederländischen von Stefanie Schäfer
Deutsche Erstausgabe ISBN 3-89425-513-7

Tiffany
Max Winters dritter Fall
Aus dem Niederländischen von Stefanie Schäfer
Deutsche Erstausgabe ISBN 3-89425-520-X

Ingrid
Max Winters vierter Fall
Aus dem Niederländischen von Stefanie Schäfer
Deutsche Erstausgabe ISBN 3-89425-524-2

Caroline
Max Winters fünfter Fall
Aus dem Niederländischen von Stefanie Schäfer
Deutsche Erstausgabe ISBN 3-89425-530-7

Charlotte
Max Winters sechster Fall
Aus dem Niederländischen von Stefanie Schäfer
Deutsche Erstausgabe ISBN 3-89425-536-6